CAPITAL ERÓTICO

CAPITAL
ERÓTICO

Catherine Hakim

CAPITAL ERÓTICO

PESSOAS ATRAENTES SÃO MAIS BEM-SUCEDIDAS. A CIÊNCIA GARANTE.

Tradução
Joana Faro

12ª edição

best.
business

Rio de Janeiro | 2025

CIP-BRASIL. CATALOGAÇÃO-NA-FONTE
SINDICATO NACIONAL DOS EDITORES DE LIVROS, RJ

H18c   Hakim, Catherine
        Capital erótico / Catherine Hakim; tradução: Joana Faro.
12ª ed. – 12ª ed. – Rio de Janeiro: Best Business, 2025.

        Tradução de: Honey money
        ISBN 978-85-7684-605-5

        1. Atração interpessoal. 2. Carisma (Traço da personalidade). 3. Sucesso. I. Título.

12-0100.   CDD: 302.13
                                    CDU: 316.474

Texto revisado segundo o novo Acordo Ortográfico da Língua Portuguesa.

Título original norte-americano
HONEY MONEY
Copyright © 2011 by Catherine Hakim
Copyright da tradução © 2012 by Editora Best Seller Ltda.

Capa: Igor Campos
Editoração eletrônica: Abreu's System

Publicado primeiramente na Grã-Bretanha pela Penguin Books Ltd.

Todos os direitos reservados. Proibida a reprodução,
no todo ou em parte, sem autorização prévia por escrito da editora,
sejam quais forem os meios empregados.

Direitos exclusivos de publicação em língua portuguesa para o Brasil
adquiridos pela
EDITORA BEST BUSINESS um selo da EDITORA BEST SELLER LTDA.
Rua Argentina, 171, 3º andar, São Cristóvão
Rio de Janeiro, RJ – 20921-380
que se reserva a propriedade literária desta tradução

Impresso no Brasil

ISBN 978-85-7684-605-5

Seja um leitor preferencial Record.
Cadastre-se no site www.record.com.br e receba
informações sobre nossos lançamentos e nossas promoções.

Atendimento e venda direta ao leitor
sac@record.com.br

Sumário

Introdução: O capital erótico e a política do desejo   7

PARTE I
O CAPITAL ERÓTICO E A POLÍTICA SEXUAL MODERNA

1. O que é capital erótico?   17
2. A política do desejo   42
3. Negação: a supressão do capital erótico   76

PARTE II
COMO O CAPITAL ERÓTICO FUNCIONA NA VIDA COTIDIANA

4. Os benefícios vitalícios do capital erótico   107
5. Romance moderno   136
6. Sem dinheiro, nada feito: vendendo entretenimento erótico   159
7. O vencedor leva tudo: o valor profissional do capital erótico   193
8. O poder do capital erótico   223

Apêndice A: Medidas do capital erótico   245

Apêndice B: Recentes pesquisas sobre sexo   259

Notas   263

Bibliografia   305

Agradecimentos e fontes de tabelas e figuras   331

Introdução
O capital erótico e a política do desejo

Anna perdeu seu emprego bem-remunerado no mercado financeiro, então teve de se esforçar para encontrar um novo trabalho. Passou a comer menos, exercitou-se, perdeu peso e conquistou uma aparência dez anos mais jovem. Foi ao cabeleireiro e recoloriu e cortou o cabelo, o que a favoreceu e a fez parecer ainda mais jovem e ativa. Foi às compras e investiu em um terninho caro que exibia sua nova silhueta e a deixava tão atraente quanto profissional — e usou-o em todas as entrevistas. Anna se sentia confiante com ele. Três meses depois, ela conseguiu um novo emprego em consultoria, recebendo 50% a mais do que no antigo.

Anna trabalha no setor privado, onde as aparências importam bem mais que no serviço público. Entretanto, qualquer um poderia fazer o mesmo. Por que uma pessoa não investiria em um atributo que complementa a inteligência, a especialização e a experiência? Frequentemente, as pessoas que procuram por um emprego são aconselhadas a confiar em sua rede de contatos, a explorar seu capital social. Porém, melhorar a aparência e o estilo pode ser igualmente eficiente.

Cunhei o termo "capital erótico" para aludir a uma obscura, embora crucial, combinação de beleza, *sex appeal*, capacidade de apresentação pessoal e habilidades sociais — uma união de atrativos físicos e sociais que torna alguns homens e mulheres companhias agradáveis e bons colegas, atraentes para todos os membros de sua sociedade e, especialmente, para o sexo oposto. Estamos habituados a valorizar o capital humano — qualificações, instrução e experiência de trabalho. Mais recentemente, começamos a reconhecer a importância do estabelecimento de redes de contatos e do capital social — *quem* conhecemos em vez de *o que* conhecemos. Este livro apresenta as evidências e o impacto de um talento completamente ignorado até agora e que nunca recebera um nome: capital erótico.

O capital erótico é tão importante quanto o humano e o social para entender os processos sociais e econômicos, a interação entre pessoas e a mobilidade social ascendente. É essencial para compreender a sexualidade e os relacionamentos sexuais. Nas individualistas e sexualizadas sociedades modernas, o capital erótico está se tornando mais importante e valorizado, tanto para homens quanto para mulheres. Entretanto, as mulheres têm uma tradição mais longa de desenvolvê-lo e explorá-lo, e descobri que estudos normalmente concluem que elas possuem mais *sex appeal* que os homens. Os artistas sabem disso há séculos.

Consultores que auxiliam na busca de empregos nos lembram de que nunca temos uma segunda oportunidade para causar uma boa primeira impressão. As pessoas selecionadas para entrevistas são todas adequadamente qualificadas e têm a experiência de trabalho requerida. As entrevistas podem revelar talentos extras — como o capital erótico — que ajudem a definir quem será contratado. Anna já possuía os diplomas e o conhecimento, então investiu nesse outro atributo que, muitas vezes, é negligenciado. Para pessoas com pouca — ou nenhuma — qualificação, o capital erótico pode ser o mais importante atributo pessoal.

Como a inteligência, o capital erótico tem valor em todas as áreas da vida, da sala de reuniões ao quarto. Pessoas atraentes cativam os outros como amigos, amantes, colegas, fregueses, clientes, fãs, seguidores, eleitores, partidários e patrocinadores. São mais bem-sucedidas na vida pessoal (com maior possibilidade de escolha de parceiros e amigos), mas também na política, nos esportes, nas artes e na vida profissional. Em *Capital erótico*, quero explorar os processos sociais que ajudam as pessoas atraentes a ir mais longe, mais rápido. Em que idade ser atraente começa a fazer diferença? As pessoas mais bonitas e elegantes reconhecem essa vantagem? Existe algum elo entre a beleza e o intelecto, de forma que alguns poucos privilegiados possuam dupla vantagem? Quem não nasceu belo pode desenvolver atrativos mesmo assim?

Em seu primeiro estágio, meu estudo lançou um enigma. Pesquisas demonstram que os homens se beneficiam financeiramente do capital erótico até mais que as mulheres! Como eu esperava, elas atingem níveis mais altos de atratividade social e física — provavelmente porque se esforçam mais em ter boa aparência e ser agradáveis —; porém, eles recebem compensações mais altas por seus parcos esforços. Na verdade, o capital erótico das mulheres não parece ser tão bem recompensado quanto o dos homens — sobretudo na força de trabalho. Por que isso acontece e o que se pode fazer a respeito são questões que discuto ao longo do livro.

Parte da explicação para esse fato parece ser o que chamo de "déficit sexual masculino", ou seja, a maior intensidade do desejo sexual dos homens, que os deixa frustrados desde cedo. Isso exerce uma influência subliminar nas atitudes masculinas em relação às mulheres, especialmente no âmbito pessoal, mas também no profissional. Descobri o déficit sexual masculino por acidente, quando examinava os resultados de recentes pesquisas sobre sexo realizadas pelo mundo. Segundo a sabedoria popular, os homens nunca estão sexualmente satisfeitos. A interação entre o déficit sexual masculino e o capital erótico influencia todos os relacionamentos entre homens e mulheres, em casa e no trabalho. O patriarcado esforçou-se para camuflar esse fato sob uma névoa de moralidade que controla o modo de vestir e o comportamento públicos das mulheres. Na minha opinião, o feminismo radical entrou em um beco sem saída por adotar ideias similares, que depreciam o encanto feminino. Por que as feministas não desafiaram as convenções masculinas sobre roupas e comportamento apropriados para as mulheres? Por que não estimular a feminilidade em vez de aboli-la? Por que ninguém encoraja as mulheres a se aproveitar dos homens sempre que puderem? O feminismo liberal pode parecer restritivo ao invés de libertador.

Este livro não apresenta opiniões pessoais ou preconceitos. Todos os argumentos são baseados e desenvolvidos a partir de numerosas evidências sobre os tópicos, obtidas em pesquisas na área das ciências sociais e demonstradas nos capítulos a seguir. Meus dois conceitos principais — o capital erótico e o déficit sexual masculino — são novos, mas, repito, baseados em evidências.[1]

O conceito de capital erótico é apresentado no Capítulo 1, e explico por que ele está ganhando importância em sociedades modernas abastadas. Assim como os níveis de Q.I. vêm se elevando constantemente por cerca de 6% a cada década do último século, os níveis de atratividade física também vêm aumentando com o tempo. Os dois processos provavelmente estão ligados de alguma forma, assim como a altura é ligada à capacidade cognitiva e às habilidades sociais.[2] Será que o capital erótico pode ser medido, assim como o Q.I. e a estatura? O que é mais importante: poder de atração física ou social?

Sabe-se que ser alto acarreta vantagens sociais e econômicas, especialmente para os homens. A maioria dos presidentes americanos foi alta, ou pelo menos mais altos que seus oponentes. Da mesma maneira, a atratividade social e a física parecem fornecer uma ampla gama de benefícios importantes na força de trabalho e no ambiente social, assim como em relacionamentos pessoais. Na Parte II, analiso a maneira como o capital erótico funciona no dia a dia e examino as evidências sobre os benefícios e vantagens do poder erótico em todas as atividades.

Os Capítulos 4 e 5 sintetizam estudos que demonstram os benefícios da atratividade física e social para homens e mulheres na vida cotidiana — em amizades, encontros, namoros, casamento, sedução de amantes, casos amorosos, ao fazer amigos, em ser considerado bom e honesto e, geralmente, conseguindo tudo isso com mais facilidade na maioria dos contextos. Às vezes, tais benefícios vitalícios do capital erótico são rotulados como "discriminação", mas esse é um conceito inapropriado. A escassez confere valor a qualquer produto, talento ou aptidão, seja a habilidade de ser encantador e persuasivo, o conhecimento de tecnologia da informação, a capacidade de pilotar um avião ou de correr mais rápido que os outros.

O capital erótico pode ser crucial para casais estáveis, alterando sutilmente as negociações diárias entre os parceiros sobre papéis e responsabilidades. A maioria das pesquisas analisa casais heterossexuais, mas um padrão similar ocorre entre casais homossexuais nos quais um dos parceiros é mais jovem e atraente que o outro. Isso resulta na "economia sexual" dos relacionamentos pessoais,[3] ou, como intitulo, a "sexonomia", na qual se baseiam todas as trocas e relações entre homens e mulheres.

No Capítulo 6, redefino os entretenimentos eróticos, a indústria do sexo comercial e grande parte da indústria da propaganda como negócios que vendem capital erótico. Estando ou não envolvidos serviços sexuais, as mulheres e os homens da indústria do entretenimento tendem a ser jovens — certamente mais jovens que a maioria dos clientes — atraentes, bonitos, dinâmicos e em boa forma, exibindo grande *sex appeal* e, frequentemente, apresentando uma variedade de outras habilidades sociais ou talentos artísticos, como dançar, cantar ou fazer acrobacias. Até mesmo a indústria da música se tornou erotizada, recrutando cantores com base em sua capacidade de externar sexualidade e vitalidade em vídeos e no palco. Propagandas de roupas e perfumes se tornaram extremamente sexualizadas. A publicidade costuma usar o *sex appeal* feminino para vender todo tipo de produto, de detergentes a carros e óleo de motor.

O Capítulo 7 analisa o valor do capital erótico nos negócios — como ele ajuda a vender produtos, serviços, ideias e diretrizes na política, na mídia, no ambiente de trabalho, nos esportes e nas artes. Na indústria de serviços, o elemento de habilidades sociais do capital erótico pode ser especialmente importante por criar um estilo e uma sensação particulares ao serviço prestado, por exemplo, em uma boate ou em um bar. Habilidades sociais também são valorizadas em todos os empregos de colarinho-branco, especialmente em administração e em funções que envolvem contato com fregueses ou clientes. Agora, até mesmo políticos e acadêmicos consideram útil ser atraentes e elegantes, além de bem informados, pois a TV os expõe, assim como as suas ideias, ao olhar do público. Ainda que a rentabilidade do poder erótico esteja concentrada em determinadas ocupações, diversos estudos demonstram que existe um perceptível "adicional por beleza" de 10% a 20% no salário, distribuído por toda a força de trabalho, assim como os 10% a 20% acrescidos pela altura.

O capital erótico parece uma ideia tão óbvia, que temos de nos perguntar por que nunca foi identificado antes. Meu argumento, na Parte I, é que a política do desejo prejudicou as mulheres como um todo. O capital erótico desempenha um papel vital no estímulo do desejo masculino e, menos agressivamente, do feminino. É de praxe que os debates sobre o capital erótico e seu valor sejam influenciados pelos desejos e pelas necessidades sexuais masculinos. Normalmente, eles não se dispõem a admiti-lo, para que as mulheres não explorem essa "fraqueza". Assim, o capital erótico feminino se entrelaçou ao déficit sexual, aos egos masculinos e à retórica que cerca as disputas de poder entre homens e mulheres. A política sexual moderna envolve a constante negação do valor do capital erótico e da sexualidade das mulheres na vida pessoal.

As feministas alegam ser mito que os homens tenham uma libido mais intensa, que essa é meramente uma desculpa usada para justificar mau comportamento. Elas insistem que não existe diferença real entre homens e mulheres no que diz respeito à sexualidade, assim como em outras áreas. Para provar que estão erradas, examino cuidadosamente as evidências no Capítulo 2, e considero as implicações dos diferentes níveis de desejo entre homens e mulheres para o valor do capital erótico. Meu interesse está no impacto que essa diferença onipresente exerce na importância do capital erótico — e em sua relação com a negação de seu valor. Para justificar minha conclusão de que essa diferença no desejo — que chamo de "déficit sexual masculino" — é um fenômeno universal, as evidências de pesquisas sobre sexo realizadas no mundo todo são apresentadas detalhadamente. É crucial estabelecer este como um novo fato do qual os cientistas sociais se esquivaram, e explorar seu impacto nos relacionamentos entre homens e mulheres, tanto na vida pessoal quanto na pública.

Como os benefícios do capital erótico são consideráveis, precisamos nos perguntar: por que esse atributo pessoal não foi explicitamente reconhecido até agora? No Capítulo 3, argumento que as ideologias patriarcais têm subestimado sistematicamente o capital erótico feminino para desencorajar as mulheres de lucrar com ele — à custa dos homens. Como as mulheres geralmente possuem mais capital erótico que os homens, eles negam sua existência e seu valor, e têm tomado providências para garantir que as mulheres não possam explorar legitimamente sua importante vantagem. Infelizmente, as feministas radicais de hoje reforçam as objeções "morais" do patriarcado à exploração do capital erótico. Muitos dos escritos feministas modernos conspiram com as perspectivas chauvinistas masculinas por perpetuar esse desprezo pela beleza e pelo *sex appeal* das mulheres. A ideologia do "aparencismo" e a insurreição das "gordinhas" são as últimas expressões dessa negação do valor social e econômico do capital erótico.

O feminismo é uma ideologia abrangente, com muitos elementos adversos. Em geral, as feministas francesas e alemãs reconhecem e valorizam o capital erótico das mulheres (sem usar o conceito). Sua consciência do capital erótico feminino ajuda a explicar o profundo abismo que divide as feministas radicais puritanas anglo-saxãs da maioria de suas irmãs europeias.

O capital erótico expõe um aspecto da vida no qual as mulheres indubitavelmente têm uma vantagem sobre os homens, reforçada pelo déficit sexual masculino. Isso é algo que eles se recusaram a admitir até agora. O reconhecimento do capital erótico como o quarto atributo pessoal que faltava revela que as ciências sociais continuam a ser sexistas e patriarcais, mesmo no século XXI, a despeito da contribuição das pensadoras feministas. Também inspira uma nova perspectiva sobre algumas áreas ardentemente debatidas das políticas públicas — como a prostituição e as barrigas de aluguel.

O conceito de capital erótico surgiu a partir de uma ampla avaliação das evidências de pesquisa sobre a posição das mulheres no mercado de trabalho e nos relacionamentos pessoais, sobre o que parece estar faltando nas existentes teorias do que contribui para o sucesso na vida e sobre a compreensão popular de como os relacionamentos funcionam. Meu objetivo é oferecer uma nova perspectiva que esclareça todos os aspectos dos relacionamentos, tanto na vida pública quando na pessoal e, com sorte, encorajar as mulheres a barganhar por uma situação melhor.

PARTE I

O capital erótico e a política sexual moderna

1. O que é capital erótico?

Pessoas atraentes se destacam. Os outros as notam, são conquistados por elas, têm boa vontade com elas. O presidente Barack Obama possui muitos talentos, é inteligente e extremamente culto, mas é provável que o fato de ser um homem bonito, elegante, bem-vestido e de estar em forma tenha contribuído para que se tornasse o primeiro negro a ser eleito presidente dos Estados Unidos, especialmente porque sua mulher, Michelle, também preenche *todos* esses requisitos. Elizabeth Taylor teve uma beleza estonteante desde a infância, e iluminou a tela em todos os seus filmes. Os homens sempre a consideraram atraente, e ela se casou oito vezes durante sua longa vida.

A beleza extraordinária parece ter um apelo global. A atriz chinesa Gong Li é uma das maiores beldades do mundo e foi tão bem-sucedida no filme americano *Miami Vice* quanto em uma série de películas do diretor chinês Zhang Yimou. O jogador de golfe americano Tiger Woods é conhecido por ser o primeiro atleta a ultrapassar 1 bilhão de dólares em ganhos com a carreira, a maior parte proveniente de acordos multimilionários de patrocínio, e não de sua ocupação principal como atleta, pois seu apelo é global, não apenas local.[1] Nesse caso, uma esposa e filhos atraentes também eram parte de seu apelo.

Esses são exemplos de pessoas famosas, mas o mesmo padrão pode ser observado na vida cotidiana. Pessoas física e socialmente atraentes têm um "quê", uma vantagem, um encanto que pode beneficiá-las em todos os aspectos da vida e em todas as profissões.

Todos sabem que o dinheiro pode comprar praticamente qualquer coisa. Como ocorreu com o "capital econômico" — agora que a economia ocidental se tornou uma meritocracia — também nos acostumamos a falar sobre "capital humano" para nos referir aos enormes benefícios econômicos e sociais de uma boa educação e da experiência profissional. Da mesma forma, o capital humano descreve a contribuição dos funcionários para qualquer iniciativa na economia do conhecimento. Mais recentemente, adotamos o termo "capital social" para nos referir aos valores econômico e social de amigos, parentes e contatos profissionais — distinguindo *quem* conhecemos de *o que* conhecemos. O "capital erótico" é o quarto atributo pessoal, até agora ignorado, ainda que haja lembretes diários de sua importância.

O capital erótico combina beleza, *sex appeal*, dinamismo, talento para se vestir bem, charme, habilidades sociais e competência sexual. É um misto de atratividade física e social. A sexualidade é parte dele, uma parte facilmente negligenciada por se aplicar apenas aos relacionamentos íntimos.[2] Entretanto, pesquisas sobre sexo realizadas por todo o planeta demonstram que os integrantes de sociedades abastadas estão fazendo mais sexo, e com mais parceiros do que geralmente era possível antes da invenção dos contraceptivos modernos. Dessa forma, a sexualidade desempenha um papel mais importante na vida moderna do que antes, permeando cada vez mais a literatura, a cultura popular e a propaganda, além de estimular uma expansão maciça dos entretenimentos sexuais de todos os tipos. Alguns acolhem essa nova "liberação sexual". Muitos a odeiam. A onipresença de imagens eróticas na publicidade provoca a raiva feminista da mesma maneira que as cenas do êxtase doméstico das donas de casa faziam em décadas anteriores.[3]

É fato inegável que a sexualidade se tornou mais importante para todos na vida moderna, não apenas para a elite e os ricos, como no passado, com os haréns reais e as concubinas dos aristocratas. Uma das consequências é que o valor do capital erótico das mulheres subiu, ainda que seja apenas porque a demanda masculina por entretenimento sexual parece inesgotável, algo que muitas mulheres não entendem totalmente.

Os seis (ou sete) elementos do capital erótico

O capital erótico é multifacetado. Determinados aspectos podem ser mais ou menos proeminentes em diferentes sociedades e épocas. A beleza sempre foi um elemento central, a despeito das variações culturais e temporais em relação ao que a constitui. Os gostos pessoais também variam. Algumas sociedades africanas, sobretudo a África do Sul, admiram mulheres com corpos grandes e voluptuosos. Na Europa ocidental, as modelos normalmente são altas e magras a ponto de parecer anoréxicas. Em séculos anteriores, mulheres com olhos pequenos e boquinhas em forma de botão eram consideradas delicadamente belas. A ênfase moderna em traços fotogênicos define que homens e mulheres com olhos grandes, lábios grossos e rostos "esculpidos" sejam, agora, priorizados. As últimas pesquisas demonstram que traços convencionais, simetria e até mesmo o tom de pele contribuem para a atratividade, como observado no Apêndice A.

Contudo, a atratividade é, em grande parte, uma característica conquistada, como demonstra o conceito francês de *belle* ou *jolie laide*. *Belle laide* (ou *beau laid*, no caso dos homens) se refere a uma mulher feia que se torna atraente por meio de suas habilidades de apresentação e de seu estilo. Entrar em forma, corrigir a postura, usar cores e modelos favoráveis — tais mudanças podem contribuir para uma aparência completamente nova. Ainda assim, muitas pessoas não fazem esse esforço. A beleza extrema é sempre rara e universalmente valorizada.

Um segundo elemento é a atratividade sexual, que pode ser bastante diferente da beleza clássica. Até certo ponto, a beleza está ligada principalmente a um rosto atraente, enquanto a atratividade sexual tem a ver com um corpo sexy. Entretanto, o *sex appeal* pode depender de personalidade e estilo, feminilidade ou masculinidade, jeito de ser, maneira de interagir socialmente. A beleza tende a ser estática, por isso é facilmente capturada em fotos. A atratividade sexual está na maneira como alguém se movimenta, fala ou se comporta, de forma que só pode ser registrada em filme ou observada diretamente. Muitos jovens possuem *sex appeal*, mas este pode enfraquecer rapidamente com a idade. Os gostos pessoais também variam. No mundo ocidental, os homens supostamente se dividem entre aqueles que priorizam seios, nádegas ou pernas, mas, na maioria das culturas, é a aparência geral que importa. Alguns homens gostam de mulheres delicadas, e até pequenas, enquanto outros são atraídos pelas altas e elegantes. Algumas mulheres procuram homens com músculos desenvolvidos e corpos fortes e atléticos, enquanto outras preferem uma aparência esguia e mais feminina. Essas duas variações da masculinidade ideal são representadas nas óperas indonésias e chinesas: o estudioso refinado, civilizado e inteligente e o guerreiro vigoroso e dinâmico — o poder da caneta e o poder da espada, respectivamente. Apesar dessas variações no gosto pessoal, o *sex appeal* é escasso e, portanto, universalmente valorizado.

Um terceiro elemento do capital erótico é totalmente social: graça; charme; capacidade de interação; a habilidade de conquistar pessoas, de deixá-las felizes e à vontade; de gerar interesse e, quando for apropriado, desejo. A habilidade de flertar pode ser aprendida, mas não é universal. Algumas pessoas em posições de poder têm muito charme e carisma; outras não têm nenhum. Alguns homens e mulheres são habilidosos no flerte discreto em todos os contextos; outros são inábeis. Novamente, essas habilidades sociais têm seu valor.

Um quarto elemento é o dinamismo, um misto de boa forma física, energia social e bom humor. Pessoas animadas podem ser imensamente atraentes para os outros — como provam aqueles que são descritos como "a alma da festa". Algumas sociedades valorizam o humor. Na maioria das culturas, o dinamismo é exibido através da dança ou das atividades esportivas — motivo pelo qual os atletas normalmente têm um encanto especial.

O quinto elemento diz respeito à apresentação social: estilo de vestir, maquiagem, perfume, joias ou outros adornos, cortes de cabelo e os diversos acessórios que as pessoas carregam ou usam para anunciar ao mundo seu status social e estilo. Monarcas e presidentes vestem-se para funções públicas de forma a enfatizar seu poder e sua autoridade. Fardas militares e outros uniformes formais anunciam status, hierarquia e autoridade, e têm conotações eróticas para muitas pessoas. Quando comparecem a uma festa ou a outro tipo de evento social, as pessoas comuns vestem-se para ficar atraentes, assim como para anunciar seu status social e financeiro a qualquer desconhecido que encontrarem. A relativa ênfase na roupa sexy ou nos símbolos de status social depende do local e do evento. No passado, leis suntuárias controlavam o uso de símbolos de status no vestuário das pessoas.[4] Nos dias atuais, a moda desempenha em parte esse papel. Hoje, o foco está tanto na exibição da sexualidade e da tribo de estilo tanto quanto no status econômico. Por todo o mundo, casamentos encorajam trajes glamourosos, enquanto funerais exigem recato e simplicidade. Quem tem habilidade para se apresentar socialmente e se vestir de maneira apropriada é mais atraente que aqueles que parecem mendigos.

O sexto elemento é a própria sexualidade: competência sexual, energia, imaginação erótica, diversão e tudo o mais que compõe um parceiro sexualmente satisfatório. Se alguém é ou não um bom amante, apenas seu parceiro sabe. É claro que essa competência pode variar não só com a idade, mas também de acordo com a competência e o entusiasmo do outro, devido ao elemento interativo. Uma libido intensa não garante por si só a competência sexual, embora aqueles que a possuam tenham mais probabilidade de adquirir a experiência que, eventualmente, conduz a uma habilidade maior. Com raras exceções, as pesquisas sobre sexo não fornecem absolutamente nenhuma informação sobre o apelo e a competência sexual das pessoas.[5] Elas revelam variações dramáticas no impulso sexual em todas as populações: uma pequena minoria de homens e mulheres extremamente ativos sexualmente, a maioria moderadamente ativa, uma minoria praticamente celibatária.[6] Parece razoável concluir que a habilidade sexual não é um atributo universal, mesmo entre adultos, e que a competência extrema é propriedade de poucos. Esse fator está listado por último, pois normalmente se aplica apenas a relacionamentos pessoais e íntimos, ao passo que os outros cinco atuam em todos os contextos sociais, visivelmente ou não.

Para os homens, assim como para as mulheres, todos os seis elementos contribuem para definir o capital erótico. Sua importância relativa normalmente difere entre os sexos, e varia entre culturas e em diferentes séculos. Em Papua-Nova Guiné, são os homens que enfeitam os cabelos com penas e pintam o rosto com cores vivas e desenhos criativos. Na Europa ocidental, as mulheres pintam o rosto com maquiagem, mas os homens raramente o fazem. Às vezes, o valor do capital erótico depende da profissão, que pode ou não destacá-lo. Por exemplo, os profissionais de tecnologia da informação geralmente não precisam dele, o que pode ser a razão para que sejam com frequência estereotipados como "geeks". Em contraste, as gueixas japonesas e as cortesãs paquistanesas *tawa'if* exploram o capital erótico como parte essencial e central de seu trabalho. A mistura exata dos seis elementos varia, porque gueixas são acompanhantes completas, anfitriãs e artistas que normalmente trabalham em casas de chá, restaurantes, clubes noturnos e outros lugares públicos e, em geral, não oferecem serviços sexuais, enquanto as cortesãs *tawa'if* podem oferecer sexo como uma de suas atrações, além de serem ótimas dançarinas e cantoras de *ghazal*.[7] Em ambos os casos, a ênfase está nas habilidades sociais, nas roupas suntuosas, na conversa sedutora, na graça e no charme, de forma a garantir um encontro social agradável, e isso se reflete na remuneração pelo tempo delas. O valor social e econômico do capital erótico é destacado no que pode ser descrito como "profissões de entretenimento".[8] Mas também se aplica a todos os contextos sociais.

Em algumas culturas, o capital erótico das mulheres está profundamente ligado à fertilidade. Muitas das primeiras imagens humanas, algumas com cerca de 13 mil anos, representam mulheres, provavelmente deusas, tomadas como símbolos da fertilidade, como as Dogu, estatuetas japonesas de argila. Em sociedades cristãs, imagens da jovem Virgem Maria com seu filho são as mais populares na arte religiosa. Entre muitos grupos das Antilhas, a fertilidade é tão importante para o *sex appeal* da mulher que garotas a confirmam *antes* que o casamento seja acertado. Assim, é comum que jovens prometidas fiquem grávidas e tenham um filho saudável antes do matrimônio. Na Índia, crianças são consideradas tão essenciais para um casamento e tão importantes para a vida em si, que casais que não as têm são vistos como infelizes vítimas da infertilidade, e não como pessoas que voluntariamente escolheram não ter filhos. Em algumas culturas, uma das razões para estigmatizar o homossexualismo é que este impede a geração de uma descendência.[9] Em outras, a uma mulher fértil são atribuídas atrações adicionais, especialmente se seus filhos são saudáveis e bonitos. Uma italiana observa que, em seu país, os homens a admiram por causa de seu belo filho, enquanto nos Estados Unidos, eles a admiram por suas atraentes pernas longas e seu lustroso cabelo comprido. Em algumas sociedades, a fertilidade é um sétimo adicional do capital erótico, um elemento exclusivo das mulheres, já que homens são incapazes de engravidar. Em certas culturas, esse elemento tem um gigantesco peso adicional, concedendo automaticamente às mulheres uma vantagem sobre os homens. Pode-se dizer também que o capital reprodutivo é um quinto atributo pessoal distinto, que parece ter valor reduzido nas sociedades modernas do século XXI em relação ao que tinha nas sociedades agrícolas caracterizadas pela alta fecundidade.[10]

Em algumas culturas, os capitais erótico e cultural são firmemente entrelaçados, como ilustrado pelas heteras da Grécia Antiga, pelas gueixas japonesas e pelas cortesãs da Renascença italiana. Tais mulheres eram admiradas tanto pelos talentos artísticos — na dança; no canto; na pintura; no manejo ao tocar um instrumento musical ou ao recitar e compor poesias — quanto por sua beleza e seu *sex appeal*. Veronica Franco foi uma renomada poetisa italiana e também uma famosa cortesã.[11] Os equivalentes modernos são os atores e cantores que projetam *sex appeal* em filmes, vídeos e no palco, como Monica Bellucci, George Clooney, Beyoncé Knowles, Enrique Iglesias. Alguns artistas criam um trabalho de arte performática a partir de sua própria persona, dentro e fora do palco — como demonstram os estilos extravagantes de cantores populares, como Lady Gaga, Grace Jones e David Bowie.

O capital erótico é, portanto, uma combinação de atratividade estética, visual, física, social e sexual para outros membros de nossa sociedade, especialmente para o sexo oposto, em todos os contextos sociais. (Uso os termos "poder erótico" e "capital erótico" alternadamente, como forma de variação estilística.) O capital erótico inclui habilidades que podem ser aprendidas e desenvolvidas, assim como traços definidos no nascimento, como ser alto ou baixo, negro ou branco.[12] As mulheres geralmente possuem mais poder erótico que os homens, mesmo em culturas nas quais a fertilidade não é um elemento integrante, e elas o exploram de maneira mais ativa. Por exemplo, tipicamente as mulheres têm cabelos mais elaborados que os homens, dedicam mais tempo ao cuidado e à manutenção da aparência. Conheço mulheres que possuem mais de cem pares de sapatos, em todas as cores e estilos, enquanto seus maridos contentam-se com apenas dois ou três pares. O capital erótico é um atributo importante para todos os grupos que têm menos acesso aos capitais econômico, social e humano, incluindo adolescentes e jovens, minorias culturais e étnicas, grupos desfavorecidos e imigrantes.

Meu conceito de capital erótico é muito mais amplo que as versões anteriores focadas no *sex appeal*,[13] é apoiado por recentes evidências de pesquisa sobre sexualidade e entretenimentos eróticos, é exato em relação aos elementos constituintes, e se aplica tanto à cultura majoritariamente heterossexual quanto às subculturas gays minoritárias da América do Norte e da Europa.

Valeria a pena comparar culturas e estudar tendências ao longo do tempo para descobrir como o capital erótico difere entre homens e mulheres, que elementos têm mais peso e como ele é valorizado em comparação a outros atributos pessoais. Meu foco neste livro está nas sociedades modernas contemporâneas, pois é nelas que o capital erótico adquire maior importância e valor.

O *quarto atributo pessoal*

Os indivíduos possuem quatro tipos de atributos pessoais, sendo o capital erótico o quarto. A distinção e a relação entre os capitais econômico, cultural e social foram determinadas pela primeira vez em 1983, pelo sociólogo francês Pierre Bourdieu.[14] Os conceitos se mostraram tão úteis que rapidamente ingressaram na linguagem diária, bem como nas ciências sociais, especialmente na Europa.[15]

O capital econômico é a soma dos recursos e habilidades que as pessoas usam para produzir ganhos financeiros — como dinheiro, terras ou imóveis.

O capital cultural inclui o capital humano como este é definido pelos economistas: qualificações educacionais, treinamento, habilidades e experiência profissional, que são valiosos no mercado de trabalho e podem ser usados para obter rendimentos.[16] Entretanto, o conceito de capital cultural de Bourdieu vai além do simples capital humano e inclui conhecimento cultural e artefatos. Tal conceito engloba os recursos de informação e os atributos valorizados pela sociedade, como conhecimento sobre arte, literatura e música, a cultura internalizada que define o bom gosto e a pronúncia apropriada, elementos que tornam alguém "distinto". Também inclui artefatos culturais como pinturas, partituras, esculturas, peças e livros, bela mobília, casas históricas ou concebidas por arquitetos — coisas concretas que podem se tornar propriedades, ser compradas e vendidas (ao contrário do bom gosto), e ajudam a elevar a posição social de alguém. Novos-ricos normalmente consolidam seu recente status social investindo em artefatos culturais.

Como definido por Bourdieu, o capital social é a soma de recursos, reais ou potenciais, que passam a pertencer a uma pessoa ou a um grupo a partir de seu acesso a uma rede de relacionamentos ou do ingresso em uma comunidade, tribo ou clube que possa produzir relacionamentos úteis — a distinção entre quem conhecemos e o que conhecemos. Aplicar o termo capital social pode, assim, transformar coisas como "mexer os pauzinhos", "pistolão", nepotismo e corrupção em atos aparentemente aceitáveis. A máfia italiana apoia-se intensamente no capital social,[17] assim como políticos e acadêmicos que criam compromissos de apoio e reconhecimento mútuos para avançar na carreira. O capital social pode ser usado para ascender socialmente, para exercer poder e influência ou para ganhar dinheiro — bons contatos sociais podem ser cruciais para alguns empreendimentos de negócios. O capital político é uma forma especial de capital social, e diz respeito às redes políticas, aos atributos e recursos de alguém. O capital social (e político) cabe aos indivíduos, e quanto mais ricos e bem-sucedidos eles são, mais facilidade têm para fazer conexões: são "conhecidos" por mais gente do que conhecem. O volume ou o valor do capital social de alguém é uma função do tamanho de sua rede de contatos e do valor do capital econômico e cultural possuído pelas pessoas nessa rede. Assim, se todos os seus amigos são pobres e incultos, seu capital social pode, na prática, ter valor próximo de zero.[18]

Estranhamente, pouco depois de o ensaio de Bourdieu sobre as três formas de capital ser publicado em inglês, o americano James Coleman apresentou, em 1988, um ensaio expondo outro conceito de capital social, sem qualquer referência ao trabalho de Bourdieu. Essa segunda e, de certa forma, confusa teoria trata o capital social como uma propriedade de famílias, grupos sociais e comunidades mais do que como um atributo pessoal. Ainda que tenham alguns traços em comum, os conceitos de capital social de Bourdieu e de Coleman são radicalmente diferentes. A teoria de Coleman foi desenvolvida de maneira mais efetiva nos Estados Unidos, por Robert Putnam, por exemplo, em *Bowling Alone* — que documenta a ascensão e o declínio dos laços cívicos nos Estados Unidos ao longo do século XX. Hoje em dia, normalmente é usada para designar a cultura cívica, a sociedade civil e o bem público que são criados quando comunidades possuem muitas associações e conexões entre famílias, produzindo confiança e normas convencionadas que são reforçadas coletivamente.[19]

A estrutura teórica mais abrangente e refinada de Pierre Bourdieu sobre os atributos pessoais tem exercido maior influência na Europa e apresenta utilidade mais ampla, e é usada nesta obra. A classificação mostrou-se útil porque explica como as pessoas que não nascem com dinheiro ainda podem ser bem-sucedidas em sociedades capitalistas através do uso de outras formas de capital. Alguns prosperam porque seus talentos os colocam nas escolas ou nas universidades certas; outros fazem o tipo certo de amigos, mesmo que não tenham grande talento.

O capital erótico é tão valioso quanto dinheiro, educação e bons contatos, apesar de ser negligenciado por Bourdieu e por outros cientistas sociais.[20] As sociedades podem conceder diferentes pesos aos vários tipos de capital, e estes podem ser mais ou menos conversíveis em benefícios financeiros. Alguns indivíduos são bem-dotados em todas as formas de capital. Os menos favorecidos podem não ter praticamente nada de consistência ou valor. A maioria das pessoas tem combinações diversas de atributos pessoais em diferentes épocas da vida. Jovens podem ser economicamente pobres, mas ricos em capital erótico, dinâmicos e muito atraentes. Pessoas mais velhas podem ser financeiramente ricas, mas não possuir atrativos físicos. Uma das razões pelas quais o capital erótico tem sido negligenciado é que a elite não pode monopolizá-lo, então é de seu interesse depreciá-lo e segregá-lo. Outras razões são discutidas no Capítulo 3.

A beleza é diferente de outras formas de capital pelo fato de que seu impacto é visível a partir do berço — como demonstro no Capítulo 4. Crianças atraentes crescem em um mundo mais benevolente e desenvolvem seu capital erótico desde cedo. Outras formas de capital normalmente começam a aparecer apenas do início da idade adulta em diante. Nas modernas meritocracias, as pessoas investem vinte anos no desenvolvimento de seu capital humano — normalmente através do sistema educacional, às vezes em treinamento prático. Desenvolver uma rede de contatos sociais úteis e construir alguma riqueza também requer muito tempo e esforço, a menos que estas sejam herdadas dos pais ou de outros parentes.[21] Em contraste, o investimento no capital erótico de alguém pode começar na infância ou no início da adolescência, quando os jovens começam a perceber os benefícios de ser física e socialmente atraentes. Como consequência, para algumas pessoas o capital erótico pode ser um atributo crucial ao longo da vida, enquanto outras concentram todos os seus esforços em educação e carreira.

Dinheiro pode comprar capital erótico?

Pierre Bourdieu analisou os relacionamentos entre homens e mulheres e percebeu a competição por controle e poder.[22] Entretanto, ele não notou o capital erótico, possivelmente porque este é bastante distinto dos outros três atributos pessoais. Bourdieu posicionou o capital econômico (em essência, o dinheiro) na raiz de todos os outros tipos — mas o capital erótico é uma exceção. Pais ricos não podem garantir que seus filhos nasçam bonitos e sexy, mesmo que possam lhes comprar belas roupas e ensinar-lhes boas maneiras para que causem a melhor impressão. As ligações entre o capital erótico e as outras três formas de capital são casuais; não são previsíveis ou confiáveis, fato que concede ao capital erótico seu caráter original, subversivo e imprevisível. Essa é uma das razões pelas quais ele é desvalorizado e tem sua importância social suprimida.

Alguns escritores têm tentado expandir o conceito de capital cultural para que este inclua o poder de atração. Por exemplo, certos estudiosos alegam que Bourdieu tratou a atratividade sexual como uma simples parte do capital cultural.[23] Provavelmente, eles interpretaram mal a efêmera referência de Bourdieu a um físico musculoso e um corpo bronzeado como uma alusão à atratividade sexual, quando, na verdade, ele estava ilustrando a questão de que muitos aspectos de uma pessoa são antes traços *adquiridos* do que características naturais, inatas, determinadas.[24] Bourdieu estava interessado apenas no capital cultural personificado que exibe as vantagens da classe social, como pronúncia e conduta social, que denotam origem social de maior status e são inculcadas na família, ou o bronzeado que tradicionalmente indica férias caras em iates e em países quentes, não horas em um salão moderno de bronzeamento. Ele não conseguiu enxergar o capital erótico porque este não está restrito às habituais hierarquias econômicas e sociais, estruturadas mais pela família e pela classe de origem do que por esforço e iniciativa pessoal. Um aspecto-chave do capital erótico é que ele pode ser completamente independente da procedência social e proporciona um veículo para uma grande ascensão social.

Hoje em dia, a perspectiva de Bourdieu é antiquada, pois não poderia ter antecipado o impacto das tribos e dos estilos de vida que dividem os grupos socioeconômicos (como góticos e punks, fanáticos por esportes ou por música), e as complexidades de estilo das sociedades multiculturais. Por exemplo, um recente estudo na Grã-Bretanha descobriu que pessoas mestiças são consideradas mais atraentes[25] — como ilustrado em propagandas para a cadeia de lojas de roupas Marks & Spencer, que vende para todos os setores da sociedade. Constituindo cerca de 3% da população, os mestiços são uma pequena minoria na Grã-Bretanha — e na maioria dos países. Eles formam um grupo genuinamente novo em sociedades multiculturais, e não são cogitados pelo pensamento do século XX.

Mesmo com a adição do capital erótico como o quarto atributo pessoal que faltava, a estrutura teórica de Bourdieu continua sendo a mais útil, ainda que ultrapassada, pois sublinha a convertibilidade das várias formas de capital. Bourdieu via todos os tipos de capital como atributos pessoais, que variam em volume, composição e convertibilidade. Todas as formas de capital são tipos de poder, como é revelado em qualquer troca social. A mais óbvia é entre dinheiro e os outros três tipos de capital, mas a maioria das trocas é menos evidente. Por exemplo, considera-se apropriado encontrar pessoas por estarmos genuinamente interessados nelas, e não pelos úteis contatos profissionais que podem se tornar. Normalmente, é considerado deselegante comprar uma obra de arte apenas por ela representar um bom investimento e não por gosto, ou estudar um assunto na universidade exclusivamente porque este proporciona altos ganhos e não devido a um verdadeiro interesse pela matéria, seja em direito, economia ou administração.

A escassez de qualquer bem gera valor, social e econômico, daí o status ou o que Bourdieu nomeia "distinção".[26] A escassez está na raiz de todas as variedades de capital, que são, na verdade, formas disfarçadas de capital econômico. Todas as trocas sociais envolvem algum elemento de transferência *econômica*, juntamente com qualquer elemento social, cultural ou erótico.[27]

Assim, todas as formas de capital podem se converter umas nas outras em vários graus. Dinheiro pode ser investido para desenvolver e comprar capital cultural e social. Artefatos culturais e conhecimento podem ser comprados para atuar no processo de ganhar dinheiro — por exemplo, ao entreter colegas de trabalho em uma ópera ou fazer contatos sociais úteis em caros almoços, jantares e festas realizadas em ambientes culturais interessantes. Gastar dinheiro em odontologia cosmética, cirurgia plástica, academia ou personal trainer pode ajudar a desenvolver poder erótico. Entretanto, o fato é que um garoto ou uma garota muito pobre pode ser tão extraordinariamente bonito e sexualmente atraente que suas roupas e maneiras simples deixam de ter qualquer importância, enquanto uma mulher ou um homem feio, mesmo usando adornos caros, não consegue atrair admiradores. É por esse motivo que histórias sobre o príncipe que se casa com a bela plebeia são tão difundidas nas sociedades. Também é por isso que há mais mulheres milionárias do que homens em um país moderno como a Grã-Bretanha. Normalmente, os homens só conseguem fazer fortuna através de seus empregos e negócios. As mulheres obtêm o mesmo estilo de vida abastado e as vantagens sociais não apenas através do casamento, mas também da carreira.[28] Homens bonitos que se casam com mulheres ricas ainda são raros se comparados ao número de belas mulheres que fazem o mesmo.

O valor do capital erótico aumenta em situações em que a vida pública e a pessoal se entrelaçam — como na política e nas indústrias da mídia e do entretenimento — ou em circunstâncias nas quais a pessoa está sempre exposta — como nos esportes ou nas artes. O poder erótico é variável, e não se baseia apenas no apelo e na competência sexuais. Em alguns contextos, as habilidades sociais vêm primeiro.

Esse caso é demonstrado em um evento social de uma embaixada britânica na América do Sul. Toda a fofoca local era sobre a nova esposa do embaixador, que estava recepcionando os convidados pela primeira vez. O embaixador britânico tinha se casado com uma japonesa. Por causa disso, ele fora solicitado a enviar a seus superiores uma carta de resignação de seu posto, sem data, que eles poderiam aceitar a qualquer momento caso sua esposa não britânica algum dia se tornasse um problema diplomático. As pessoas se perguntaram como aquela mulher podia ser atraente a ponto de justificar esse enorme risco a uma próspera carreira no serviço diplomático.

A pergunta foi inteiramente respondida durante o evento. A esposa do embaixador era serenamente bonita, estava elegante usando um vestido que lhe caía bem e exibia charme e graça em abundância enquanto circulava pelo salão, conversando com todos os presentes. Ela fez todos se sentirem especiais e honrados por terem sido convidados. No fim da noite, era um consenso que a nova esposa era irresistivelmente adorável e charmosa, e que se provaria um grande atributo social na futura carreira do embaixador.

Dizem que por trás de todo homem bem-sucedido existe uma mulher que o apoia. A socióloga Janet Finch explorou o tema em *Married to the Job*. Ela analisou as "carreiras de casal", que exigem que as esposas assumam alguns dos deveres profissionais do marido. Um de seus exemplos são as mulheres de diplomatas, de quem são esperados várias recepções de convidados e inúmeros comparecimentos a eventos sociais diplomáticos ao lado do esposo. Evidentemente, as mulheres casadas com diplomatas empregam capital erótico em suas atividades sociais, mas Finch não percebeu esse fato como uma contribuição importante da esposa em uma carreira de casal. A maioria das carreiras de casal requer pouco capital erótico. Por exemplo, mulheres de encanadores, eletricistas e de outros trabalhadores autônomos normalmente lidam com a papelada, organizam a correspondência e cuidam das contas nos negócios do marido. É um trabalho burocrático de rotina e que não requer praticamente nenhum uso de capital erótico. Esses profissionais não gastam tempo entretendo seus clientes. O capital erótico se torna valioso em profissões relacionadas à socialização e à apresentação pública, nas quais a vida particular é, em parte, uma performance pública, e esse atributo se torna especialmente útil para ambos os cônjuges.

Assim, o capital erótico tem seu valor acrescido quando está atrelado a altos níveis de capital econômico, cultural e social. Uma esposa atraente, bem-vestida e charmosa tem mais valor para monarcas, presidentes e diretores de empresas (pois entre eles a exibição pública e a rede de contatos sociais são priorizadas), do que para o encanador ou o eletricista local. Assim, o capital erótico é parcialmente ligado ao sistema de classes, ainda que não seja determinado por ele. Pessoas com maior status podem se dar ao luxo de escolher esposas com o capital erótico mais alto, aumentando a probabilidade de seus filhos serem dotados de um capital erótico acima da média, assim como de status e riqueza. A longo prazo, podem se desenvolver diferenças de classe no capital erótico.[29] Essa tese sugere que a beleza e o *sex appeal* têm um movimento ascendente através do sistema de classes ao longo das gerações. Por outro lado, a capacidade de controle das emoções e outras habilidades sociais têm um percurso descendente no sistema de classes ao longo do tempo.[30] Em geral, as classes mais altas deveriam ter maior capital erótico que as baixas. Famílias ricas podem se dar ao luxo de reabastecer periodicamente seu estoque de lindas noivas e belos noivos.[31]

O *capital erótico pode ser medido?*

Às vezes, as pessoas acham que como a beleza "está nos olhos de quem vê", o capital erótico não pode ser medido. De fato, todos têm suas preferências e seus gostos característicos. Eu prefiro homens morenos; você prefere homens louros. Alguns homens gostam de mulheres com uma personalidade "efervescente" e loquaz; outros favorecem o silêncio sereno e a elegância. Contudo, em qualquer cultura, e mesmo entre culturas, há um nível impressionante de concordância sobre quem é, ou não, física e socialmente atraente. Apesar de todas as dificuldades, o capital erótico pode ser medido de maneira tão confiável quanto a de muitos outros atributos pessoais importantes, mas igualmente intangíveis, como inteligência e capital social, ou características como classe social, status e poder.

Estudos que tentaram avaliar se a beleza é vista da mesma forma ao redor do mundo concluíram que o conceito é universal. A única exceção parecem ser as culturas primitivas habitantes das florestas da bacia amazônica. Essas tribos isoladas, que têm pouco contato com o mundo exterior, parecem possuir opiniões distintas sobre o que torna um rosto bonito — suas noções de beleza têm pouco a ver com os conceitos estéticos de países desenvolvidos como Japão e Estados Unidos.[32] Em outras sociedades, existe concordância. Para a beleza facial, os fatores-chave são convencionalidade, simetria e até mesmo tom de pele. Para o corpo, índice de massa corporal e relação cintura-quadril parecem ser os fatores dominantes. (Ver Apêndice A.)

Até agora, ninguém mediu o capital erótico como um todo — o conceito é novo demais — ainda que muitos estudos tenham avaliado um ou outro dos seis elementos. Psicólogos sociais passaram décadas aferindo habilidades sociais e reações a estranhos, por exemplo. Beleza, *sex appeal* e carisma (ou charme) são avaliados em concursos de beleza, mesmo que não seja aplicada uma escala de medida exata.[33] As imagens digitais permitem que pesquisadores manipulem fotos para testar reações a diversos formatos de corpo, estilos de andar e de se movimentar, características faciais, textura da pele, cortes de cabelo e sorrisos.[34] Alguns estudos empregam homens e mulheres excepcionalmente atraentes em exercícios de desempenho de papéis, para ver como essa característica afeta a interação social e seus resultados.

A maioria dos estudos abrange um número relativamente pequeno de pessoas. Eles medem o impacto da atratividade na interação cara a cara. Poucos fornecem um panorama genuinamente nacional sobre a incidência da beleza. As poucas grandes pesquisas de entrevistas nacionais que coletaram informações sobre a atratividade dos entrevistados são, portanto, de particular interesse. Essas pesquisas fornecem dados nacionalmente representativos e informações confiáveis sobre a distribuição de atratividade entre homens, mulheres e crianças nas Tabelas 1 e 2. Em cada uma dessas pesquisas, solicitou-se a entrevistadores e a outros informantes que classificassem os entrevistados em uma escala de cinco pontos. Mais detalhes são fornecidos no Apêndice A, que examina os métodos empregados até hoje para medir o capital erótico.

As escalas para as pesquisas norte-americanas (Tabela 1) são mais sistemáticas que a usada na pesquisa britânica (Tabela 2). Apesar das muitas diferenças entre as pesquisas, e apesar do fato de que centenas de diferentes entrevistadores foram responsáveis pelas avaliações, há uma concordância espantosa sobre a distribuição da atratividade. A maioria das pessoas é classificada no grupo intermediário "na média para a idade"; de um quarto a um terço são alocados na categoria acima da média; cerca de um a cada dez é julgado abaixo da média em aparência. Há uma discordância maior em julgamentos de mulheres que de homens. Nos Estados Unidos, mas não no Canadá, as mulheres são avaliadas como bonitas com mais frequência do que os homens, provavelmente porque se esforçam mais.

O estudo canadense incluiu um elemento de painel, com as mesmas pessoas sendo entrevistadas várias vezes, em geral por um entrevistador diferente a cada vez. E também demonstrou altos níveis de concordância: nove entre dez pessoas foram classificadas de maneira idêntica em atratividade em pelo menos dois anos.[35]

O estudo britânico pediu a professores de escolas para avaliar a atratividade dos alunos. Também houve grande consistência entre as classificações nas idades de 7 e 11 anos, mesmo que, obviamente, os professores tenham mudado. A Tabela 2 mostra um padrão ainda mais forte de meninas sendo classificadas como mais atraentes que meninos. A diferença entre os sexos parece aumentar com a idade. Aos 11 anos, mais de metade das meninas é considerada atraente, em comparação com pouco menos da metade dos meninos. Respostas a essas pesquisas também exibem a habitual relutância em rotular qualquer um como definitivamente feio — menos de uma em cada dez crianças foi considerada não atraente.

TABELA 1 – Distribuição da aparência nos Estados Unidos e no Canadá, década de 1970

	Estudos americanos				Estudo canadense	
	1971		1977		1977-81	
	H	M	H	M	H	M
1 Extremamente bonito	2.9	2.9	1.4	2.1	2.5	2.5
2 Acima da média (bonito)	24.2	28.1	26.5	30.4	32.0	31.7
3 Na media para a idade	60.4	51.5	59.7	52.1	57.9	56.8
4 Abaixo da média para a idade (pouco atraente)	10.8	15.2	11.4	13.7	7.2	8.3
5 Feio	1.7	2.3	1.0	1.7	0.4	0.7
N	864	1194	959.7	539.7	3804	5464

FONTE: *Hamermesh e Biddle (1994)*

TABELA 2 – Distribuição da aparência na Grã-Bretanha, década de 1960

	Idade 7		Idade 11	
	H	M	H	M
Atraente	51	57	45	56
Comum	42	36	47	35
Não atraente	7	7	8	9
N	5605	5798	5605	5798

FONTE: *Harper (2000). As porcentagens foram arredondadas.*

A primeira pesquisa sobre sexo da Europa, realizada em 1967, tentou aferir a classificação erótica e o *sex appeal* das pessoas através da autoavaliação.[36] Não foram relatados resultados nesse tópico; provavelmente o experimento falhou. Pesquisas sobre sexo na Finlândia tiveram mais sucesso com a autoavaliação do apelo e da competência sexuais, ainda que o exagero e o narcisismo masculinos tornem os resultados difíceis de interpretar. Homens de todos os países e de todas as idades superestimam sistematicamente sua atratividade sexual, ao passo que as mulheres são mais realistas. Dada a importância crucial do capital erótico para os encontros amorosos, as uniões e a vida sexual, é de esperar que futuras pesquisas sexuais se empenhem mais nesse tópico. É impressionante que tão poucos dos levantamentos sobre sexo tratem do papel do *sex appeal*.

O capital erótico é similar ao capital humano: requer um nível básico de talento e habilidade, mas pode ser treinado, desenvolvido e aprendido, de forma que a quantidade final ultrapassa em muito o talento inicial, e as pessoas podem melhorar com a idade. O capital erótico, seus componentes e seus efeitos podem ser estudados, assim como outros elementos intangíveis das estruturas sociais, das culturas e da interação social. As bases já existem em levantamentos sobre sexo e em pesquisas sobre os impactos sociais e o valor econômico da atratividade, os padrões de união e namoro, os estilos de vida sexual e as atitudes em relação à fertilidade. A medição do capital erótico está bastante avançada, e existem oportunidades reais para o desenvolvimento metodológico e a inovação no futuro, como observado no Apêndice A.

Por enquanto, devemos nos contentar com os estudos já realizados. Todos capturam apenas alguns poucos aspectos do capital erótico. Logo, os estudos que demonstram o impacto da beleza facial, do *sex appeal* ou da elegância e do estilo nos capítulos a seguir invariavelmente *sub*estimam e *sub*valorizam o impacto total do capital erótico como um todo, como a maioria dos estudiosos admite. Por exemplo, uma recente meta-análise descobriu que estudos que utilizaram uma medida mais abrangente de aparência revelaram um impacto maior da atratividade do que aqueles limitados apenas à atratividade facial.[37] Provavelmente, é correto dizer que o impacto total do capital erótico pode ser duas vezes maior que os níveis reportados em estudos e examinados na Parte II e, em casos excepcionais, muito mais do que isso.

O capital erótico como performance

De férias em Chiang Mai, no norte da Tailândia, saí para fazer compras cedo, no frescor da manhã. Entrando em uma grande loja, fui saudada pela aparência desconcertante do jovem proprietário. Ele estava vestido casualmente, com chinelos, jeans e uma camiseta amarrotada. Mas seu rosto estava completamente maquiado para parecer uma bela garota. Eu interrompera sua transformação de homem para mulher antes que ele pusesse a peruca sobre o cabelo curto e limpo e trocasse de roupa. Ele passaria o resto do dia travestido. Não se incomodou nem um pouco com minha chegada àquela hora, e me ajudou alegremente com as compras. Esse tipo de vestuário transgênero não é incomum na Tailândia. O famoso kickboxer Nong Toom era praticamente invencível em competições, mas gostava de se travestir desde a infância, e, às vezes, ia a uma luta completamente maquiado como mulher.[38] Em 1999, ele fez uma cirurgia de mudança de sexo e parou de lutar.

Como Simone de Beauvoir ressaltou há décadas, a sexualidade é, em grande parte, uma *performance*.[39] As pessoas não nascem sabendo como ser homem ou mulher, elas têm de aprender como desempenhar o papel da maneira determinada pela sociedade em que vivem. Masculinidade e feminilidade são performances que requerem aptidão; aqueles que se sobressaem nessa arte são admirados e invejados. Em particular, a performance da feminilidade e da beleza feminina é sempre extremamente valorizada.

O caráter performático da identidade sexual, da beleza, do *sex appeal* e do modo de vestir elegante é exibido mais claramente pelos travestis e transgêneros, que se vestem e agem como mulheres e, em algumas culturas, apresentam-se como artistas e dançarinos.[40] No passado, quando as mulheres eram excluídas da atuação no palco em países como China, Japão e Grã-Bretanha, os homens desenvolveram grande habilidade para assumir papéis femininos no teatro, reproduzindo estilos de comportamento, voz e maneiras, assim como vestimentas. Nos dias de hoje, tais performances são feitas pelos travestis da Tailândia ("ladyboys") e do Brasil, muitos dos quais trabalham na indústria do entretenimento ou ganham a vida vendendo sexo.[41] Em Nova York, existem bailes à fantasia "underground" nos quais homens competem para fazer a melhor imitação de mulheres lindas e glamourosas. Concursos de beleza, estilo e apresentação pessoal similares são comuns na Tailândia e nas Filipinas. Não existem competições equivalentes em que mulheres representem homens (provavelmente porque é mais fácil) — um fato de certo significado social.

O *sex appeal* e a beleza, em particular a beleza feminina, são uma criação, uma obra de arte, que pode ser alcançada através de treinamento. Na maioria das sociedades, as mulheres possuem mais capital erótico que os homens pois trabalham com mais afinco na apresentação pessoal. Esse diferencial sexual não é fixo e pode variar ao longo do tempo devido a mudanças sociais e econômicas. Homossexuais geralmente dedicam mais tempo e esforço a sua aparência do que é típico entre homens heterossexuais, por causa da alta rotatividade nas parcerias e relações gays. A performance dos estilos da subcultura gay (como clones ou couro) é equivalente às performances heterossexuais de masculinidade e feminilidade. Não consigo pensar em nenhuma cultura na qual a aparência pública e as vestimentas não tenham importância. Em sociedades pré-modernas, a performance da masculinidade podia ser tão exigente quanto a da feminilidade, com estilos nitidamente diferenciados de vestir e decorar. Nas sociedades de hoje, mulheres ainda são mais vaidosas, apesar da emancipação feminina. Esse enigma não foi explicado.

No século XXI, os homens da Europa ocidental e da América do Norte vêm dedicando mais tempo e dinheiro à aparência. Eles se exercitam em academias para manter um corpo atraente, gastam mais em roupas elegantes e cosméticos, exibem cortes de cabelo mais diversificados. Modelos mudam seu "look" constantemente ao variar o corte, o penteado e a cor do cabelo, mas muitos atores também são extremamente habilidosos nessas transformações. Hoje em dia, os homens constituem uma parte importante da base de clientes da cirurgia plástica e do Botox, cerca de 10% a 20% desse mercado em expansão na Grã-Bretanha. Na Itália, o primeiro-ministro e magnata dos negócios Silvio Berlusconi é um conhecido devoto, exibindo uma aparência vinte anos mais jovem que seus 73 anos. As mulheres estão ficando mais ricas graças às suas carreiras, então acrescentam tanto capital econômico quanto erótico aos mercados de uniões afetivas. Agora, os homens também consideram necessário desenvolver o capital erótico em vez de se apoiar exclusivamente em seu poder financeiro nos mercados de uniões afetivas, como no passado. Assim, as diferenças sexuais na performance do capital erótico podem diminuir ou se expandir, dependendo das condições.

A *crescente importância do capital erótico*

O aumento da riqueza significa que as pessoas podem gastar mais em luxos e atividades de lazer, aparência e cuidados pessoais. Conforme as técnicas para aperfeiçoar o capital erótico se ampliam, os padrões de beleza excepcional e de *sex appeal* elevam-se. Expectativas de aparência atraente agora se aplicam a todos os grupos etários em vez de apenas aos jovens que estão fazendo a iniciação sexual ou ingressando no mercado do casamento. Cada vez mais altas, as taxas de divórcio e de monogamia em série ao longo da vida criam incentivos para que todos desenvolvam e mantenham seu capital erótico sempre, em vez de apenas no período precedente ao primeiro matrimônio. Duas vezes divorciada, Madonna, aos 50 anos, estava mais jovem e sexy em uma série de anúncios de 2010 para as roupas da Dolce & Gabbana que muitas mulheres de 25. As expectativas para os homens também estão se elevando, ainda que lentamente, enquanto as mulheres insistem que os parceiros tenham uma aparência moderna e atraente em vez de serem apenas confiáveis e bons provedores.

Os homens parecem estar conscientes dessa nova pressão. Um levantamento de 1994 com 6 mil homens norte-americanos (com idades entre 18 e 55 anos) investigou como eles gostavam de ver a si mesmos. Três das seis escolhas mais populares diziam respeito à aparência: eles queriam ser atraentes para as mulheres, sexys e ter boa aparência. Ser assertivo e decidido ficaram em posições inferiores, nos números 8 e 9 em média. Para eles, apenas ter dinheiro não é mais o suficiente.[42]

As aspirações também são elevadas pelo fato de a indústria da propaganda exibir constantemente belos homens e mulheres no auge da beleza em anúncios de todo tipo de produto, não apenas dos últimos designs de roupas e acessórios. Essas pressões produzem uma elevação de longo prazo nos padrões estéticos e na importância dada a dois elementos do capital erótico — atratividade física e *sex appeal* —, especialmente em mercados de uniões afetivas.

No passado, a atratividade física era basicamente inata, e havia relativamente pouco que se pudesse fazer em matéria de melhorias. Hoje em dia, nas sociedades modernas abastadas, níveis extremamente altos de poder erótico podem ser alcançados através de treinamento físico, trabalho árduo e técnicas de auxílio: dietas, academias e personal trainers; camas de bronzeamento e sprays; cosméticos; perfumes; perucas, apliques e extensões capilares; odontologia cosmética; cirurgia plástica; pintura e cortes de cabelo; cintas; joias; conselhos de moda e uma grande variedade de roupas e acessórios para melhorar a aparência. Modificações corporais e práticas de beleza têm uma longa história, e todas as culturas encorajam as pessoas a se encaixar em padrões aceitos de beleza.[43] Quando muito, as sociedades modernas permitem uma escolha e uma diversidade maior de estilos, especialmente nas grandes metrópoles multiculturais. Ao mesmo tempo, técnicas para alcançar uma aparência atraente proliferaram. Como Helena Rubinstein, uma das fundadoras da cosmética moderna, disse certa vez: "Não existem mulheres feias, apenas mulheres preguiçosas." Paradoxalmente, a pressão para se tornar mais atraente pode levar algumas mulheres lindas a estragar sua aparência recorrendo a cirurgias plásticas desnecessárias. De tempos em tempos, cirurgiões plásticos se deparam com mulheres solicitando procedimentos que não podem aprimorar a realidade.[44]

Felizmente, a maioria das pessoas enxerga seus corpos de maneira normal. Entretanto, no século XXI, aspirações e expectativas estão sendo impelidas para o alto pela constante disseminação na mídia de imagens de celebridades, estrelas de cinema e outros que alcançam os mais altos padrões e se tornam exemplos para os demais. Livros que oferecem conselhos sobre como se comportar, flertar, fazer amigos e conduzir relacionamentos ajudam as pessoas a desenvolver habilidades sociais importantes. Todos os elementos do capital erótico estão incluídos em manuais sobre como atrair um cônjuge ou um amante, cheios de dicas para encontros e conselhos sobre técnicas sexuais.[45]

No passado, os mercados de uniões afetivas e de casamento eram relativamente pequenos e fechados, com pares baseados em classe ou casta, religião, localização e idade. As uniões normalmente eram decididas ou vetadas pelos pais ou parentes, com base na riqueza familiar ou nas conexões sociais. Nos mercados livres, abertos e potencialmente globais de uniões afetivas e casamento dos dias de hoje, o poder erótico desempenha um papel mais importante do que nunca. Vir de uma boa família já não é o bastante.

Pesquisas sobre o impacto da atratividade nas percepções, no julgamento e no tratamento das pessoas no Ocidente frequentemente verificam que os efeitos têm aumentado ao longo do tempo. Nos primeiros estudos norte-americanos, a atratividade exercia apenas um pequeno impacto na maneira como as pessoas eram julgadas e tratadas. Na maioria dos estudos recentes, as consequências de ser atraente ou não são muito maiores.[46] Adultos e crianças atraentes têm mais chances de ser considerados inteligentes, competentes e detentores de habilidades sociais, e são tratados de acordo com isso — e esse padrão é mais forte hoje em dia que nos anos 1970. Uma boa aparência também está se tornando mais importante para a seleção de parceiros e para os encontros amorosos. Homens e mulheres davam mais importância à boa aparência no momento de escolher um parceiro nos anos 1970 que nos anos 1930,[47] e mais ainda nos anos 1990 dos que nos anos 1970. O diferencial sexual não mudou ao longo de cinquenta anos; em ambos os períodos os homens listaram a aparência como o fator mais importante.[48]

Culturas e países diferem na importância e no valor conferidos à boa aparência e à fertilidade feminina. Em geral, países mais pobres e menos desenvolvidos não dão tanta importância à boa aparência, mesmo na escolha de um cônjuge. Algumas culturas priorizam a moral, os valores, a personalidade, a inteligência, a bondade, os laços sociais e as boas maneiras. Outras dão ênfase às competências básicas, como habilidades de cozinha e de carpintaria, que são necessárias no dia a dia. A beleza é vista como uma base insensata para escolher um cônjuge em sociedades nas quais a sobrevivência não é garantida e valores materialistas pesam mais que valores liberal-hedonistas.[49]

Mesmo assim, apesar dessas diferenças no peso relativo dado à atratividade, parece que todas as culturas ainda esperam que as pessoas bonitas se saiam melhor na vida, em todos os sentidos. Jovens coreanos, chineses, japoneses e norte-americanos esperam que homes e mulheres atraentes sejam mais inteligentes, tenham maiores habilidades sociais, sejam mais populares e arranjem empregos melhores.[50]

Hoje em dia, o capital erótico se tornou um atributo pessoal tão valioso quanto os capitais econômico, social e cultural, seja para homens ou mulheres. Em sociedades e períodos em que as mulheres têm acesso limitado aos capitais econômico, social e humano, o capital erótico é decisivo — o que pode ser a razão pela qual elas tradicionalmente se esforçam mais para obtê-lo. A atratividade física e social é cada vez mais estimada nas sociedades modernas e tem um impacto crescente na forma com que as pessoas são percebidas, julgadas e tratadas. Isso é demonstrado de maneira mais óbvia na vida cotidiana, nas uniões e no namoro, como desenvolverei nos Capítulos 4 e 5, mas também nas interações sociais no mercado de trabalho e em muitos outros contextos, como demonstro nos Capítulos 6 e 7.

2. A política do desejo

Na África do Sul, um homem negro na faixa dos 50 vai ao médico para fazer uma consulta sobre impotência. Depois de alguns questionamentos, fica claro que ele tem dificuldade de fazer sexo todas as noites com a esposa, depois que já o fez mais cedo com a namorada. Sua esposa está começando a suspeitar de que ele tem várias amantes, e isso está causando problemas em casa.[1]

Em *Noivo neurótico, noiva nervosa*, filme de Woody Allen de 1977, a tela se divide em duas para comparar o casal falando com seus respectivos terapeutas sobre o relacionamento. O terapeuta de Woody Allen pergunta: "Com que frequência vocês dormem juntos?". Ele responde tristemente: "Quase nunca. Umas três vezes por semana." Enquanto isso, a terapeuta de Annie Hall indaga: "Vocês fazem sexo com frequência?" Annie responde, com visível irritação: "Constantemente. Eu diria que umas três vezes por semana".

As ideias e normas sobre sexualidade variam bastante. Para muitos africanos, é uma certeza que um homem fará sexo ao menos uma vez por dia com alguma parceira. Isso é mais que o dobro da média dos casais europeus. A revolução sexual dos anos 1960 e 1970 permitiu um grande florescimento da sexualidade nos países ocidentais, mas os integrantes das sociedades capitalistas do Ocidente ainda estão muito atrás de outras culturas em relação à atividade sexual. A grande diversidade de culturas sexuais vem sendo revelada por pesquisas recentes.

Minha razão inicial para analisar pesquisas sobre sexo foi verificar como o capital erótico de alguém afetava sua vida sexual. Presumi que homens bonitos seduziriam amantes mais facilmente. Será que o mesmo valeria para as mulheres bonitas, como resultado da revolução sexual? Minha jornada de descobertas começou com a pesquisa britânica sobre sexo de 1990, que se tornou famosa porque a então primeira-ministra Margaret Thatcher decidiu que ela não devia ser custeada pelo Departamento de Saúde. Na época, descobri vários outros relatórios de pesquisas sobre sexo de outros países, todos aglomerados juntos em três prateleiras da biblioteca. Lê-los proporcionou-me uma nova percepção sobre o sexo e a sexualidade nos tempos modernos.

Vários meses depois, percebi que praticamente nenhuma das pesquisas sobre sexo coletava informações relativas ao nível de atratividade das pessoas. O *sex appeal* é indubitavelmente relevante para a atividade sexual, mas a maioria das pesquisas nem sequer tentava medi-lo ou demonstrar seu impacto na vida sexual. Os estudos estavam ainda menos inclinados a avaliar se uma competência sexual maior ou menor afetaria a vida sexual.

De qualquer forma, o exame dos relatórios das pesquisas sobre sexo se mostrou inesperadamente frutífero. Um novo fato social importante, normalmente maquiado ou ignorado nos relatórios, revelou-se. Existe um sistemático e, ao que parece, universal déficit sexual masculino: os homens geralmente querem muito mais sexo do que conseguem, em todas as idades. As mulheres têm um nível muito mais baixo de desejo sexual, assim como menos atividade, de forma que os homens passam a maior parte da vida sexualmente frustrados em vários graus.

Isso contradiz a crença popular de que homens e mulheres possuem níveis iguais de desejo sexual, que era apenas a repressão sexual da moralidade tradicional, da religião e do duplo padrão que suprimia a sexualidade feminina. É interessante que alguns relatórios frisem tendências de que a atividade sexual feminina e a masculina estão se tornando cada vez mais similares hoje em dia.[2] Eles confirmam a perspectiva politicamente correta de que a sexualidade feminina era reprimida, mas agora está liberada, de forma que as diferenças sexuais estão diminuindo — sugerindo que eventualmente desaparecerão. Os mais objetivos e fidedignos relatórios admitem que grandes diferenças sexuais persistem, apesar de todas as mudanças, e concluem, com perplexidade, que continuam a existir imensas disparidades qualitativas entre a sexualidade masculina e a feminina.[3] Parece que os relatórios de pesquisa podem ser influenciados pela política sexual.

A descoberta sobre o déficit sexual masculino é de tamanha importância que precisa ser solidamente evidenciada neste capítulo. Mesmo em situações nas quais há pouco ou nenhum desequilíbrio de gênero no capital erótico, o déficit sexual masculino continua influenciando relações entre homens e mulheres, tanto na vida pública quanto na pessoal. O princípio do menor interesse e o excesso de demanda masculina por mulheres atraentes aumentam o valor do capital erótico feminino. O desequilíbrio no interesse sexual concede às mulheres uma enorme vantagem nos relacionamentos íntimos — caso reconheçam esse fato. Muitas outras descobertas das pesquisas sobre sexo completam esse quadro no que diz respeitos à política do desejo.

A *revolução sexual*

O advento da pílula e de outras formas de contraceptivos confiáveis nos anos 1960 deu às mulheres controle direto sobre a própria fertilidade pela primeira vez na história. Isso levou a grandes mudanças no investimento feminino em educação e carreira e, enfim, à revolução de oportunidades iguais.[4] As mulheres deixaram de se formar em línguas, literatura e história da arte para ingressar em cursos de direito, administração, medicina, farmácia e contabilidade. Uma vez que as barreiras caíram, a proporção de mulheres em profissões bem-remuneradas disparou para cerca de 50% na maioria dos países.[5] As oportunidades para elas no mercado de trabalho se transformaram, dando-lhes real igualdade em relação aos homens.[6] A vida pessoal também se modificou — até certo ponto.

Os homens nunca recusam sexo grátis: mito ou realidade? Psicólogos testaram essa afirmação nos Estados Unidos fazendo com que homens e mulheres jovens e relativamente atraentes se aproximassem de pessoas atraentes no campus para oferecer encontros e um pouco mais. Metade concordou em sair com um estranho, e metade recusou. Os homens ficaram muito mais empolgados com a oferta de sexo gratuito: dois terços concordaram em ir ao apartamento da mulher, e três quartos concordaram em fazer sexo com ela naquela noite, ao passo que nenhuma das mulheres quis o sexo, e apenas 6% aceitaram encontrar o homem em seu apartamento.[7]

Parece que a única coisa que restringe o interesse dos homens por sexo é ter que pagar, com dinheiro ou casamento. Então, a revolução sexual dos anos 1960 foi uma verdadeira benção para eles, abrindo a porta para uma expansão maciça do sexo recreativo nos países ocidentais, dentro e fora do casamento, porque praticamente eliminou o risco de uma gravidez indesejada. A revolução sexual modificou muito rapidamente as atitudes em relação ao sexo fora de relacionamentos sérios e duradouros, primeiro em relação ao sexo antes do casamento e depois, mais gradualmente, ao sexo fora do casamento. As exigências feministas por igualdade ajudaram, pois alegavam que as mulheres tinham o mesmo interesse em satisfação e aventuras sexuais. O duplo padrão sexual que permitia aos homens serem promíscuos, mas punia a promiscuidade feminina, foi declarado obsoleto. Os homens não precisavam mais seduzir ou cortejar as mulheres. "Você quer tanto quanto eu" se tornou o novo lema. De repente, mulheres jovens viam-se sob uma nova pressão para fazer sexo, simplesmente para provar que eram "normais".

A nova cultura sexual se refletiu em uma florescente literatura sobre todos os assuntos relacionados a sexo. Os europeus redescobriram o *Kama Sutra* e começaram a escrever os próprios manuais sexuais. *Os prazeres do sexo* foi publicado em 1972, e *Mais prazeres do sexo* o seguiu em 1973, ambos com ilustrações mostrando posições sexuais e detalhes físicos. Em pouco tempo, revistas femininas e masculinas incluíam artigos sobre sexualidade e dicas sexuais. A *Cosmopolitan* foi pioneira em desenvolver uma nova perspectiva sexual para a mulher solteira.[8] A virgindade feminina deixou de ser uma mercadoria valiosa, vendida pelo lance mais alto. Tornou-se mais aceitável que as mulheres tivessem tanta experiência sexual quanto os homens. Contraceptivos eficientes permitiam que os jovens fizessem sexo antes do casamento, e a diferença de gênero na experiência sexual e no número de parceiros parecia estar diminuindo. A separação entre sexualidade e fertilidade (e casamento) foi reforçada pelos novos testes de DNA, que permitiam aos homens comprovar a paternidade de qualquer criança — dentro ou fora do matrimônio. Os liberais anos 1960 e a nova moralidade sexual foram refletidos na mídia e nas artes, como no musical *Hair*, que tinha nudez total no palco, e na crescente popularidade de revistas como *Playboy* e *Penthouse*.

As transformações na cultura social foram mais evidentes nos países ricos e modernos — ou talvez haja apenas mais informações sobre a Europa ocidental e a América do Norte, ainda que a globalização da mídia, dos filmes e do entretenimento espalhe as mudanças mais amplamente ao redor do mundo. Por exemplo, as boates de Taipei, Taiwan e Xangai, na China, são divididas entre as que adotam a nova cultura sexual liberal do Ocidente e aquelas que obedecem à tradicional etiqueta social e sexual chinesa.[9]

Então, nos anos 1980, a Aids mudou tudo outra vez, e surgiu um repentino retorno às ideias "antiquadas" sobre relacionamentos sérios e longos, fidelidade e castidade. A promiscuidade voltou a ser problemática, de maneira mais visível nas comunidades homossexuais, que foram atingidas em cheio pela epidemia de Aids, e nas quais a necessidade de "sexo seguro" parece ser permanente.

Vamos falar sobre sexo

A epidemia de Aids deu aos governos uma razão legítima para se interessar por sexo e sexualidade. Pesquisas sobre o assunto se tornaram estudos "médicos" e "de saúde pública". Às vezes, questões sociais e médicas se sobrepõem. Por exemplo, um aumento da promiscuidade agora é tratado como uma ameaça à saúde.[10]

A partir da década de 1990, uma constante corrente de pesquisas sobre sexo foi efetuada pelo mundo. O Apêndice B as descreve e examina os relatórios mais úteis. Essas novas informações eliminaram alguns mitos sobre a sexualidade. Com raras exceções, ninguém tinha tentado relacionar suas descobertas. Estudiosos norte-americanos baseiam-se quase exclusivamente em informações dos Estados Unidos. As culturas sexuais europeias, latinas, chinesas, japonesas e do Extremo Oriente normalmente exibem características distintas. Por exemplo, em muitos países europeus, casos e promiscuidade são aceitos, para homens e mulheres. No Extremo Oriente, a troca de dinheiro por sexo não é problemática. Em ambos os contextos, há mais espaço para o capital erótico ser valorizado.

Uma das descobertas mais importantes das recentes pesquisas sobre sexo é que as diferenças nas atitudes sexuais e na libido continuam basicamente intocadas pelos últimos desenvolvimentos sociais e econômicos. Embora a revolução sexual tenha um impacto sobre a vida sexual dos jovens, o quadro geral não foi muito alterado. O mito feminista da "igualdade" dos sexos é tão infundado quanto a afirmação de que todas as mulheres preferem a "igualdade" de uma completa simetria nos papéis familiares, emprego e salário.[11] As mudanças da revolução sexual foram parciais e irregulares, adotadas por alguns jovens, mas não por todos. Lá pela década de 1980, o duplo padrão sexual ainda era aceito, até mais pelas mulheres que pelos homens. Notou-se que eram sempre elas que impunham mais energicamente a ideia de restrições sobre a sexualidade feminina, e mantiveram-se pouco propensas a abandonar o elo entre sexualidade e relacionamentos duradouros. E o mais inexplicável é que a masturbação continuou sendo um hobby masculino, ainda que seja aceita, na teoria, pelas mulheres. Então, as diferenças sexuais em atitudes e atividades no período entre as décadas de 1960 a 1990 foram reduzidas, mas em um grau mais limitado do que a mídia e as artes sugeriram.[12] A inferioridade do desejo feminino continua inalterada no século XXI. O princípio do menor interesse aumenta o valor do capital erótico das mulheres.

O segundo mito a ser destruído é a ideia promovida originalmente pelo relatório de Kinsey e, mais tarde, pela comunidade gay de que a homossexualidade não é nada rara, que pelo menos um a cada dez homens e mulheres demonstram essa inclinação caso a sociedade lhes dê liberdade para expressar sua sexualidade. Na verdade, todas as pesquisas demonstram que as tendências e atividades homossexuais ocorrem entre apenas 1% a 2% da população, certamente menos que uma em cada vinte pessoas. A heterossexualidade continua sendo a forma maciça de sexualidade dominante. A única pesquisa que relata um nível mais alto de atividade entre pessoas do mesmo sexo é a

American National Survey of Sexual Health and Behavior, que encontrou cerca de 7% de homens e mulheres que definiam a si mesmos como "não heterossexuais" no levantamento on-line. A incidência de homossexualidade parece ter sido superestimada porque a maioria das pessoas admite que considera membros do mesmo sexo atraentes, e até mesmo sexualmente atraentes. Entretanto, o capital erótico torna alguém atraente para todos os membros de sua sociedade, não apenas para o sexo oposto, e tem impacto em todos os contextos sociais, não somente nos encontros sexuais. Mesmo assim, a grande maioria das pessoas encontra-se no mercado heterossexual, que é dominado por níveis de desejo desiguais.

Entretanto, a revolução das normas sexuais e a disponibilidade de eficientes contraceptivos modernos produziram algumas grandes mudanças. Tem havido um aumento acentuado do sexo recreativo, dentro e fora do casamento. Hoje em dia, na maioria dos países, as pessoas têm vidas sexuais mais ativas e muito mais longas do que costumavam ter no século XX.

Há muito tempo, os países escandinavos ostentam a reputação de serem sexualmente "liberados", mas também observaram mudanças dramáticas. Na Finlândia, a proporção de mulheres que tiveram dez ou mais amantes saltou de um grupo insignificante em 1970 para cerca de uma em cada cinco em 1992. A proporção de homens com dez ou mais amantes também aumentou ao longo dessas duas décadas, para cerca de metade (Fig. 1). A julgar por esse indicador, os homens continuam sendo duas vezes mais experientes que as mulheres, e não houve redução no diferencial sexual.

Todas as pesquisas mostram uma diversidade maior nas práticas sexuais nos dias de hoje. Sexo oral e anal eram tradicionalmente especialidades oferecidas por prostitutas e, consequentemente, custavam mais. Hoje em dia, o sexo oral se tornou tão difundido entre amadores que seu preço é mais baixo que o do "programa completo" entre as profissionais.[13] Até mesmo o sexo anal foi adicionado ao repertório sexual das não profissionais. A internet permite que pessoas com gostos e hobbies peculiares e raros se encontrem, a fim de dedicarem-se a práticas incomuns mais facilmente — como provam as festas de swing. Isso significa que os homens estão pressionando as mulheres por mais variedades de atividade sexual, assim como para fazer sexo à vontade. As demandas masculinas aumentaram a ponto de muitas mulheres sentirem que se espera delas um desempenho de padrão profissional — incluindo pole dancing e striptease.

Figura 1 – Diferenças sexuais em dez ou mais parceiros ao longo da vida por idade

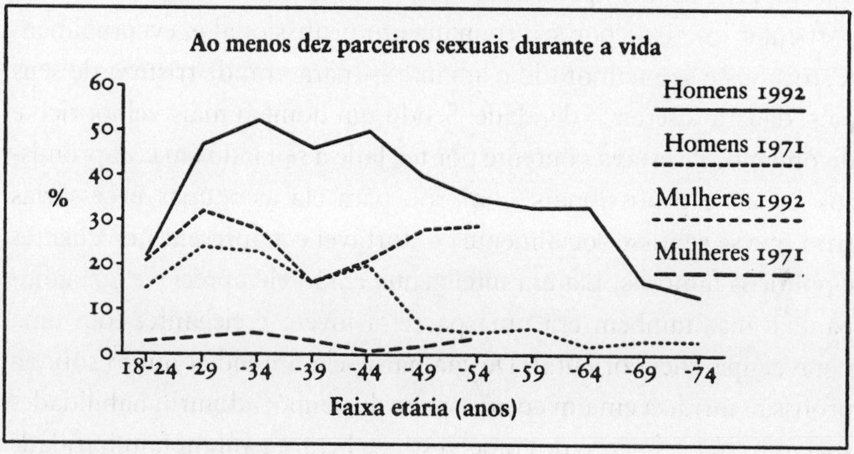

Ao menos dez parceiros sexuais durante a vida

Homens 1992
Homens 1971
Mulheres 1992
Mulheres 1971

Faixa etária (anos)

FONTE: *Kontula e Haavio-Mannila (1995)*

Pessoas jovens e atraentes têm plena consciência do volume e da intensidade do desejo masculino direcionado a elas, de meninos a homens de todas as idades. Em algum momento entre as idades de 10 e 25 anos, elas percebem o interesse sexual masculino, que, às vezes, pode ser opressivo. Há "mãos bobas" e corpos pressionados em trens lotados, constantes convites sexuais e comentários lascivos de estranhos na rua, mesmo para quem está usando uniforme escolar. As adolescentes têm duas reações: algumas se sentem vitimadas e, mesmo assim, incapazes de retaliar ou reclamar, e entram em uma espiral descendente de ódio aos homens, às vezes combinado com ambivalência em relação à própria aparência e à sexualidade.[14] Outras percebem que são desejáveis e desejadas, descobrem orgulho em seu capital erótico e aprendem a flertar com os admiradores. Toques indesejados são furiosamente repudiados, mas elogios elegantes ganham um sorriso como recompensa. Elas entram em uma espiral ascendente de exploração de seu capital erótico para fazer amigos, negociar, entender o que constitui uma troca justa. Possuem orgulho, confiança social e sentem-se confortáveis com a própria sexualidade.

Quando estudava Direito na universidade, Jade conheceu um dos mais bem-sucedidos e famosos advogados de seu país. Ele ofereceu-lhe um emprego de meio período em sua firma de advocacia, demonstrou particular interesse por seu treinamento profissional e, eventualmente, tornou-se seu namorado e amante — para grande tristeza de seus pais, dada a diferença de idade. Sendo um homem mais velho, rico e divorciado, ele estava contente por ter Jade a seu lado em compromissos sociais e profissionais, comprou para ela as roupas necessárias para que se sentisse socialmente confortável e a apresentou a clientes e políticos famosos. Ela era inteligente, então ele apreciava sua companhia, mas também era uma parceira jovem e elegante, com uma notável aparência oriental. De sua parte, ela aprendeu muito sobre a profissão jurídica em um curto espaço de tempo, adquiriu habilidades sociais e conhecimento de como vestir-se bem, e ganhou familiaridade com estilos de vida cosmopolitas que se provaram inestimáveis em sua subsequente carreira internacional após a graduação. O interesse de seu chefe poderia ter sido considerado assédio sexual por outra pessoa, mas no caso dela acabou sendo um relacionamento benéfico para ambos. Jovens bonitos têm mais chances de atrair mentores e patrocinadores informais, mas muito depende de sua resposta a tais oportunidades.[15]

A total honestidade em relação às trocas entre capital econômico e erótico continua sendo rara no mundo ocidental. O diário *Uma mulher em Berlim* descreve com brusca franqueza o modo como as mulheres alemãs famintas lidaram com a invasão de Berlim pelo exausto exército russo no final da Segunda Guerra Mundial. Também nesse caso, as mulheres tinham duas respostas: algumas se escondiam dos lascivos soldados e continuavam a passar fome, e outras compreendiam que era melhor aceitar a proteção de um oficial superior, que providenciaria comida, sabão, segurança e outros benefícios em troca de favores sexuais. A definição de estupro mudou para se referir a situações em que soldados não ofereciam nenhum presente ou benefício para compensar pela intimidade com uma mulher.[16] Mas, mesmo nesse contexto, ao fim de uma guerra terrível, conforme o prospecto de paz e de vida civil lentamente retornava, o desejo por beleza, sociabilidade, entretenimento e cortesia era evidente. Soldados jovens ainda pediam uma "boa menina", ainda escolhiam as mulheres mais jovens e atraentes para estuprar; o desejo dos homens por simpatia, afeição e aceitação social era tão grande quanto sua necessidade por sexo; e os homens mais bem-educados ainda consideravam apropriado se envolver em um ritual de apresentação e corte.[17] Sexo era o estímulo imediato, mas nunca era tudo. Beleza e modos ainda importavam.

O *déficit sexual masculino*

O valor de mercado de qualquer coisa é determinado pelo desejo relacionado a escassez, suprimento e demanda, e se aplica ao sexo tanto quanto a qualquer outro entretenimento.[18] As pesquisas sobre sexo demonstram que as necessidades dos homens por atividade sexual e entretenimento erótico de todos os tipos excedem em muito o interesse das mulheres por sexo. O senso-comum tem consciência disso há séculos.[19] Esse desequilíbrio aumenta automaticamente o valor do capital erótico das mulheres e lhes concede uma vantagem nas relações sociais com os homens — caso elas o percebam.

As feministas argumentam que o desequilíbrio era socialmente construído, uma ideia imposta pelos homens, que desapareceria assim que as restrições patriarcais sobre a vida e a atividade sexual das mulheres fossem eliminadas. Ainda que houvesse alguma verdade nesse argumento no que diz respeito às condições do passado,[20] a ideia de que a diferença de gênero em relação ao interesse sexual tenha desaparecido por causa da igualdade social e econômica entre homens e mulheres é comprovadamente falsa.[21]

Na ausência de restrições sociais, parece não haver diferenças de gênero no interesse sexual entre as pessoas mais jovens, de até 30 anos. As restrições sexuais sempre foram mais vigorosas em relação aos jovens, a fim de canalizar a energia sexual juvenil para formas apropriadas de comportamento e também para o casamento. O interesse sexual das mulheres normalmente decai acentuadamente depois da gravidez, quando suas atenções se voltam para a criação dos filhos.[22] Algumas mulheres experimentam uma renovação desse interesse mais tarde, depois da menopausa, quando o risco de gravidez é eliminado. Mas, no geral, o desejo feminino é reduzido de forma severa e, com frequência, prejudicado definitivamente pela maternidade. Em contraste, o interesse sexual dos homens dificilmente diminui por causa da paternidade. Isso é muito bem ilustrado por uma pesquisa finlandesa (Fig. 2). Até aproximadamente os 30 anos, homens e mulheres têm a mesma propensão a achar que fazem menos sexo do que desejariam. Depois disso, as mulheres perdem o interesse e metade dos homens é deixada com o sentimento de que gostaria muito de fazer mais sexo — ou seja, Woody Allen encontra Annie Hall.

As pesquisas sobre sexo demonstram que, ao longo da vida, a demanda dos homens por atividade sexual de todos os tipos é substancialmente maior que a das mulheres.[23] Isso se evidencia no uso de serviços sexuais comerciais, nos casos extraconjugais, no autoerotismo, na admiração por arte erótica em geral, nos níveis de atividade sexual e no interesse por atividades sexuais variadas. Homens têm de duas a dez vezes mais entusiasmo que as mulheres para testar todas as variações da atividade sexual (com exceção de encontros com o mesmo sexo) e experimentam mais. O número médio de associações sexuais ao longo da vida é duas ou três vezes maior entre os homens. A masturbação regular é três vezes mais comum entre os homens, mesmo os casados.[24] Eles têm uma propensão três vezes maior a ter fantasias sexuais frequentes e a consumir arte erótica de todos os tipos. Homens têm duas vezes mais probabilidade de ter cinco ou mais parceiras sexuais em um ano.[25] Na Grã-Bretanha, eles têm cinco vezes mais chance de ter tido mais de dez parceiras nos últimos cinco anos.[26] Em todas as culturas, homens são mais promíscuos que mulheres, e o celibato é mais comum entre elas. Isso vale até mesmo para a Escandinávia, onde a liberação sexual vem de longa data.

Figura 2 – Diferenças sexuais em desejo sexual não satisfeito por idade

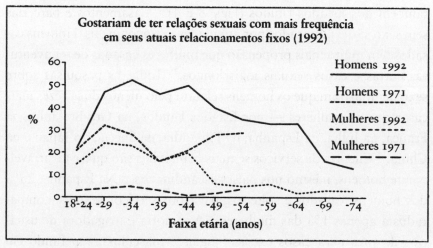

FONTE: *Kontula e Haavio-Mannila (1995)*

Com frequência, as mulheres relatam falta de apetite sexual. Na Austrália, por exemplo, mais de metade das mulheres diz experimentar ausência de desejo, em todas as idades.[27] Diversos estudos norte-americanos constatam que cerca de um quarto das mulheres mais jovens e um terço das mais velhas admitem ter baixo desejo sexual. Um amplo exame de todos os estudos na Finlândia demonstrou que uma grande — *e crescente* — discrepância no desejo sexual era a diferença mais fundamental entre homens e mulheres. O interesse por sexo estava crescendo mais entre os homens que entre as mulheres. Cerca de metade das finlandesas relata ter baixo desejo sexual. Em média, homens finlandeses desejam fazer sexo com o dobro da frequência que suas parceiras.[28] Estudos realizados na Europa mostram que a prevalência de baixo desejo entre as mulheres vai de 16% a 50%, sendo comumente citada uma média de um terço da população. Mais importante: a grande maioria das mulheres não se incomoda com seu parco ou inexistente desejo sexual. Não é um problema para elas, apenas para seus parceiros.[29]

Dos 50 aos 54 anos em diante, a inatividade sexual aumenta entre os homens; mas, entre as mulheres, isso acontece a partir dos 35, e com muito mais rapidez e alcance. Esse comportamento é observado em países escandinavos sexualmente liberados como a Finlândia, e também nos Estados Unidos (Figs. 3 e 4).[30] Casamentos e parcerias sem sexo são equilibrados por atividades extraconjugais. Homens casados têm muito mais propensão que mulheres casadas de ter aventuras curtas e casos sexuais mais longos.[31] Todas as pesquisas sobre sexo demonstram que os homens relatam pelo menos duas vezes mais casos que as mulheres — nos Estados Unidos, na Grã-Bretanha, na França, na Itália, na Espanha, na Finlândia, na Suécia, no Japão e na China.[32] Clientes de serviços sexuais comerciais são quase invariavelmente homens, mesmo nos países escandinavos.[33] Na Espanha, 25% dos homens, casados e solteiros, paga por serviços sexuais, comparados a apenas 1% das mulheres.[34] A maioria esmagadora de usuários de sites para casos extraconjugais é masculina, superando em número as mulheres em mais de dez para uma.[35]

Figura 3 – Diferenças sexuais em celibato no último mês, Finlândia, 1992

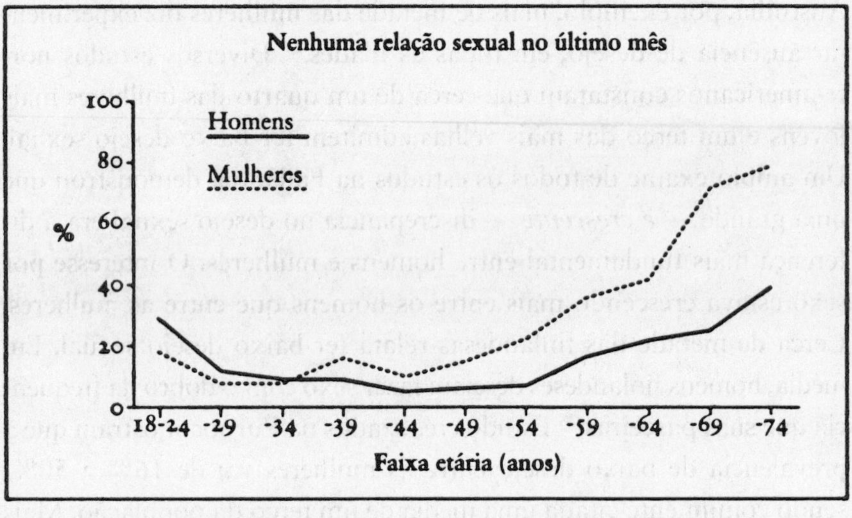

FONTE: *Kontula e Haavio-Mannila (1995)*

Muitas feministas alegam que esses resultados se explicam pelo fato de que os homens têm mais dinheiro para gastar. Porém, as pesquisas sobre sexo contradizem essa afirmação, demonstrando que é mais fácil persuadir as mulheres a fazer sexo (com o marido ou com outra pessoa) quando existe uma ligação emocional ou romântica, ao passo que homens buscam simplesmente satisfação e variedade sexual, seja por vias comerciais ou de qualquer outra forma. Na Suécia, dois terços dos homens apreciam sexo sem qualquer envolvimento romântico. Em contraste, entre dois terços e quatro quintos das mulheres insistem que o amor é a única base para um relacionamento sexual.[36] Na Itália, a paixão é um catalisador mais comum para os casos das mulheres que para os dos homens, que, basicamente, procuram variedade, novidade e excitação.[37] As mulheres se interessam mais pelos jogos emocionais que cercam o sexo, enquanto os homens podem buscá-lo e desfrutar dele como um objetivo em si, mesmo com uma desconhecida. Entre os que recebem altos salários, homens têm duas vezes mais casos que mulheres.[38] Um estudo holandês sobre grupos liberais instruídos descobriu que a privação sexual no casamento leva homens, mas não as mulheres, a ter casos.[39]

Figura 4 – Diferenças sexuais em celibato no último ano, Estados Unidos, 1992

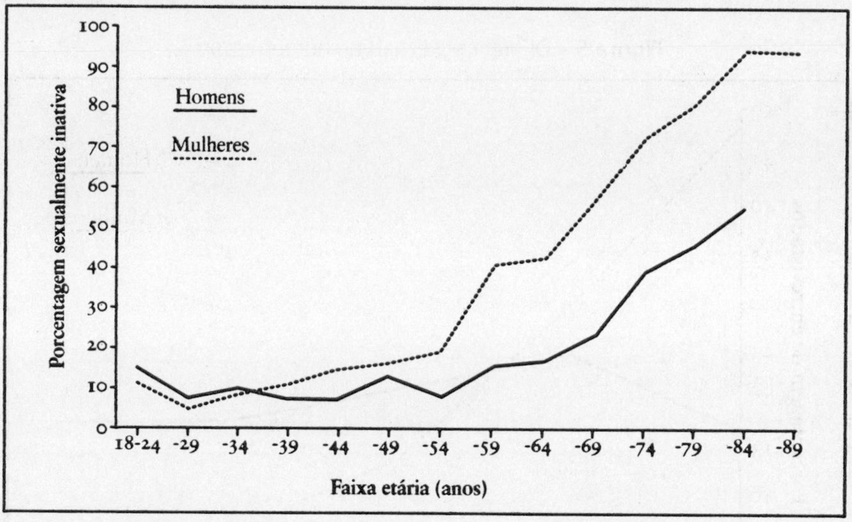

FONTE: *Laumann e outros (1994)*

O argumento de que esse comportamento se deve à falta de dinheiro ou à repressões culturais que restringem a sexualidade feminina é demolido de maneira mais abrangente pelas descobertas sobre o que é chamado de autoerotismo ou sexo solitário: masturbação, consumo de arte erótica e fantasias sexuais. A pesquisa norte-americana calculou uma pontuação total para essas atividades de 1 a 5, como demonstrado na Figura 5. Os homens distribuem-se de forma bastante equilibrada pelos cinco níveis, mas a grande maioria das mulheres está concentrada nos níveis mais baixos, com pontuação de 1 ou 2. Sexo solitário é uma atividade particular, não tem custo (ou custa somas irrisórias) e não envolve mais ninguém. Muitas crianças aprendem a se masturbar sozinhas com pouca idade, muitas vezes com 9 ou 10 anos.[40] Fantasias oferecem autonomia e controle dos *scripts* sexuais, e são de graça. Os argumentos sobre a repressão social da sexualidade feminina não podem explicar a quase total ausência da masturbação (e do autoerotismo de forma mais geral), entre as mulheres, se comparadas aos homens. Esses resultados da pesquisa norte-americana de 1992 são confirmados por consistentes descobertas na Suécia, na França, na Finlândia e nos Países Baixos.[41] Em sociedades moder-

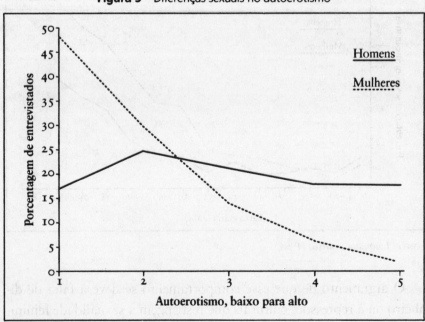

Figura 5 – Diferenças sexuais no autoerotismo

FONTE: *Laumann e outros (1994)*

nas, a masturbação é considerada uma prática absolutamente normal, porém, ainda assim, os homens praticam o sexo solitário com uma frequência três ou quatro vezes maior que as mulheres, mesmo após o casamento. Cerca de metade das mulheres nunca se masturba. Para pessoas com alta libido, a masturbação é um complemento ao sexo com o parceiro, assim como um substituto em períodos em que não há parceiros disponíveis. Em geral, as pesquisas sobre sexo sugerem que homens com forte ímpeto sexual veem o autoerotismo, o sexo comercial e o sexo com parceiras como práticas complementares, e não como alternativas mutuamente excludentes.[42]

Estilos de vida sexual

Em 1973, Erica Jong causou sensação com seu romance *Medo de voar* pela primeira vez, aparentemente, uma mulher escrevia com franqueza sobre suas fantasias eróticas e seu desejo por sexo casual, anônimo e espontâneo com um estranho atraente, livre de emoções, compromisso e obrigações sociais. A "foda sem zíper" ingressou no vocabulário. Como a heroína de Jong explica: "A foda sem zíper é a coisa mais pura que existe, mais rara que o unicórnio, e eu nunca tive uma."[43] Mais de vinte anos depois, as pesquisas sobre sexo ainda mostram que poucas mulheres se envolvem nesse tipo de sexo puramente hedonista, que continua sendo um dos favoritos de um número considerável de homens.

Algumas das pesquisas sobre sexo procuraram identificar diferentes "estilos de vida sexual", e descobriram que havia pouco em comum entre homens e mulheres — eles diferem quantitativa e qualitativamente em interesse sexual, valores e atividades. Poucas mulheres adotam a ideologia libertina de sexo recreativo que é popular entre os homens.[44] Mesmo na Suécia, a maioria das mulheres continua a insistir em amor e compromisso como precondições para o sexo. Na Finlândia e na Suécia, a probabilidade de uma pessoa considerar o fato de ter diversos relacionamentos sexuais paralelos como algo ideal é de quatro a cinco vezes maior entre os homens. Os suecos são de duas a três vezes mais entusiásticos que as mulheres em relação à ideia dos casos como um suplemento permanente em um relacionamento duradouro, e são duas vezes mais propensos a tê-los.[45] Provavelmente, as comunidades homossexuais demonstram os exemplos mais clássicos de estilo de vida sexual libertino hedonista, com grande ênfase no sexo casual, e não em relacionamentos duradouros. Como resultado, homossexuais esforçam-se muito mais em manter um bom corpo para atrair parceiros.[46] Da mesma forma, esposas que perdem o interesse pelo sexo normalmente param de investir na manutenção de seu capital erótico e tornam-se menos atraentes e menos desejáveis.

O número de parceiros sexuais é grande entre os jovens (Fig. 1), mas os homens ainda relatam muito mais parceiras sexuais que as mulheres. Em todas as idades, um em cada vinte homens casados na Grã-Bretanha relataram que tiveram duas ou mais parceiras no último ano, comparados a apenas uma ou duas em cada cem mulheres casadas. Três ou mais parceiros sexuais no último ano são relatados por 1,2% dos homens casados e por 0,2% das mulheres na mesma posição. Por esse indicador, homens de qualquer idade, são cinco ou seis vezes mais promíscuos que as mulheres,[47] mesmo depois da revolução sexual.[48]

Todas as pesquisas sobre sexo identificam uma pequena minoria, bem abaixo de 10% das pessoas, que tem alta libido e é sexualmente "hiperativa", como o relatório sueco define.[49] A pesquisa britânica mostra que pessoas altamente libidinosas começam a vida sexual antes dos 16 e são mais promíscuas em todas as idades. Na Grã-Bretanha, aproximadamente um em cada vinte homens e uma em cada cinquenta mulheres se encaixa neste padrão de comportamento sexual ativo ao longo da vida.[50] Os homens sempre excedem em número as mulheres nesse grupo, e também relatam níveis muito mais altos de atividade e mais parceiras que elas. Normalmente, essas pessoas atingem a maturidade sexual muito jovens, fazem uma iniciação sexual precoce, relacionam-se com uma grande variedade de parceiros desde o início, vivem em grandes cidades e são meticulosas com os check-ups de saúde sexual. Quem escreve os relatórios de pesquisa claramente repudia esses "dissidentes estatísticos," que adulteram o panorama de homens e mulheres "medianos" e têm pouco a ver com as pessoas comuns. Os 10% de homens e mulheres mais ativos respondem por metade do número total de parceiros sexuais relatados na pesquisa sueca sobre sexo, e por cerca de metade de toda a atividade sexual. Eles são imediatamente rotulados como um risco à saúde.[51]

Os relatórios também revelam um elemento de descrença (especialmente) em relação aos homens que relatam centenas de parceiras, mesmo que também admitam usar serviços de sexo comercial. Na verdade, as pesquisas sobre sexo podem muito bem estar minimizando o aumento da atividade sexual, porque as experiências sexuais deixaram de ser eventos importantes e memoráveis para muitos jovens. Hoje, o sexo pode ser psicologicamente menos evidente porque é mais comum, até mesmo mundano — e os pesquisadores de sexo são velhos demais para entender a nova realidade.

Histórias pessoais

Histórias pessoais sobre a vida sexual são complementos úteis ao árido anonimato das estatísticas das pesquisas sobre sexo. A maioria desses relatos é escrita por homens,[52] de forma que as poucas memórias sexuais escritas por mulheres são ainda mais valiosas. O diário de uma garota de programa chamada Belle de Jour, e a autobiografia de um jornalista, Sean Thomas, fornecem evidências esclarecedoras sobre os estilos de vida sexual contemporâneos de uma mulher solteira de 29 anos e de um homem solteiro de 39, respectivamente, em Londres, Inglaterra. O diário de Belle de Jour revela uma libido extremamente alta e uma vida sexual muito ativa, que começou quando ela era adolescente e se estende para muito além de sua profissão. Ela aprecia e vende uma ampla gama de atividades sexuais, incluindo dominação e BDSM leve,[53] com homens e mulheres.[54] Uma estimativa aproximada é que uma garota de programa como ela pode ter entre cem e duzentos encontros por ano, sugerindo de trezentas a seiscentas experiências sexuais até que abandonem a profissão para se casar ou assumir empregos convencionais.[55] Mulheres que gostam de orgias sexuais aceitam cerca de trinta parceiros em apenas uma noite e, no total, têm muito mais parceiros que qualquer garota de programa ou homem. As memórias sexuais de Catherine Millet, uma crítica de arte francesa, provocaram controvérsias porque ela descreveu sua entusiástica participação em orgias quando era jovem. Ela achava impossível se lembrar até mesmo dos detalhes mais vagos sobre seus inumeráveis encontros sexuais nesses eventos, e os homens se tornaram um borrão coletivo em sua mente quando ela estava escrevendo, anos depois.[56]

Considerando finalmente contrair matrimônio aos 39 anos, Thomas revê sua história sexual para avaliar se dormiu com um número suficiente de mulheres antes de se acomodar na monogamia. Calcula que dormiu com sessenta mulheres, ou setenta, se incluir prostitutas, e decide que essa quantidade é a média para seu grupo social. Ele salienta sua intensa libido e suas frustrações sexuais, e relata que a única situação em que se sentiu verdadeiramente relaxado foi durante uma viagem de turismo sexual à Tailândia. Pela primeira vez na vida, ele tinha feito sexo suficiente para ficar calmo.[57]

Casanova levou apenas 130 mulheres para a cama durante toda a vida, de acordo com suas detalhadas memórias.[58] Hugh Hefner, o fundador da *Playboy*, relata cerca de duas mil amantes em sua autobiografia, com a ajuda do Viagra nos últimos anos.[59] Um cantor popular reporta ter seduzido mil mulheres ao longo dos dois ou três anos do auge de sua carreira, quando as jovens se jogavam aos pés dos astros.[60] Mesmo nos extremos de vidas altamente libidinosas, a atividade sexual aumentou — para os homens.

Para obter o sexo que querem, quando querem, frequentemente os homens se dispõem a pagar, pois essa pode ser a opção mais eficiente. A alternativa é dedicar tempo e esforço para seduzir mulheres, o que também custa dinheiro. Quer nos foquemos no sexo comercial e nos entretenimentos sexuais relacionados, nos casos, no número de parceiros, no autoerotismo ou no desejo sexual insatisfeito, a evidência é de que a demanda masculina por sexo e variedade sexual é entre duas e dez vezes maior que o interesse sexual feminino, em média, ao longo da vida. Esse é um imenso desequilíbrio que automaticamente aumenta o valor do capital erótico feminino, influencia todas as relações sociais entre homens e mulheres e dá a elas uma vantagem nos relacionamentos íntimos.

Relacionamentos duradouros e diferentes níveis de desejo

A psicóloga e terapeuta de casal Bettina Arndt estudou a importância do sexo no casamento pedindo a cem casais australianos que mantivessem diários sexuais por nove meses. Ela descobriu que a atividade sexual era rotineiramente usada pelas esposas como ferramenta de barganha nos relacionamentos. Sexo parecia ser tão importante quanto dinheiro nas negociações entre parceiros. Uma esposa negava sexo para punir o marido por não ter feito o que ela pedira, ou o oferecia para persuadi-lo a lhe dar o que queria, ou para recompensá-lo por ajudá-la em casa. A estratégia funcionava porque os maridos quase invariavelmente queriam mais sexo que suas mulheres. Uma das impressões predominantes dos diários citados no livro é a tristeza e a frustração dos homens que experimentam uma permanente "inanição sexual" com esposas que perderam o interesse por sexo, raramente são convencidas ou os rejeitam vigorosamente, como ilustrado por algumas citações:

> Estou totalmente perdido. Eu a amo e acho que ela me ama, mas não posso viver como um monge. Tentei deliberadamente não mencionar sexo, mas agora estou tão frustrado que não sei o que fazer. Estou no limite. Não posso, e não vou, continuar assim. Eu me recuso a passar a vida implorando.

> Quero desesperadamente fazer sexo e quero que Lucy tome a iniciativa. Mas, infelizmente, agora estou ficando mais inflexível, e ela não cede a minhas necessidades, então nos tornamos amargos e desagradáveis um com o outro, apenas fazendo sexo quando Lucy está com vontade ou com pena de mim.

> Ele não consegue me abraçar sem acidentalmente tocar minhas nádegas ou meus seios. Sempre me parece uma apalpada, e um ar de "que tal?". Na maioria das vezes, eu simplesmente o afasto, mas, de vez em quando, me sinto mal por ele, fico muito triste por ele ser rejeitado o tempo todo.[61]

A solução de Arndt para o desequilíbrio no desejo é sugerir que as esposas deveriam relaxar e colaborar com a necessidade dos maridos de fazer mais sexo. Ela está consciente de que, mesmo quando as mulheres têm uma motivação mais fraca, elas ainda podem aproveitar o sexo quando ele acontece.[62] Erguer rígidas barreiras mentais e se envolver em lutas de poder parece inútil.

Os casamentos sem sexo ou com escassez de sexo são uma consequência da libido mais baixa das mulheres, e uma causa da permanente demanda masculina por entretenimentos eróticos, serviços de sexo comercial e casos extraconjugais. Casamentos celibatários são mais comuns do que pensamos, porque dificilmente alguém admite o problema. Pesquisas sobre sexo nunca se dão o trabalho de fornecer estatísticas relevantes, porque celibato e abstinência sexual não contribuem para o problema da Aids e de outras DSTs. Pesquisas relatam o número de parceiros sexuais, mas raramente especificam se estes incluem ou não os cônjuges. Homens e mulheres casados que relatam apenas um parceiro sexual podem estar se referindo ao amante, e não ao cônjuge.[63] Assim, casamentos sem sexo são mais frequentes do que os números que reportam total celibato — que já são surpreendentemente altos, especialmente depois dos 40 anos (Figs. 3 e 4).

Naturalmente, o celibato é comum entre jovens abaixo de 25 anos, que ainda não fizeram sua iniciação sexual. Mas é igualmente habitual entre pessoas com 45 anos ou mais. A pesquisa britânica de 1990 demonstrou que uma a cada dez mulheres com idades entre 45 e 59 anos foram celibatárias em algum período nos últimos cinco anos, e uma em cada cinco, por mais de um ano. A proporção é consistentemente mais baixa para os homens dessa faixa etária. Quanto mais baixo o status socioeconômico de alguém, mais alta a incidência de celibato. A pobreza parece reduzir as opções românticas e sexuais.

A frequência do sexo é determinada principalmente pela duração do relacionamento do casal, e não pela idade (mesmo entre os jovens). Normalmente, a familiaridade causa tédio. A novidade é sexualmente excitante. Entretanto, depois dos dois primeiros anos de um relacionamento, pesquisas em todos os lugares determinam um rápido declínio no interesse sexual, mais entre mulheres que entre homens — na Grã-Bretanha,[64] França,[65] Alemanha e Suécia.[66]

Nos Estados Unidos, cerca de um em cada cinco casamentos é sexualmente inativo, ou seja, sem sexo no último mês.[67] Uma pesquisa italiana determinou que um quarto das mulheres, mas apenas um em cada dez homens, declarou que não é sexualmente ativo (não fez sexo algum no último ano). Novamente, há uma acentuada diferença entre cônjuges. Uma em cada dez esposas diz que não é sexualmente ativa, sendo que apenas metade desse número de maridos diz o mesmo. Isso sugere que ao menos um em cada vinte maridos italianos busca soluções fora do casamento.[68]

Na Espanha, pesquisas sugerem que cerca de um em cada dez casais pratica celibato, pois nunca faz sexo (nenhum dos homens admitiu isso, mas 4% das mulheres, sim) ou só o faz algumas vezes por ano (quase um em cada dez entre todos os casais). Como sempre, o celibato é concentrado nos grupos mais velhos.[69]

Casamentos completamente sem sexo são um indicador de casais com diferentes níveis de impulso sexual, o que parece ser norma, e não exceção.[70] Todas as recentes pesquisas sobre sexo revelam uma grande diferença entre o impulso sexual de homens e mulheres. O senso-comum de que homens sempre querem mais sexo que as esposas emerge não como estereótipo ou preconceito, mas como fato.[71] O abismo de desejo sexual entre homens e mulheres é observado em todos os países e culturas nos quais pesquisas sobre sexo têm sido realizadas, mesmo na França, e em todas as faixas etárias acima de 30 anos. Parece não haver diferença na capacidade sexual ou na apreciação do sexo, apenas no impulso sexual, que é mais forte entre os homens.[72] Além disso, homens e mulheres continuam a ter atitudes muito diferentes em relação ao sexo. Na Grã-Bretanha, cerca de metade dos homens faz sexo casual, ao passo que todas as mulheres consideram errado ter aventuras.[73] Grandes diferenças de atitude em relação à sexualidade também são relatadas nos Estados Unidos,[74] e até mesmo na França.[75]

Qual é a importância do sexo?

Será que as pesquisas sobre sexo são falaciosas? Olhando para a vida como um todo, alguns poderiam argumentar que sexo não é importante, que seu significado é exagerado pela mídia. Será que as pessoas não se importam mesmo com a ausência de jogos sexuais? Pelo contrário:

normalmente, os estudos destacam a importância do sexo para a saúde, felicidade e qualidade de vida. Por todo o mundo, o sexo é considerado um fator essencial para se viver melhor, mas os homens, invariavelmente, dão mais importância à atividade sexual que as mulheres.

No começo do século XXI, a Organização Mundial da Saúde (OMS) realizou uma extensa pesquisa para determinar os indicadores-chave do bem-estar pelo mundo. A OMS reconhece que a crescente riqueza significa que a mera sobrevivência física não é mais o único objetivo dos programas de saúde; no século XXI, uma boa qualidade de vida também é esperada. Assim, perguntou-se a pessoas de todo o planeta o que era *mais* importante para uma boa vida. O estudo abrangeu 58 países em todos os cinco continentes,[76] incluindo França, Países Baixos, Espanha, Croácia, Grã-Bretanha, Estados Unidos, Rússia, Índia, Austrália, Japão, Tailândia, Panamá e Zimbábue.

Não é surpresa que saúde, energia, dinheiro suficiente para viver e capacidade de trabalhar tenham sido classificados entre os 25 principais fatores para uma boa qualidade de vida. E, em todos os países, a vida sexual também está incluída nesses fatores.[77] O sexo geralmente é posicionado mais abaixo, no número 25, mas em todos os países é identificado como fator essencial para viver de forma feliz. Também é o único fator ao qual os homens dão mais importância que as mulheres.[78] Imagem corporal e aparência também estão incluídas nos 25 fatores principais, no número 24, logo acima da atividade sexual. As mulheres dão a ela um enfoque maior que os homens, e sua classificação é consideravelmente mais alta em importância que a atividade sexual para sua qualidade de vida.[79]

Dizem que os economistas sabem o preço de tudo e o valor de nada. Geralmente, avaliam qualquer coisa em termos monetários. Dois economistas, David Blanchflower e Andrew Oswald, conseguiram determinar o valor monetário para uma boa vida sexual. Eles estimaram que (depois de pesar o impacto de um bom emprego e de uma boa educação) uma boa vida sexual equivale a 50 mil dólares a mais por ano, nos valores de 2004 — portanto, bem mais que isso hoje em dia. Em seu trabalho, *Money, Sex and Happiness*, ele analisaram os resultados da General Social Survey a partir de 2002, que fornece dados sobre cerca de 16 mil norte-americanos, homens e mulheres, para identificar o que leva alguém a sentir-se satisfeito com a própria vida. Também perguntou-se às pessoas com que frequência faziam sexo.[80]

A pesquisa descobriu que o norte-americano comum faz sexo duas a três vezes por mês, normalmente com apenas um parceiro. Um pequeno número de homens declarou que tivera mais de cem parceiras no último ano, mas nenhuma mulher relatou o mesmo. Pessoas com menos de 40 anos faziam sexo uma vez por semana, em média. Mulheres acima dos 40 relataram fazer sexo uma vez por mês em média, enquanto homens acima dos 40 relatam uma média de duas a três vezes por mês. Os autores especulam que a razão para essa discrepância no grupo acima de 40 anos pode ser devida ao exagero masculino, ao fato de os homens terem parceiras mais jovens ou de contratarem prostitutas. Outra explicação pode ser que os homens estão tendo casos discretos e aventuras. O estudo estimou que aumentar a frequência das relações sexuais de uma vez ao mês para pelo menos uma vez por semana forneceria tanta felicidade quanto colocar 50 mil dólares a mais no banco por ano. Em comparação, um casamento duradouro ofereceria cerca de 100 mil dólares em felicidade por ano, livres do impacto da condição profissional e da educação. O completo celibato e níveis muito baixos de atividade sexual eram efetivamente iguais no que diz respeito a seu impacto sobre a felicidade. Na verdade, casamentos podem ser classificados como celibatários quando a frequência do sexo declina para menos de uma vez ao mês. Um terço dos americanos com 40 anos ou mais relatou levar uma vida celibatária. No entanto, a proporção seria mais da metade se o grupo de frequência muito baixa fosse incluído. Parece que os americanos trabalham demais para ter tempo de fazer sexo.

O estudo foi criticado por não dizer nada sobre a qualidade da atividade sexual. Entretanto, nem mesmo as pesquisas sobre sexo têm sido capazes de avaliar esse fator, a não ser pela frequência do orgasmo, o que não é um indicador muito útil, já que o orgasmo é praticamente garantido para os homens, mas não necessariamente para as mulheres, independente de seu estilo de vida sexual.[81] Avaliando com base apenas na frequência, Blanchflower e Oswald demonstram que o sexo regular (uma vez por semana) pode oferecer aproximadamente metade da felicidade de um casamento estável. É, de fato, um acréscimo bastante substancial. Finalmente, uma boa vida sexual era mais importante para os homens do que para as mulheres, e para pessoas com maiores níveis de escolaridade.

É muito comum ver algo com mais clareza quando não se está procurando. O Boston Consulting Group certamente não estava estudando sexualidade quando realizou sua Global Enquiry into Women and Consumerism em 2008. O estudo contou com 12 mil mulheres de 21 países do mundo inteiro, de Estados Unidos e Suécia a China, México, Índia e Arábia Saudita. As entrevistas abrangeram todos os aspectos da vida feminina e suas prioridades. Organizada por dois consultores de negócios especializados em comportamento do consumidor, a pesquisa pretendia analisar como a compra de bens e contratação de serviços se encaixa nas preocupações e vidas femininas como um todo. Descobriram que sexo era uma prioridade bastante baixa para a maioria das mulheres. De todas as entrevistadas, apenas um quarto disse que sexo as deixava extremamente feliz, muito menos que os 42% que relataram o mesmo sobre animais de estimação. As exceções são consistentes com os resultados das pesquisas sexuais. Na França, dois terços das mulheres disseram que sexo é uma grande fonte de felicidade. As mulheres italianas também dão muita importância ao sexo e aos relacionamentos. Na Rússia, o sexo apareceu ao lado do dinheiro como principal fonte da felicidade feminina. Quatro quintos das mexicanas citaram sexo como a maior fonte de felicidade, uma proporção muito mais alta que a média global.[82] Diferenças culturais continuam a ser significativas, e confirmam que as mulheres de países puritanos anglo-saxões são menos interessadas em sexo. Como resultado, o déficit sexual masculino é maior nesses países.

"Bens superiores"

Sexo, beleza e capital erótico são o que os economistas chamam de "bens superiores," coisas que queremos mais à medida que enriquecemos. Ao longo da história, os monarcas e os ricos levaram vidas mais promíscuas que as pessoas comuns. A rainha Catarina, da Rússia, os Bórgia, na Itália, e imperadores chineses com centenas de concubinas são apenas alguns exemplos. Por outro lado, o sexo é um dos maiores entretenimentos gratuitos da vida, acessível tantos a ricos quanto a pobres. Então, como o déficit sexual masculino varia entre os países?

O déficit sexual masculino deve ser visto dentro do contexto das normas locais e do histórico cultural, que podem se mostrar como fatores poderosos em alguns casos. A revolução contraceptiva não terá na Arábia Saudita o mesmo impacto que teve na Califórnia, não será na Nigéria como foi na Grã-Bretanha. Mesmo na Europa, o impacto difere entre as nações mediterrâneas e os países nórdicos.[83]

As pesquisas sobre sexo confirmam que um estereótipo é baseado em fatos: as pessoas de "sangue quente" do Mediterrâneo são mais ativas sexualmente que os habitantes dos climas mais frios da Europa setentrional. Uma pesquisa espanhola considerou apropriado incluir uma opção para pessoas que fazem sexo cinco vezes por dia ou mais.[84] Nos países africanos, os homens classificam a si mesmos como "impotentes" se não conseguirem ter relações sexuais diariamente, em qualquer idade, como já foi dito.[85] Em algumas sociedades africanas, os casais, em média, fazem sexo 440 vezes por ano, enquanto tribos vizinhas têm um número muito mais baixo, de 230 vezes por ano.[86] Na maioria dos países ocidentais, a frequência é muito menor que essa, entre 24 e 120 vezes ao ano. A moral e a ética de trabalho puritanas parecem ter sido um elemento de engenharia social muito eficiente, forçando uma permanente realocação de tempo, imaginação e energia da sexualidade e de outros prazeres para o trabalho árduo, o ascetismo e a acumulação de capital. A revolução sexual dos anos 1960 e 1970 deve ser vista no contexto da cultura anglo-saxã, que continua sendo essencialmente antissexual.

Os templos eróticos de Khajuraho, na Índia central, lembram-nos de que várias outras culturas dão muito valor à sexualidade e ao capital erótico, especialmente à beleza e ao poder de sedução femininos. Tradicionalmente, a sexualidade era uma experiência religiosa. Por outro lado, os modernos filmes de Bollywood nunca exibem nudez ou intimidade entre homens e mulheres, nem mesmo carinhos ou beijos inocentes, ainda que sejam repletos de danças e cantos eróticos, e que as jovens atrizes sejam invariavelmente deslumbrantes e tenham belas silhuetas curvilíneas.

Em países grandes como a Índia, com mais de 1 bilhão de habitantes, duzentas línguas e muitas tradições diferentes, não há uma cultura sexual única. Existem diferenças acentuadas entre a cultura "purdah" do norte, resultado de séculos de controle das dinastias islâmicas, e a cultura hindu da "poluição-pureza" no sul, que permite às mulheres livre acesso a áreas públicas sem companhia masculina. Como resultado, as mulheres têm mais liberdade nas cidades de Mumbai, Calcutá e Chennai do que na capital do país (ao norte), Nova Délhi. A introdução de propagandas retratando mulheres sob uma ótica sexual teve um impacto negativo no norte do país, e foi responsabilizada por uma onda de estupros em plena luz do dia em Nova Délhi, cometidos até mesmo por homens instruídos.[87]

A sexualidade é subversiva e anárquica. Tem um caráter desenfreado, turbulento e irreprimível. O desejo sexual é imprevisível, incontrolável, impulsivo e, frequentemente, camuflado. O poder erótico de homens e mulheres atraentes é considerado perigoso,[88] assim como injusto, ainda que normalmente seja reservado bastante para ficar fora do radar da polícia moral e da correção política. George Orwell representou corretamente o sexo como um ato politicamente subversivo no Estado totalitário de *1984*, uma expressão de autonomia desafiadora, um jardim de prazeres privados que não podia ser controlado pelas autoridades.[89]

Na Rússia, o socialismo restringia o sexo ao casamento. Assim, ter casos sexuais se tornou subversivo, uma forma de rebelião política particular, um ato de desafio, uma expressão de individualismo e de autonomia pessoal, um símbolo de privacidade e autoexpressão.[90] Metade dos homens russos e mais de um quarto das mulheres têm casos em algum momento de seu casamento vigente, uma proporção mais alta do que as relatadas em qualquer outra parte da Europa.[91] Uma pesquisa de 1994 demonstrou que quase metade dos russos não considerava os casos como algo errado — comparados com apenas 6% dos norte-americanos. Sexo era a única coisa que as autoridades não podiam controlar, que não tinham como tirar das pessoas, então todos o tratavam como um parque de diversões privado. Mentir era parte da cultura, então as pessoas já tinham a habilidade para esconder os casos. "Eles fingem nos pagar e nós fingimos trabalhar" era uma piada popular. Quando a União Soviética ruiu em 1991, o sexo emergiu abertamente como mercadoria e entretenimento importantíssimo. As relações sexuais deixaram de ser um escape da vida real para se tornar um dos caminhos mais rápidos para a mobilidade ascendente de mulheres jovens.[92]

No entanto, países que têm uma reputação de liberação sexual podem ser os mais reprimidos. A cultura pública da "igualdade de gêneros" na Suécia produziu uma das tradições sexuais mais restritivas da Europa, como admite o relatório oficial da pesquisa sueca sobre sexo de 1996.[93] A sexualidade é temida pelos problemas de correção política que levanta. A ênfase principal está em seus perigos: violência e abuso sexual, aborto, pornografia infantil e prostituição são o foco de maior atenção em debates midiáticos. No ambiente de trabalho e na vida social, as pessoas não se atrevem a falar sobre sexualidade e erotismo; a reticência é a norma. Suecos não flertam. Naquele país, há uma total ausência do erotismo cotidiano tão comum nas culturas latinas. Nas raras ocasiões em que os suecos "se soltam" (em festas e férias), há uma violenta erupção de sexualidade, normalmente combinada com o excessivo consumo de álcool. Essa separação entre decoro público e realidades privadas da cultura sueca contrasta com a celebração aberta do erotismo no cotidiano das culturas latinas,[94] do Mediterrâneo à América Latina e ao Caribe.[95]

O Brasil é a epítome de uma cultura que valoriza e recompensa o capital erótico, permitindo relativa liberdade de expressão da sexualidade. Os brasileiros consideram racional o investimento em cirurgia plástica, em uma sociedade na qual aparência e *sex appeal* fazem a diferença. A ideologia brasileira do erotismo é exibida de forma mais visível na celebração anual do Carnaval, que envolve todas as classes e todos os grupos sociais. Ainda que a heterossexualidade seja a norma cultural brasileira, gays, bissexuais e travestis encontram maior aceitação que em muitos outros países, e têm lugar especial nos desfiles carnavalescos. A diversidade racial e cultural no Brasil encontra ecos em uma maior diversidade de sexualidade e de expressão sexual que em qualquer outro lugar do mundo.

Em um forte contraste, a China possui uma cultura sexual relativamente conservadora e conformista, mas, mesmo assim, promove o sexo regular dentro do casamento como fator essencial para a saúde. Entretanto, espera-se que os mais velhos se afastem gradualmente da atividade sexual, e as pesquisas, em geral, refletem essa expectativa.[96] O capital erótico tinha relativamente pouca importância fora da elite até que as mudanças econômicas criaram novos mercados sexuais.

O Japão tem uma cultura sexual muito rica, com uma longa tradição de entretenimentos sexuais, rituais de corte e exibição da beleza, do *sex appeal* e do charme femininos. E ainda assim a atividade sexual dentro do casamento parece ser uma das mais baixas do mundo, levando a uma das menores taxas de natalidade existentes.[97] Na verdade, as pessoas desfrutam do capital erótico e da sexualidade com mais frequência fora do casamento que dentro dele.

Em todas essas diferentes culturas sexuais, um traço parece ser constante e universal — a demanda masculina por entretenimentos eróticos e sexuais de todos os tipos invariavelmente excede o interesse sexual das mulheres, exceto, talvez, entre as mais jovens. Algumas mulheres aprendem a explorar sua vantagem, outras, não. Em culturas mais sexualizadas (como a brasileira), o capital erótico e a sexualidade são valorizados de maneira mais plena, e há maior aceitação do intercâmbio e da troca de dinheiro por boa forma, graça, beleza e sexualidade. Assim, a dimensão do déficit sexual masculino em qualquer país se resume à capacidade dos homens de ser generosos com as mulheres — com que facilidade oferecem dinheiro, presentes e outros benefícios para saciar seus intensos apetites sexuais. Mesmo que isso ainda precise ser provado por futuros estudos, minha conclusão é que o déficit sexual masculino é maior em países protestantes anglo-saxões, o que explicaria por que esses países geram tantos clientes do turismo sexual em países com atitudes menos castradoras em relação à sexualidade. A ética puritana fez muito mais que favorecer o capitalismo. Parece ter arruinado o sexo para muitas pessoas no mundo ocidental.

Comunidades gays

Paradoxalmente, a melhor evidência da importância maior que os homens dão ao capital erótico e à sexualidade vem das comunidades homossexuais.[98] A boa aparência é significativa para algumas lésbicas, mas não para a maioria. As lésbicas não são conhecidas por altos níveis de capital erótico e sexualidade. Em contraste, entre os homens gays, aparência, um belo corpo e *sex appeal* são extremamente importantes. A predileção por saunas como lugares de encontro e *rendez-vous* não é acidental — a maioria dos homens usa apenas uma pequena toalha nesses estabelecimentos. A ênfase na atratividade física em todas as idades é suplementada pelo fator "estilo". Em bares e boates gays, também é preciso se vestir bem. Como a comunidade gay "se assumiu" e estabeleceu-se como uma minoria cultural,[99] diversas tribos de estilo se desenvolveram, tornando-se características em determinados países. A América do Norte tem diversas subculturas gays.[100] A performance de masculinidade e feminilidade por heterossexuais é substituída pela perfomance de estilos particulares dentro da comunidade gay. Homossexuais normalmente investem mais em apresentação pessoal e aparência do que heterossexuais — motivo pelo qual são mais atraentes tanto para mulheres quanto para homens. Isso pode levar as pessoas a presumir que qualquer homem que dedique tempo e esforço à aparência e ao estilo deve ser gay — saiba ele ou não.

O movimento "dândi" na Europa do século XIX é um dos poucos exemplos em que se veem homens investindo tanto esforço em aparência, modos e estilo quanto as mulheres. Esses homens eram ricos, extremamente cultos e transformaram suas vidas em obras de arte através dos modos, da apresentação e do estilo de vida. Eram tão meticulosos com a decoração de suas casas quanto com as roupas. O escritor Oscar Wilde era famoso por sua perspicácia, mas era também um dândi (além de homossexual). Ele se esforçava tanto ao preparar uma conversa espirituosa para um jantar quanto para refinar seu estilo pessoal. A maioria dos gays modernos tem emprego, de forma que seu investimento em boa aparência precisa se encaixar nas demandas do trabalho regular. Para os "musculosos", isso envolve um grande investimento de tempo em academias. Os custos não são um impedimento, já que a renda disponível dos gays é mais alta que a dos homens casados com família para sustentar.[101] O reconhecimento comercial do valor do "dinheiro cor-de-rosa" tem contribuído para o desenvolvimento de subculturas gays e de serviços para esse público.

A atividade sexual pode ser dividida em três categorias amplas: sexo solitário, normalmente privado; relacionamentos efêmeros e sexo casual; e parcerias relativamente longas e casamento, com ou sem filhos.[102] Entre heterossexuais, o casamento tem sido o contexto dominante para os relacionamentos sexuais em todas as culturas, e, às vezes, também para os relacionamentos românticos. Entretanto, as coisas mudaram no século XXI, pois a contracepção moderna facilita o sexo casual para as mulheres. Quando o casamento é postergado até os 30, a fase de encontros e namoros da juventude pode se estender em dez ou vinte anos de relacionamentos curtos e ficadas.[103] Mesmo na comunidade heterossexual, relacionamentos curtos são tão importantes e comuns quanto os longos (conjugais) para as histórias sexuais. Na comunidade gay, os relacionamentos curtos têm sido dominantes, já que, na prática, poucos homens se comprometem por mais de um ano. A inveja que os homens heterossexuais têm da vida sexual promíscua dos gays é um fator que induziu o crescimento do número de casos nos últimos anos.[104]

Isso explica a ênfase na aparência e no *sex appeal* entre os gays — há constante rotação de amantes, frequente caça por novos parceiros e ficadas, além de observação e julgamento permanentes. Os pontos de encontro gays em bares, saunas e outros são permanentes "concursos de beleza" sexuais, a passarela se torna parte da própria vida.[105] A pressão para estar à altura e alcançar os mais altos padrões exigidos é implacável.[106] O fracasso em atingir o visual necessário, em estilo e aparência, significa uma exclusão social de natureza pública e humilhante. Ninguém fala com a pessoa. Os homens, inclusive, ignoram cumprimentos educados e outras conversas em público, viram as costas em desprezo silencioso, fecham a porta do cubículo ou abertamente declaram que não estão interessados nesse tipo de homem. Os mercados sexuais gays impõem padrões ainda mais altos que os heterossexuais porque são pequenos e fechados, e porque há pouca oportunidade para trocar *sex appeal*[107] por riqueza ou status.[108] Mesmo com um parceiro de longa data, o relacionamento está sempre em risco se um deles deixar a aparência decair e não conseguir manter o corpo em forma. Quem não corresponde às expectativas pode ver exatamente o que a concorrência oferece. Homens mais jovens estão sempre presentes, disponíveis, exibindo-se e observando. Bares gays e outros mercados de encontro são mais cruelmente competitivos do que qualquer boate ou festa heterossexual.

Uma das consequências é que os gays com menos *sex appeal* e que, portanto, têm pouco sucesso em atrair parceiros, podem ficar deprimidos e se voltar para o álcool e as drogas. Dado seu escopo limitado para barganhar e trocar, eles também acabam aceitando práticas sexuais arriscadas (sem preservativo), mesmo com parceiros sabidamente HIV positivos. Seu status sexual inferior significa que se sentem incapazes de controlar ou ditar os termos de um encontro sexual ou uma ficada, e aceitam as poucas oportunidades que são oferecidas.[109]

A grande maioria das fotos de nu masculino é produzida por homens para o público masculino, geralmente com um ar distintamente gay.[110] As fotos eróticas de Robert Mapplethorpe são, talvez, as mais conhecidas. Pela lógica, as mulheres deveriam ser a audiência principal dos nus masculinos, mas elas demonstram pouco interesse. Na Europa, a maioria das revistas eróticas direcionada a mulheres falhou, e quase nenhuma profissional fotografa nus masculinos.[111] O gosto por arte erótica e pornografia é típico dos homens, sejam heterossexuais ou homossexuais. Isso levou a algumas teorias absurdas das acadêmicas feministas, que alegam que o espectador é invariavelmente masculino, e que as mulheres são apresentadas como objetos para ser vistos.[112] Na verdade, os espectadores tendem a ser na maioria homens, e o objeto erótico pode ser homem ou mulher, dependendo da orientação sexual do espectador. A falta de interesse feminino em nus masculinos (ao menos no mesmo nível do interesse masculino) tanto demonstra menor interesse e desejo sexuais, quanto o valor erótico mais elevado do nu feminino em quase todas as culturas, com a grande exceção da Grécia Antiga.[113]

A *vantagem das mulheres... e sua supressão*

Descobriu-se que os diferenciais sexuais — que já foram considerados universais e inatos (como as diferenças em habilidades matemáticas ou em Q.I. total) — são socialmente construídos, e foram praticamente eliminados quando as mulheres ganharam igual acesso à educação. Entretanto, dois deles permanecem inalterados.[114] Parecem manter-se invariáveis ao longo do tempo e das culturas: homens são bem mais agressivos que as mulheres e têm atitudes fundamentalmente diferentes em relação à sexualidade. Assassinato e promiscuidade tendem a ser particularidades masculinas. Mesmo se as mulheres não tivessem altos níveis de capital erótico, a grande demanda dos homens por atividade sexual e entretenimento erótico — de todos os tipos, em todas as idades — automaticamente daria a elas uma vantagem, devida ao grande desequilíbrio em oferta e demanda nos mercados sexuais.[115]

Um fator adicional é que os homens dão mais importância a estímulos visuais, aparência e *sex appeal*. Esse fato é notado tanto em comunidades homossexuais quanto heterossexuais. Homens preferem consortes de beleza acentuada, com alto capital erótico, de forma que isso intensifica a competição pelos parceiros mais atraentes (homens ou mulheres), que, necessariamente, são escassos. Mulheres (e homens) que investem em sua aparência e apresentação pessoal têm, assim, mais chances e poder de barganha na vida pessoal. (Uma vez feito o investimento, eles podem descobrir compensações adicionais no mercado de trabalho.)

As mulheres não têm o monopólio do poder erótico, mas o possuem em maior grau que os homens, e isso lhes concede uma vantagem significativa em negociações com eles.[116] Muitas mulheres não têm consciência disso porque os homens tomaram providências para impedir que elas explorassem essa vantagem ímpar, e inclusive as persuadem de que o capital erótico não tem valor.

O déficit sexual masculino constitui uma segunda fonte de poder, que é acessível a todas as mulheres. Mesmo as que possuem pouco capital erótico ainda podem se beneficiar do investimento praticamente ilimitado dos homens em mais sexo do que obtêm de graça. As mulheres do mundo ocidental não parecem explorar esse recurso de forma tão completa, em comparação com as de outros lugares.

As recentes pesquisas sobre sexo expuseram mais claramente do que no passado o interesse menor das mulheres por sexo, sua libido mais baixa e a maior aceitação por parte delas do celibato ou de baixas frequências de atividade sexual — ao menos no mundo ocidental. A julgar pela experiência norte-americana, a resposta imediata dos homens e das companhias farmacêuticas tem sido rotular a inferioridade do desejo feminino como disfunção sexual e problema médico. A busca por uma versão feminina do Viagra já começou. Psicólogos e conselheiros estão apoiando a medicalização da falta de desejo, tratando as pacientes com terapia. A mensagem é que mulheres "normais" *deveriam* querer tanto sexo quanto os homens. Nos Estados Unidos, aconselhamento de relacionamento, terapia de casal e aconselhamento sexual se tornaram uma grande indústria,[117] um tipo de operação de policiamento social-sexual. Ocasionalmente, alguns terapeutas questionam esse processo, sugerindo que talvez não haja nada de anormal ou de peculiar na falta de interesse sexual das mulheres. É apenas muito inconveniente para os homens. Na verdade, os conselheiros colocam uma nova pressão sobre as mulheres para se adaptar às preferências masculinas por sexo gratuito à vontade ao longo da vida. Isso desloca o problema de homens para mulheres, e as torna os bodes expiatórios do déficit sexual masculino, tornando a vantagem de barganha das mulheres um problema médico feminino, uma doença irracional, anormal. Ainda que muitos desses conselheiros sexuais sejam mulheres, os homens ganham novamente.

3. Negação: a supressão do capital erótico

O capital erótico tem valor para homens e mulheres de forma bastante independente da sexualidade, como demonstro na Parte II. Entretanto, em geral, existe uma relação simbiótica entre a atratividade e a sexualidade, que influencia os relacionamentos heterossexuais. A guerra dos sexos diz respeito, parcialmente, ao sexo e, portanto, também ao capital erótico (e a quanto ambos valem para homens e mulheres). Isso está por trás de boa parte do conflito sobre quem define a realidade e cria as regras dos relacionamentos. Os homens estão sempre dizendo às mulheres o que elas podem ou não fazer, devem ou não fazer. As mulheres resistem a seu modo.

Através de ideologias "morais", leis e costumes, todas as sociedades buscam controlar e canalizar a expressão sexual — e, portanto, o emprego do capital erótico. Leis e normas para regular a exploração do capital erótico e da sexualidade são constantemente apresentadas, desafiadas e debatidas por homens patriarcais e por feministas, sem qualquer resolução clara. O caráter anárquico da sexualidade subverte e rompe os controles políticos e sociais. Há mais opiniões distorcidas e ilógicas sobre o capital erótico e a sexualidade do que sobre qualquer outro tópico, porque não existe um equilíbrio entre os interesses masculinos e femininos nessas áreas.

O preconceito das perspectivas masculinas

Por que, até o presente momento, o capital erótico tem sido negligenciado pelos pesquisadores, teóricos e intelectuais das ciências sociais? Em uma resposta resumida: porque a maioria deles é homem.

O fracasso de teóricos como Pierre Bourdieu e outros cientistas sociais que estudaram os capitais econômico, social e cultural/humano é resultado da constante dominação da perspectiva masculina sobre a sociologia e a economia, mesmo no século XXI. O fracasso de Bourdieu é notável, pois ele estudou a competição por controle e poder nos relacionamentos entre homens e mulheres.[1] O capital erótico tem sido ignorado por ser principalmente uma propriedade feminina, e as ciências sociais têm tradição de negligenciar ou desconsiderar as mulheres em seu foco central nas atividades, nos valores e nos interesses masculinos.[2] A inclinação patriarcal das ciências sociais é uma extensão da hegemonia masculina na sociedade como um todo. Os homens tomaram providências para impedir que as mulheres explorassem sua maior vantagem sobre eles,[3] a começar pela ideia de que o capital erótico não tem valor algum. As mulheres que empregam abertamente sua beleza e seu *sex appeal* são depreciadas como burras, incultas e outros "significativos" atributos sociais.

O cristianismo tem sido particularmente cruel ao censurar qualquer coisa relacionada a sexo e sexualidade como abjeta e impura, pertencente a um aspecto mais baixo da humanidade. A religião islâmica exige que as mulheres se cubram com véus para que seu capital erótico fique disponível exclusivamente para seus maridos e não seja exibido fora de casa. Leis são criadas para impedir as mulheres de explorar suas habilidades especiais. Por exemplo, na Grã-Bretanha, elas foram proibidas de cobrar taxas comerciais por barrigas de aluguel, uma atividade característica e exclusivamente feminina. Se os homens pudessem produzir bebês, esta provavelmente seria uma das ocupações mais bem pagas do mundo, porém eles se asseguram de que as mulheres não tenham permissão de explorar essa habilidade exclusiva.

A arma mais poderosa e efetiva empregada pelos homens para restringir o uso do capital erótico das mulheres é a estigmatização daquelas que vendem serviços sexuais — um julgamento que nunca afeta da mesma maneira os homens que se prostituem.[4] Pesquisas sobre sexo na Europa demonstram que apenas uma pequena minoria das pessoas considera o trabalho com sexo comercial uma ocupação como qualquer outra. A maior parte da população tem visões aviltantes das mulheres que trabalham na indústria do sexo comercial, considerando-as vítimas, viciadas em drogas, perdedoras, incompetentes, pessoas que ninguém desejaria encontrar socialmente. A natureza patriarcal desses estereótipos é exposta por percepções bastante diferentes dos homens que vendem sexo: as atitudes aqui são ambivalentes, conflitantes, dúbias.[5] Em casos extremos, o sexo comercial é classificado como atividade criminosa, de forma que é obrigado a ingressar na clandestinidade, como nos Estados Unidos, e as mulheres que trabalham nessa indústria são perseguidas pela polícia e pelo sistema de justiça. Em alguns países onde essa atividade é legalizada, como na Grã-Bretanha, tudo o que é conectado a esse trabalho é criminalizado, com o mesmo efeito. Países que descriminalizaram totalmente o comércio sexual, como a Holanda e Alemanha, ainda são raros.

O estigma ligado à venda de serviços sexuais no mundo puritano cristão não é universal. No mundo ocidental, ele é tão absoluto que as mulheres têm a mesma propensão que os homens a condenar prostituição e prostitutas. Às vezes, elas são ainda mais hostis, e exigem a erradicação (ou regulamentação) da indústria de maneira mais feroz que os homens, um padrão agora encorajado por muitas feministas.[6] Em contraste, algumas culturas africanas não têm nenhuma preocupação em relação à venda de serviços sexuais pelas mulheres — que, normalmente, são combinados com outros serviços domésticos (como cozinhar e lavar roupa) — e aceitam que mulheres casadas o façam. Alguns, como os hausa, no norte da Nigéria, acham que prostitutas se tornam boas esposas, porque já tiveram sua época promíscua e estão prontas para se acomodar à monogamia e à criação dos filhos.[7] Muitas sociedades são tranquilas em relação à indústria do sexo, nem promovendo-a, nem condenando. A Tailândia e a Espanha são exemplos assim.

O fato de as mulheres do norte da Europa terem objeções mais fortes que as dos homens ao sexo comercial parece destruir meu argumento de que a estigmatização e a criminalização desse tipo de serviço são promovidas por homens patriarcais.[8] Entretanto, a dicotomia santa/prostituta, boa moça/mulher dissoluta foi desenvolvida pelos homens há séculos, para servir a seus próprios interesses, e é um dos principais fatores da ideologia patriarcal e do controle masculino sobre as atividades e a aparência feminina em público. Com o tempo, as mulheres acabaram aceitando e apoiando ativamente as ideologias masculinas que as reprimem.

Quando e por que o patriarcado surgiu? A historiadora Gerda Lerner demoliu com sucesso uma série de teorias oferecidas por Engels e outros para explicar a criação do patriarcado durante a transição das simples sociedades caçadoras-coletoras à criação da monarquia e dos Estados arcaicos há séculos na Mesopotâmia. Ela afirma que todas as teorias anteriores são refutadas por evidências históricas e demonstra como os sistemas patriarcais de controle e autoridade foram desenvolvidos por homens preocupados em garantir que suas terras e propriedades, quaisquer que fossem, passassem a seus filhos biológicos e a mais ninguém. As mulheres sabem de quem são seus filhos, pois lhes dão à luz. Os homens nunca têm a mesma certeza em relação à própria paternidade. O controle masculino sobre a sexualidade e a fertilidade das mulheres implicava em dividi-las entre "respeitáveis" e "não respeitáveis", "puras" e "impuras", aquelas ligadas a um homem e as outras. A subordinação e o controle sexual eventualmente desdobraram-se na dominação masculina das ocupações e ganhos das mulheres, até mesmo do direito de trabalhar ou de deixar a casa desacompanhada. Dessa forma, a subordinação da população feminina teve origem sexual e foi impulsionada por uma preocupação com dinheiro e herança.[9]

A distinção entre mulheres "respeitáveis" e "não respeitáveis" normalmente baseia-se em estilo de vestir e aparência. Estigmatizar as que não se ajustam ou não se submetem à autoridade masculina, taxando-as como devassas e arruinando sua reputação, pode ser igualmente efetivo, especialmente em comunidades menores, nas quais todos se conhecem. No mundo ocidental, a fofoca ajuda a reforçar o duplo padrão sexual, mesmo hoje em dia.[10] Contudo, a linguagem que vem da maneira de se vestir é mais universal que a reputação. Em alguns períodos, as cortesãs que fizeram fortunas com seu trabalho eram legalmente proibidas de usar roupas caras e joias, de forma a serem distinguidas das igualmente bem-vestidas e glamourosas mulheres de homens ricos.[11] Leis suntuárias impunham uma diferença visível entre esposas e prostitutas. Nos dias atuais, a sexualidade e a aparência das mulheres são controladas pelo ato de rotular garotas que têm muitos amantes e mulheres que usam saias muito curtas ou decotes muito profundos como "piranhas". Desde sua origem, há 3.500 anos, o patriarcado se preocupa em controlar as exibições do capital erótico feminino em espaços públicos e também com a promiscuidade das mulheres.[12]

No começo da civilização, há cerca de 20000 a 8000 a.C., não havia deuses, apenas deusas, que tinham o poder mágico de dar à luz uma nova vida de forma independente. As primeiras figuras de argila representam essas "deusas da fertilidade"; e a ausência de homens é notável.[13] Acreditava-se que os homens não tinham qualquer papel na reprodução, ou que seu papel era apenas limitado ao estímulo, até cerca de 3000 a.C. A mãe é a única responsável, e como a paternidade não é um problema, a sexualidade feminina é muito livre. Como a historiadora Julia Stonehouse aponta, as teorias sobre reprodução se modificaram por volta de 3000 a.C. — repentinamente, os homens passaram a ser apresentados como os disseminadores da "semente", que era incubada pela mulher para gerar o filho do homem. Essa ideia persistiu na Europa até cerca de 1850, e é relativamente paralela ao período em que os valores patriarcais eram dominantes, segundo demonstrou Gerda Lerner. De aproximadamente, 1900 em diante, os cientistas sabiam que tanto o esperma masculino quanto os óvulos femininos eram necessários para fazer um bebê, e que as crianças herdavam traços de ambos os pais. Ideias sobre o status equivalente de homens e mulheres também surgiram nessa época, e começaram a ser aceitas. Julia Stonehouse demonstra que teorias (incorretas) de reprodução desempenharam um importante papel nos valores e na ideologia patriarcal desde aproximadamente 3000 a.C. até cerca de 1900, longos 5 mil anos.[14]

O controle da sexualidade das mulheres começou apenas quando os homens passaram a acreditar que plantavam a única semente que produzia um filho. Em sociedades nas quais essa ideia nunca surgiu, como nas ilhas Trobriand, perto da costa de Papua-Nova Guiné, a mãe é a única responsável, e as mulheres são sexualmente livres.[15] A vida sexual começa entre os 6 e os 8 anos para as meninas, e entre os

10 e os 12 para os meninos, e todos são promíscuos até o casamento, e, às vezes, também depois de se casar (especialmente durante os festivais anuais). É um insulto dizer que uma garota é virgem. A beldade da aldeia é aquela que tem mais namorados e amantes. Monogamia em série é a norma, e as pessoas podem ter três ou quatro cônjuges ao longo da vida.[16] O contraste com as culturas patriarcais e seu controle da sexualidade feminina é substancial.

A humilhação "moral" que envolve a venda de serviços sexuais se estende a todos os outros contextos nos quais existe uma troca de capital erótico por dinheiro, riqueza, status ou poder. O trabalho em atividades adjacentes (como a de stripper) é estigmatizado como lascivo, obsceno, sórdido, libertino e devasso. Uma bela jovem que aspira a se casar com um homem rico é taxada de "oportunista", criticada por explorar os homens de maneira injusta e imoral. A lógica implícita é de que os homens deveriam conseguir gratuitamente o que desejam das mulheres, especialmente sexo. Os homens podem ser mercenários, mas as mulheres, não.[17] Elas devem fazer tudo de graça, voluntariamente, por amor.[18] Infelizmente, muitas feministas apoiam essa ideologia em vez de tentar desafiá-la e derrubá-la.[19]

Quanto mais patriarcal for a cultura, mais as exibições de capital erótico serão reprimidas e punidas, de forma a evitar que as mulheres (principalmente) explorem sua vantagem. No Egito, as dançarinas do ventre foram obrigadas a se cobrir, o que acabou com a profissão.[20] Na Inglaterra, o ato de amamentar um bebê em público foi criticado como um comportamento degenerado e impudico. A nudez é reprimida nos filmes e as fotos de nus são rotuladas como imorais.[21] Representações de atividade sexual são censuradas. Quanto maior o papel que o capital erótico desempenha nas sociedades modernas, mais parece se fortalecer a afronta social ligada a quaisquer de suas manifestações e a sua exploração pelas mulheres. O controle do capital erótico feminino é fundamentalmente ideológico, feito através de ideias e crenças, e suportado por leis.[22] As mães desempenham um papel crucial ao ensinar às meninas a censurar a si próprias e às outras, de forma que *parece* que o controle vem das mulheres, e não dos homens. As mães são os principais agentes de lavagem cerebral em qualquer cultura, ainda que a mídia tenha uma função importante nas sociedades modernas.[23]

Como explico no Capítulo 6, na maioria das sociedades, as mulheres entram e saem do comércio sexual; raramente essa é uma ocupação única, e quase nunca é exercida de forma permanente. O desenvolvimento de indústrias de "ajuda" social na Europa alimentou a ideologia do ultraje "moral" em relação ao sexo comercial, que isolou a indústria e, como punição, conduziu seus integrantes a um gueto de trabalho estigmatizado do qual se tornou difícil sair.[24] Essa repressão moralizante do sexo comercial foi gradualmente estendida à exploração do capital erótico na indústria do entretenimento em geral.

O papel da religião

Na Europa, o cristianismo e o patriarcado trabalharam em harmonia para segregar a sexualidade e diminuir o erotismo.[25] O cristianismo nunca foi gentil com os amantes. O celibato era louvado e admirável, e, portanto, impingido aos padres, monges e freiras católicas.[26] A luxúria foi classificada como um dos sete pecados capitais a partir do século VI.[27] O termo ainda é usado de forma pejorativa para rotular o desejo sexual como excessivo, violento, bárbaro e irreprimível, em vez de audacioso, apaixonado, vivo e enérgico. A desaprovação e o medo do cristianismo perante a sexualidade se estenderam à "mácula" da mulher por incitar o desejo masculino com sua beleza, seu charme e sex appeal. Santo Agostinho decidiu que a única desculpa possível para a atividade sexual era a procriação.[28] O uso de contraceptivos era proibido e tornou-se até uma ofensa capital na França em 1532.[29] Para as classes abastadas, o sexo conjugal era reduzido a um dever, para produzir herdeiros. Sexo recreativo era feito com cortesãs e prostitutas, que se especializavam em artes eróticas, dança e canto, música e poesia. Isso elevava seu valor, e o preço de seus serviços.[30]

O cristianismo reforçou a dicotomia santa/prostituta com imagens das duas Marias — a virginal mãe de Cristo e Maria Madalena, a bela cortesã e pecadora arrependida. Prazer, beleza e sensualidade eram apresentados como convites ao pecado, à transgressão, à iniquidade.

Um fator-chave do pensamento e da cultura ocidentais é a separação entre corpo e mente (ou espírito), os deuses Apolo e Dionísio, com a mente considerada superior, controlada, inteligente, e o corpo como inferior, poluído, perigoso. Tal distinção não existe em outras culturas.[31]

O contraste com outras religiões e costumes é imenso. Os templos Chandella, em Khajuraho, na Índia central, podem ser uma revelação para os visitantes europeus. As construções são cobertas de estátuas de jovens deidades femininas, representações vívidas de relações sexuais em diversas posições (algumas complicadas o bastante para necessitar da assistência de várias beldades celestiais) e cenas de sexo grupal. Para olhos ocidentais, essa exibição de sexo, sexualidade e beleza feminina pode parecer pornográfica, até inapropriada, para um contexto religioso. Contrasta de forma acentuada com as imagens tradicionalmente exibidas nas igrejas cristãs: um homem torturado até a morte pelo açoite e pela crucificação, rodeado de mulheres aflitas. A ênfase da dor e da tristeza na religião e na cultura europeia é chocante para os não europeus. O puritanismo pode ter ajudado a desenvolver o capitalismo,[32] mas é um estraga-prazeres.

Os cientistas sociais precisam enfrentar o fato de que a cultura europeia e cristã não é universal, de forma que o conhecimento sobre comportamento e perspectivas humanas desses países talvez não se aplique a outras culturas.[33] Essa afirmação é especialmente verdadeira no que se refere à sexualidade, à expressão sexual e à importância social do capital erótico.

O direito sexual masculino

Não há nada "natural" na monogamia e na exclusividade sexual. Entre animais e pássaros, esse não é o arranjo mais comum. Entre os humanos, a monogamia é uma estratégia política para assegurar que todo homem tenha uma boa chance de conseguir pelo menos uma parceira sexual, porque haverá mulheres suficientes, de forma que até mesmo homens pobres e feios não serão completamente excluídos (como sempre são em sociedades poligâmicas). A monogamia impõe a democracia sexual.[34] Como as feministas ressaltaram, muito do que vem da cultura, dos valores e dos costumes sociais destina-se a garantir aos homens acesso sexual às mulheres em termos favoráveis a eles. Carole Pateman chama isso de "direito sexual masculino", o direito dos homens de controlar seu acesso sexual às mulheres.[35]

A pornografia é basicamente criada por homens para homens, e representa um mundo utópico no qual as mulheres desejam e apreciam o sexo tanto quando eles, e são tão jovens, sensuais e atraentes quanto dispostas.[36] A pornografia exibe a paridade sexual, a congruência entre a natureza sexual do homem e da mulher. Essa é sua principal atração. Ela elimina a ansiedade da rejeição e do desagrado femininos, que é uma experiência comum masculina — além de um desestimulante sexual.[37] Isso explica o entusiasmo universal por pornografia e entretenimentos eróticos, mesmo em países socialistas e mesmo depois da igualdade política e econômica entre homens e mulheres.[38]

É a ideologia do direito sexual masculino que leva alguns homens a argumentar que a "sincera" dançarina na boate de striptease não deveria precisar cobrar para dançar para eles, que as *bar girls* que gostam "genuinamente" deles não deveriam esperar remuneração por seu tempo, e que mulheres que esperam gorjetas, presentes ou pagamento por companhia ou favores sexuais são "piranhas" desonestas e corruptas. Homens jovens (principalmente) recusam-se a admitir a troca justa de dinheiro (capital econômico) por capital erótico. A ideologia do direito sexual masculino os leva a sentir que deveriam conseguir de graça o que desejam.

A recusa dos homens em conferir real valor ao capital erótico feminino surge mesmo entre os intelectuais mais liberais. O sociólogo Anthony Giddens não concorda com os valores patriarcais,[39] mas, ainda assim, seu conceito do relacionamento "puro" é indistinguível das aspirações dos homens que concordam.

Giddens ressalta que o universo masculino é baseado nos valores do instrumentalismo, que a atitude dos homens em relação ao mundo é essencialmente instrumental, fundamentada na dominação e na manipulação, em contraste com a perspectiva acolhedora das mulheres.[40] Os homens querem status entre outros homens, como é indicado pelas recompensas materiais e confirmado pelos rituais de solidariedade masculina. A identidade masculina deriva principalmente do trabalho e da esfera pública, ainda que os relacionamentos pessoais também sejam necessários.[41] Então, Giddens enxerga persistentes diferenças entre homens e mulheres.

Em sua discussão sobre as modernas formas de intimidade, Giddens promove a ideia do relacionamento "puro", que é não instrumental e livremente escolhido ou abandonado por ambas as partes. Na verdade, o relacionamento puro não impõe qualquer obrigação aos homens; concede a eles intimidade, afeição, apoio emocional e sexo, livres de qualquer custo em dinheiro, casamento, obrigação de sustentar e criar filhos ou de consertar o vazamento da pia da cozinha. É um relacionamento sexual reconfortante, livre de responsabilidades, obrigações ou dispêndios, do qual é possível se afastar assim que o tédio se instala.[42] Essa é uma boa descrição de muitos relacionamentos homossexuais centrados na sexualidade e em atividades de lazer, sem interesse em criar filhos, que podem ser suplementados com ficadas casuais para garantir variedade e manter a excitação. Isso não é típico de relacionamentos heterossexuais, sejam casuais ou longos, pois envolvem trocas de dinheiro, serviços e papéis complementares na maioria dos casos.[43]

Giddens tem consciência de que os homens respondem com raiva e violência a relacionamentos sexuais igualitários que os privam de controle, e que a pornografia ajuda a preencher sua necessidade de mulheres dóceis e subordinadas. Ele diz que a ira masculina contra as mulheres hoje em dia é, em grande parte, uma reação contra a autoafirmação delas na vida pública e na pessoal, e a perda do controle dos homens.[44]

Alguns vão muito mais longe para alegar que todos os homens odeiam as mulheres. Adam Jukes, um psicoterapeuta especializado em tratar homens fisicamente violentos com suas mulheres ou parceiras, diz que a misoginia é universal; que o ódio fundamental dos homens pelas mulheres explica a necessidade deles de controlá-las, de definir a realidade para elas e de criar as regras dos relacionamentos; que existe uma permanente guerra dos sexos.[45] Essa pode parecer uma visão particularmente extrema, mas, na verdade, harmoniza-se com a perspectiva mais moderada de Giddens, e ajuda a explicar o difundido "duplipensamento" das demandas patriarcais sobre as mulheres.

A mulher ideal é bonita e sexualmente excitante o tempo todo, mas nunca deve ter consciência exagerada de sua beleza e de seu *sex appeal*, e nunca deve explorá-los de forma alguma — e certamente não à custa do parceiro. Ela é inteligente, tem ideias próprias, mas sempre se submete a ele e nunca o entedia com as próprias opiniões. O homem patriarcal quer que sua mulher o ame incondicionalmente, mas não lhe permite exigir o mesmo — ou exigir coisa alguma.[46] Isso é bastante próximo ao relacionamento "puro" de Giddens, que não tem trocas "instrumentais" e deixa o homem livre para fazer o que quiser.

Algumas feministas argumentam que os homens não desvalorizam o capital erótico feminino. Pelo contrário, eles insistem que as mulheres deveriam se esforçar muito para se manter sempre atraentes; gostam de anúncios que exibem mulheres bonitas; compram arte erótica e pornografia. Mas o *consumo* regular do capital erótico feminino não prova que os homens o *valorizam* — pelo contrário, eles o tratam como algo garantido ou como um direito masculino. Quando um pedreiro em uma obra grita "Ei gatinha! Me dê um sorriso!" para uma mulher que passa, está dizendo que espera que todas as mulheres sorriam para ele (ou para os homens de forma geral) o tempo todo. Ele está expressando seus direitos, como homem, de exigir entretenimento erótico das mulheres de maneira geral — e demonstrando admiração de uma forma grosseira.[47]

Em contraste, homens latinos na Europa e na América do Sul têm orgulho de oferecer elogios inteligentes e sofisticados a mulheres atraentes quando elas passam em lugares públicos, esperando ser recompensados com um sorriso. A tradicional arte do *piropo* na Espanha e na América Latina declinou um pouco com as políticas de igualdade de gênero, mas também é promovida por novos sites que listam *piropos* para todas as situações. Uma cantada típica é "Se beleza matasse, Deus não a perdoaria", ou, em um estilo ainda mais latino: "Será que os céus se abriram e os anjos desceram à terra?" Essas dádivas verbais são como pequenos buquês de flores jogados a uma estranha, e valorizam o capital erótico feminino sem fazer exigências. Não são típicos das culturas e das atitudes puritanas anglo-saxãs — e poderiam ser criminalizados pelos modernos códigos de assédio sexual. O *piropo* pode ser usado por mulheres, embora as tradições nacionais variem. Os sites de *piropos* listam elogios espirituosos adequados para oferecer a homens e mulheres, e normalmente também os classificam de acordo com a cultura regional/nacional. Assim, há gêneros distintivamente mexicanos e argentinos dentro dessa forma de arte.

A evidência mais notável da baixa valorização do capital erótico feminino é apresentada no Capítulo 7: o aumento no salário por causa da atratividade é muito mais baixo para as mulheres do que para os homens. Sejam quais forem suas outras qualificações e talentos, homens ganham um "adicional por beleza" no trabalho quando são física e socialmente atraentes e também quando são altos. De forma análoga, o adicional por beleza das mulheres no trabalho, se é que existe, é pequeno. Mulheres gordas têm uma penalidade no pagamento.[48] A atratividade feminina é tomada como algo garantido, e, por isso, é raramente recompensada. Qualquer coisa que os homens façam ou acrescentem ao trabalho atrai reconhecimento e recompensa. As mulheres estão em uma "situação *Ardil-22*"[49]: são criticadas se fracassam em se ajustar aos padrões de beleza contemporâneos, mas raramente são recompensadas por sua atratividade ou seu charme.

Em resumo, a "moralidade" é empregada pelos homens para restringir a habilidade feminina de explorar sua imensa vantagem sobre eles e para humilhar as mulheres que conseguem ganhar dinheiro ou status através dessas atividades. Essa estratégia patriarcal tem sido apoiada sem ressalvas pelo feminismo anglo-saxão, e até mesmo por intelectuais feministas francesas, como Simone de Beauvoir.[50]

É interessante notar que a "moralidade" patriarcal, que nega o valor econômico do capital erótico, opera de forma semelhante para minimizar o valor econômico de outros serviços pessoais e funções assistenciais, tipicamente desempenhadas por mulheres. As economistas Paula England e Nancy Folbre ressaltam que o princípio de que o dinheiro não pode comprar amor encerra a involuntária e perversa consequência de justificar baixa remuneração para trabalhos de serviços e de assistência.[51] De um jeito ou de outro, ao trabalho realizado principalmente por mulheres é concedido um valor mais baixo.

O fracasso da teoria feminista

Por que as feministas fracassaram em identificar e avaliar o capital erótico? Em essência, porque a teoria feminista demonstrou ser incapaz de se libertar da perspectiva patriarcal, reforçando-a ao mesmo tempo que a desafia. Estritamente falando, esse problema é um traço mais específico do feminismo anglo-saxão. Entretanto, a proeminência internacional da língua inglesa (e dos Estados Unidos) torna esta a perspectiva feminista dominante nos dias atuais. Feministas francesas e alemãs têm um ponto de vista bastante diferente, respeitam a feminilidade, a sexualidade e o papel das mulheres como mães, ao mesmo tempo em que lutam por oportunidades iguais na força de trabalho e na vida pública. Infelizmente, é a teoria anglo-saxã que domina os cursos de estudos de gênero nas escolas, faculdades, universidades e debates na mídia.

A teoria feminista frequentemente levanta uma falsa dicotomia: *ou* uma mulher é valorizada por seu capital humano (inteligência, educação, experiência profissional e dedicação à carreira) *ou* por seu capital erótico (beleza, corpo elegante, estilo de vestir, graça e charme). As mulheres não são encorajadas a fazer ambos. Para as que não têm um grande desempenho no sistema educacional, não existem mesmo muitas escolhas, de forma que elas têm de contar com seu capital erótico e social — como ilustrado por modelos como Kate Moss.

A falha central na sabedoria feminista é que esta manteve a hegemonia masculina na teoria, ainda que tenha sido mais inovadora na pesquisa empírica. As feministas insistem que a posição da mulher na sociedade depende exclusivamente de seus capitais econômico, social e humano, assim como a dos homens. A Comissão Europeia adotou a ideologia feminista de maneira indiscriminada, e insiste que a igualdade de gênero deve ser medida exclusivamente pelas taxas de emprego, segregação ocupacional e ganhos pessoais. As diferenças de gênero nesses indicadores são automaticamente tratadas como evidências de discriminação sexual.[52] Mulheres que não têm ganhos pessoais são consideradas fracas, ainda que sejam casadas com milionários.

O *preconceito elitista*

Pessoas muito instruídas normalmente se esquecem de que são uma minoria privilegiada. Cerca de um quinto dos adolescentes abandona as escolas britânicas sem a alfabetização funcional e os conhecimentos matemáticos necessários para a vida adulta, e um quarto deles deixa a escola sem nenhuma qualificação, ou sem alguma de grande valor.[53] Assim, o número de pessoas que considera opções alternativas é maior que em países europeus que possuem escolas melhores.[54] Ainda assim, as elites não conseguem ver que para aqueles que deixam a escola com pouca ou nenhuma qualificação, as carreiras profissionais nem sempre são recompensadoras ou lucrativas. Um foco maior no casamento, nos filhos e na vida familiar pode ser mais atraente do que trabalhar como caixa de supermercado. Para mulheres jovens com poucas qualificações, investir no capital erótico na esperança de se tornar a esposa de um jogador de futebol bem-sucedido, uma cantora popular, modelo ou *pin-up* como Jordan[55] é uma estratégia racional — ainda que as chances de sucesso sejam poucas —, porque há poucos riscos e as potenciais recompensas são enormes.

Um estudioso que argumente que as mulheres têm dons ou habilidades especiais de qualquer tipo é instantaneamente repudiado e excluído, sendo taxado como "essencialista". Em princípio, o essencialismo diz respeito a uma antiquada teoria[56] de que existem importantes e *inalteráveis* diferenças *biológicas* entre homens e mulheres.[57] É frequentemente usado para se referir à tese da psicologia evolucionista de que os homens se concentram na seleção sexual das melhores mulheres com quem procriar, enquanto elas investem muito na prole. Simplificando, a questão da "sexualidade para os homens e reprodução para as mulheres" é tratada como a causa fundamental de todas as diferenças sociais e econômicas entre os sexos. Na prática, o rótulo "essencialista" se tornou um insulto comum entre as feministas, sendo aplicado a qualquer evidência de pesquisa ou ideia que elas considerem inaceitável.[58]

Muitas feministas apresentam minha teoria do capital erótico como um convite às mulheres para voltar a se prostituir no casamento ou fazer *lap dance* em vez de ganhar dignidade e autonomia através de salários de fome no mercado de trabalho. Elas consideram que minha teoria é conivente com a preferência masculina de que as mulheres invistam em cosméticos e roupas, e não em qualificações educacionais; que sejam um colírio para os olhos deles em vez de conseguir uma renda independente. A beleza é vista como uma armadilha para as mulheres, pois convida à violência sexual masculina e pode ser uma desculpa para salários baixos. As reações são dominadas por um pensamento excludente: beleza *ou* inteligência, é preciso escolher, não se pode ter tudo. Na realidade, mulheres bem-sucedidas frequentemente possuem ambas. Elas podem até ser "boas" também!

O *feminismo-vítima*

Hoje em dia, o feminismo é uma ideologia tão abrangente, com tantas teorias que, regularmente, discordam umas das outras, que estou aberta à inevitável acusação de distorcer os debates. Existe também uma diferença fundamental entre o feminismo radical anglo-saxão e os feminismos europeus da França, da Alemanha e dos países do sul da Europa, ou o feminismo dos países pós-socialistas, mesmo antes de chegarmos aos distintos feminismos de culturas de fora da Europa.[59] Muitas escritoras feministas radicais adotam um feminismo-vítima, no qual as mulheres invariavelmente saem perdendo. Outras, como Camille Paglia, insistem que o feminismo traz responsabilidade às mulheres (além de autonomia), de forma que elas não podem culpar os homens todas as vezes que andarem mal das pernas.[60] Contudo, há um tema que permeia praticamente todas as seções do feminismo anglo-saxão, incluindo o pós-feminismo: erotofobia e antagonismo à beleza e ao prazer. O feminismo puritano anglo-saxão demonstra um profundo desconforto em relação à sexualidade, e a enfoca sob uma perspectiva implacavelmente negativa.[61] É, por consequência, adverso ao conceito do capital erótico, e incapaz de ver como ele pode ser um trunfo para a população feminina, mais que uma armadilha. O escravo coloca voluntariamente as correntes.

Normalmente, as cientistas sociais desprezam a ideia de que a atratividade física e a sexualidade são poderosos recursos femininos em relação aos homens. O conceito é tratado como apenas mais um em uma série de "mitos de controle" adotados pelos homens para justificar o *status quo* ao fingir que as mulheres já possuem essa vantagem, de forma que não podem fazer outras exigências.[62] A feminista britânica Sylvia Walby discute a sexualidade exclusivamente em termos do controle masculino sobre as mulheres, negligenciando totalmente o uso da sexualidade feminina para controlá-los. Ela admite, de passagem, que a capacidade de gerar crianças é uma das poucas bases de poder feminino, mas não discute nenhuma outra.[63] Até agora, a teoria feminista fracassou em explicar por que homens com altos salários e *status* normalmente escolhem esposas-troféu (quando se casam pela segunda vez) e amantes para exibir, enquanto as mulheres que atingiram o sucesso na carreira e altos salários normalmente preferem se casar com competitivos machos alfa em vez de procurar belos garotões e homens pobres que se tornariam bons donos de casa.[64] Madonna é uma exceção à regra, pois está à frente de seu tempo. E outras mulheres bem-sucedidas também vêm escolhendo maridos atraentes e mais jovens ou adotando a inversão de papéis em casa.

As feministas argumentam que não existe distinção real entre casamento e prostituição; que a (hetero)sexualidade é fundamental para a subordinação feminina aos homens; que homens patriarcais buscam estabelecer o que Carole Pateman chama de "direito sexual masculino".[65] Casamento e prostituição são ambos descritos como formas de escravidão e subordinação aos homens.[66] Walby retrata a sexualidade como o cenário para todo tipo de violência masculina contra a mulher.[67] Prostitutas são representadas como o principal objeto da violência e do abuso masculinos. Tudo isso é material básico dos cursos de estudos de gênero.[68]

Na verdade, o feminismo, em todas as suas vertentes e variações, rejeita o sexo e a sexualidade em vez de tentar impor o controle das mulheres sobre a atividade e a expressão sexuais. As feministas sofreram uma lavagem cerebral tão intensa da ideologia patriarcal que são incapazes de entender que a sexualidade e o capital erótico podem ser fontes de poder.

Sexo e gênero

Alguns escritores também exibem uma grande ambivalência sobre os conceitos de sexo e gênero, que são apresentados como imposições patriarcais. Sexo e gênero são mais frequentemente promovidos como "ideias contestáveis" e "áreas de exploração" do que como fontes normais de prazer e identidade. Não há reconhecimento de que a heterossexualidade é a preferência de 95% a 98% das pessoas, usualmente de forma exclusiva. A maioria dos cursos de estudos de gênero promove a homossexualidade como uma ocorrência muito mais comum do que realmente é, tanto para homens quanto para mulheres.[69]

A feminista francesa Monique Wittig, que é lésbica, rejeita o conceito de homem e mulher e menospreza com veemência a heterossexualidade. Ela argumenta que filmes, revistas, propagandas e fotos — toda a cultura visual — associam-se para criar uma opressiva ideologia heterossexual que empurra as mulheres para relacionamentos com homens contra sua vontade. Todas as mulheres são escravizadas e forçadas a realizar serviços sexuais para os homens. Apenas lésbicas e freiras escapam. Ela acredita que as mulheres desempenham três quartos de todo o trabalho produtivo. (Na verdade, estudos de orçamento de tempo demonstram que, nas sociedades modernas, homens e mulheres cumprem a mesma quantidade de horas de trabalho, em média, quando os empregos e as tarefas domésticas não remuneradas são somados.[70]) Ela alega que, atualmente, o consenso geral é que não há tal coisa como natureza, que toda a atividade humana é moldada exclusivamente por cultura e civilização.[71] Normalmente, gênero e sexualidade são apresentados como construções culturais e sociais — e não são nem remotamente moldados por fisiologia, hormônios, doutrinação materna ou escolhas pessoais.[72] Nunca fica claro como as escritoras feministas conseguiram escapar de suas prisões intelectuais.

A cientista política britânica Sheila Jeffreys fornece a melhor exposição das perspectivas feministas sobre o capital erótico das mulheres. Em *Beauty and Misogyny*, ela faz uma crítica ácida a *todas* as práticas de beleza, sem exceção, sejam antigas ou recentes. No processo, ela revisa e sintetiza as polêmicas das feministas cujos trabalhos a inspiraram, desenvolvendo e atualizando seus manifestos — Andrea Dworkin, Catharine MacKinnon, Michele Barrett, Kathy Davis, Judith Butler, Monique Wittig, Karen Callaghan, Sandra Bartsky, Naomi Wolf e muitas outras. Lésbica, orgulhosamente vangloria-se de que ela e a parceira resistem a todas as práticas de beleza.[73] Sem dúvida, elas também consideram sexistas belas roupas e modos elegantes.

Jeffreys admite que algumas feministas defendem as práticas de beleza femininas e ressalta que nas sociedades modernas as mulheres têm mais liberdade para fazer o que quiserem do que em épocas anteriores. Todas essas defesas são desprezadas como prova de que as mulheres frequentemente são "idiotas culturais" que sofreram lavagem cerebral dos homens através de imagens em propagandas e revistas pornográficas para acreditar que devem ter uma aparência feminina, servindo, assim, ao desejo sexual masculino.

Jeffreys alega que as mulheres são *forçadas* a ficar bonitas e sedutoras contra sua vontade; que são *coagidas* a participar de rituais e atividades que produzem uma aparência e um estilo artificialmente "femininos"; que elas transformam uma obrigação em um prazer; que aparência e modos femininos são a marca de uma escrava subordinada aos homens; que diferença sexual, masculinidade e feminilidade são "mitos obstinadamente duradouros" que asseguram a dominação masculina; que o principal papel da moda é criar diferenças sexuais em estilos de se vestir; que a moda cria roupas misóginas que humilham as mulheres; que todos os cosméticos são tóxicos e nocivos; que a cirurgia plástica, a depilação e outras práticas de belezas são tão dolorosas que constituem tortura; que todas as mulheres torturam a si mesmas ao usar saltos altos para agradar aos homens; que, com o mesmo fim, elas se mutilam com piercings e tatuagens; e que as culturas ocidentais *impõem todas* essas práticas às mulheres. O capital erótico feminino se torna uma prova da subordinação de suas detentoras aos homens. Qualquer preocupação em desenvolver seu capital erótico prova que as mulheres estão sofrendo da chamada "Síndrome de Estocolmo", que ocorre quando os reféns começam a se relacionar e se associar aos opressores.

Se pelo menos metade disso fosse verdade ou as mulheres já teriam enlouquecido, ou uma revolução teria ocorrido.

A polêmica de Sheila Jeffreys pode ser um exagero, uma declaração extrema, mas reflete corretamente a tendência geral da perspectiva feminista em relação ao capital erótico. Os homens são os antagonistas; cooperar com eles de qualquer maneira é dormir com o inimigo; os homens exploram as mulheres. E entretanto, ao mesmo tempo, não existem diferenças reais entre homens e mulheres! As feministas satirizam o essencialismo, mas o praticam o tempo todo.[74]

De tempos em tempos, as teorias feministas reconhecem que há evidências contrárias. Muitas profissões exploram o corpo humano, envolvem lesões e dor, e ainda assim são livremente escolhidas. Dançarinas de balé sorriem durante as performances, apesar da dor recorrente por dançar nas pontas dos pés. Esportistas e atletas estão sempre machucados e passam por longos e dolorosos períodos de recuperação e reabilitação.[75] A maioria das práticas de beleza envolve diversão e criatividade, nenhuma dor, e não são nem um pouco nocivas.[76] Mas evidências contraditórias geralmente são descartadas como parciais, ainda que as feministas-vítima se baseiem exclusivamente em fatos selecionados.

Será que a negatividade desse movimento realmente faz diferença? O contínuo aumento das vendas de cosméticos, roupas e até de cirurgia plástica e odontologia cosmética sugere que a crescente riqueza e a realidade cotidiana são mais influentes que a retórica feminista.

Entretanto, ainda assim, faz diferença. Todo ano, milhares de moças (e alguns poucos rapazes) ingressam em cursos de estudos de gêneros que deixam as mulheres diminuídas, em vez de fortalecidas; raivosas, em vez de confiantes. As mensagens feministas oferecidas, explícita e implicitamente, estimulam a raiva impotente contra os homens e a sociedade, sem fornecer qualquer alternativa à heterossexualidade e ao casamento que não o celibato ou o lesbianismo.[77] Psicólogos dizem que há duas respostas principais a perigos e ameaças: lutar ou fugir. Tanto celibato quanto lesbianismo representam uma resposta de fuga à dominação masculina, e são derrotistas.[78] Os maiores trunfos das mulheres heterossexuais, o capital erótico e a fertilidade, são efetivamente esmagados e descartados, declarados não apenas como inúteis, mas indiscutivelmente traiçoeiros e superficiais. O resultado é o enfraquecimento ainda maior das mulheres. O feminismo-vítima promove o desamparo feminino. Culpar a sociedade, a cultura e os homens por todas as dificuldades encontradas encoraja as mulheres a permanecer passivas, a não assumir a responsabilidade pela própria vida, pelos resultados, pela mudança. Não há manifesto a favor do revide — apenas da retirada.

O "aparencismo" resume a antipatia puritana anglo-saxã por beleza, sexualidade e capital erótico de forma geral. Esse movimento argumenta que levar em conta a aparência de alguém deveria ser proibido, tornando ilegal a valorização do capital erótico,[79] e caindo na armadilha ideológica patriarcal. A última extensão do aparencismo é a defesa da obesidade, que não beneficia ninguém. A adesão feminista a uma campanha tão desajustada sugere que o movimento se tornou uma ideologia irrevogavelmente confrontadora, sem preocupação com os fatos ou com a razão. Não é de surpreender que muitas jovens de hoje considerem o feminismo irrelevante.

A aliança profana

A sexualidade é a verdade inconveniente que todos querem ignorar, um problema grande demais para ser discutido. Parece ser invisível para os psicoterapeutas, cientistas sociais e jornalistas.[80] O déficit sexual masculino é um fator-chave que ajuda a explicar a constante necessidade masculina de manter o poder, a misoginia, a violência masculina contra a mulher, o antagonismo dos homens em relação à independência e à autonomia femininas. Essa característica também ajuda a explicar por que as mulheres normalmente descrevem o desejo masculino como desproporcional, excessivo, irracional — o que justifica sua falta de cooperação no sexo. Ainda que os resultados das pesquisas sobre sexualidade estejam disponíveis desde os anos 1990, nenhum dos analistas de relacionamentos entre homens e mulheres demonstra ter qualquer consciência sobre as descobertas, em especial sobre o déficit sexual masculino.[81] Os mitos feministas sobre a sexualidade são tratados como fatos, apesar da falta de qualquer evidência que os apoie e das muitas provas do contrário. Todos fingem que existe uma perfeita igualdade entre os impulsos sexuais femininos e masculinos porque essa se tornou a ideologia politicamente correta. Assim, o desinteresse das esposas por sexo se tornou um insulto ainda maior para os homens, uma rejeição mais perversa, especialmente em um contexto de maior ênfase no sexo recreativo ao longo da vida.

As feministas normalmente alegam que a sexualidade e o próprio gênero são socialmente construídos, não naturais, não sendo moldados, de forma alguma, pela fisiologia. Elas negam que o impulso sexual seja remotamente mais forte nos homens do que nas mulheres. Argumentam que isso é apenas uma "construção cultural" e que a sexualidade feminina tem sido tradicionalmente reprimida. Como prova, ressaltam a diversidade das culturas sexuais ao redor do mundo, especialmente daquelas que favorecem o celibato por longos períodos e, com menos frequência, daquelas que defendem a promiscuidade. Obviamente, esse é um argumento absurdo, um *non sequitur*. Existe uma diversidade ainda maior de estilos culinários pelo mundo, incluindo o veganismo, o vegetarianismo, as culinárias baseadas em peixe e as baseadas em carne, mesmo antes de chegarmos a variações como os frios sushi e sashimi japoneses *versus* os picantes e condimentados curries indianos. Estilos culinários são "socialmente construídos" e definidos pelas culturas locais, mas isso não refuta a realidade da fome como um impulso natural e do comer como uma necessidade fisiológica. A fome é uma importantíssima força motivadora. Libido e desejo também o são, mesmo que a cultura molde a expressão sexual.[82] Todas as evidências das pesquisas sobre sexo e de outros estudos apontam para um desejo sexual mais forte e uma libido mais intensa em homens do que em mulheres. A "obsessão" masculina por sexo (sob o ponto de vista das mulheres) é um fato, não uma ficção, e geralmente dura a vida inteira, até quando eles já não conseguem mais ter relações sexuais.

Paradoxalmente, a evidência mais convincente sobre isso vem dos homossexuais, que são relativamente imunes à lavagem cerebral e à socialização da maioria heterossexual. Casais de lésbicas fazem sexo com menos frequência do que qualquer outro grupo. Casais de homens gays fazem sexo com mais frequência do que qualquer outro grupo — e seu estilo de vida promíscuo os torna objeto de inveja de muitos homens heterossexuais. Homens gays que estão em relacionamentos longos e se tornaram sexualmente entediados um com o outro mantém uma vida sexual ativa através do sexo casual, de ficadas e da promiscuidade.[83] Mesmo entre pessoas que abandonam a hegemonia heterossexual para criar suas próprias culturas sexuais independentes, os homens são muito mais ativos sexualmente do que as mulheres, em média, mesmo que os limites se sobreponham, como sempre. Parece ser uma verdade universal, há muito reconhecida por psicólogos.[84]

Determinadas, as feministas impuseram a si próprias a tarefa de demolir as convenções sociais e expor os mitos patriarcais, e o fizeram com grande sucesso. Mas quando se trata de sexualidade, os dois lados se aliam novamente para atacar perspectivas e políticas liberais.

Um exemplo clássico disso é quando a religião e os grupos de direita que promovem os valores patriarcais unem forças com as feministas radicais para lutar pela criminalização e abolição da prostituição, geralmente criando pânico e cruzadas morais sobre cafetões, tráfico humano, prostituição infantil e ligação entre prostituição e drogas ou crime organizado. Os suecos podem argumentar que foi isso o que levou à lei de 1999, criminalizando a clientela que fazia uso de serviços sexuais, em uma tentativa derradeira de abolir o comércio para sempre. Na Suécia, todas as políticas sociais são introduzidas com o suposto objetivo de alcançar a igualdade entre homens e mulheres, de forma que não podem ser postas à discussão. A aliança profana entre patriarcado e feminismo é clara também em outros países.

A Holanda legalizou formalmente a prostituição em 2000, e a Nova Zelândia fez o mesmo em 2003. Em 2002, a Alemanha descriminalizou os bordéis e estendeu a proteção legal a todos os profissionais do sexo para protegê-los de discriminação. Propostas similares de descriminalizar a indústria na Grã-Bretanha e no Canadá foram obstruídas pelas feministas em coalisão com os conservadores. Na Grã-Bretanha, duas ministras feministas uniram forças no governo trabalhista de 2009 para aumentar a criminalização da indústria: a ministra para a Mulher e Igualdade, Harriet Harman, e a secretária do Interior, Jacqui Smith. A diretriz foi posta em prática apesar das campanhas de alguns grupos feministas pela total descriminalização da prostituição. Na Austrália, a tendência de afrouxar as leis que regulamentam a indústria do sexo comercial começou na década de 1990, mas enfrentou resistência de coalisões entre conservadores e feministas.[85]

O caso australiano ilustra o padrão comum dos debates. Os valores patriarcais promovidos por grupos conservadores e religiosos são refletidos em argumentos de que a atividade sexual deveria ser restrita ao casamento e aos relacionamentos sérios, que a prostituição é sórdida, suja, repugnante e polui a sociedade como um todo — uma reiteração da clássica dicotomia santa/prostituta usada para controlar as mulheres. Feministas abolicionistas equiparam a prostituição à dominação masculina e ao abuso de mulheres e crianças, e insistem que todas as profissionais do sexo são exploradas. Para produzir um agravante extra, elas normalmente alegam que, com frequência (e não muito excepcionalmente), crianças são forçadas a trabalhar na indústria. Tanto conservadores quanto feministas abolicionistas alegam, de forma falsa, que a indústria do sexo comercial é dominada por traficantes, cafetões, crime organizado e comércio de drogas. Na verdade, a prostituição da Austrália é relativamente livre de todos esses problemas. A verdadeira discussão foi sobre o direito das mulheres de vender entretenimento erótico com ganhos muito mais altos do que teriam em outras ocupações.[86] Como sempre, a prostituição masculina foi completamente ignorada.

É impossível separar o capital erótico das mulheres, que provoca o desejo dos homens (intencionalmente ou não) do próprio desejo masculino. Eles normalmente não desejam avós enrugadas de 80 anos, não importa quão animadas e espirituosas sejam; desejam mulheres jovens e atraentes que ainda estejam interessadas em diversões sexuais. Tanto os grupos patriarcais (homens e mulheres) quanto os grupos feministas (homens e mulheres) lutam contra a liberdade das mulheres de explorar seu capital erótico e sua sexualidade, e obter a renda e os benefícios máximos por isso. Os argumentos apresentados diferem, mas os dois grupos têm o mesmo objetivo: os homens não deveriam ter de pagar às mulheres por favores sexuais ou entretenimentos eróticos, deveriam ganhar o que desejam de graça — ou (como prefeririam as feministas radicais e alguns grupos religiosos) deveriam aprender a viver sem sexo. Feministas radicais são fundamentalmente antissexo e antierotismo, assim como anti-homens. Nenhum dos grupos tem qualquer solução construtiva para o déficit sexual masculino, que permeia todos os relacionamentos entre homens e mulheres, ainda que de forma invisível.

A única solução realista para o déficit sexual masculino é a completa descriminalização da indústria do sexo, que poderia ter permissão de prosperar como qualquer outra indústria do lazer. O desequilíbrio no interesse sexual seria resolvido pela lei da oferta e da procura, como acontece em outros entretenimentos. Os homens provavelmente descobririam que teriam de pagar mais do que estavam acostumados. Jovens atraentes, mas sem recursos, e estudantes poderiam ganhar dinheiro sem temer a perseguição da polícia. Dessa forma, o poder das mulheres nos relacionamentos aumentaria.

O parque de diversões erótico

Prazer e procriação fornecem as duas âncoras da moralidade sexual, normalmente com a dominância de um ou outro.[87] Culturas focadas no princípio do prazer são tranquilas em relação a qualquer filho resultante. Sexo casual, mesmo entre estranhos, é aceitável, corriqueiro, e há alguma ênfase nas habilidades sexuais e de sedução.[88] A cultura cristã tem a tendência de misturar sexualidade com procriação, de forma que a moralidade confina a sexualidade ao casamento, em parte para assegurar que a descendência seja preservada adequadamente.[89] No passado, os aspectos prazerosos e divertidos do sexo eram diminuídos, ignorados e até mesmo negados pela moralidade cristã.[90] A revolução contraceptiva eliminou as preocupações tradicionais sobre a gravidez e a criação de filhos, mas nossas ideias sobre moralidade sexual ainda não foram atualizadas para se encaixar às novas realidades.

A tecnologia moderna permite que a paternidade de uma criança seja determinada através da análise do DNA, eliminando a necessidade de controlar a sexualidade feminina para garanti-la. Talvez, eventualmente isso promova o enfraquecimento e o fim da ideologia e das práticas patriarcais. Em seu romance de ficção científica, *Admirável mundo novo*, Aldous Huxley imaginou um futuro no qual a paternidade deixa de ter qualquer significado, para homens ou mulheres, e todos são sexualmente promíscuos. Por enquanto, os valores patriarcais ainda dominam as culturas modernas.

O feminismo radical fracassa em oferecer uma moralidade sexual apropriada ao século XXI, para substituir o antigo padrão duplo que impunha maiores restrições à sexualidade feminina que à masculina. O feminismo anglo-saxão nunca se libertou da moralidade puritana que subestima ou rejeita o prazer, proclamando-o pecaminoso, e a sexualidade é considerada especialmente problemática. O antagonismo em relação aos homens é exibido em discussões sobre tudo o que é relacionado a sexo e sexualidade. Em algum momento, casamento, prostituição, gostos e atividades sexuais marginais, aborto e adultério foram atacados pelas feministas. O feminismo anglo-saxão nunca descartou completamente a divisão entre mulheres "boas" e "más", monógamas e promíscuas, santas e prostitutas — a ideia que os homens vêm usando há séculos para controlar as mulheres e confiná-las em suas casas. Como já foi dito, livros acadêmicos sobre gênero e sexualidade têm mais propensão de apresentar seus temas como "ideias contestáveis" e "áreas de exploração" do que como uma fonte normal de prazer e identidade. A heterossexualidade é apresentada como uma imposição cultural e patriarcal, e a família, como uma prisão para as mulheres. Os textos feministas retratam as mulheres como vítimas da violência masculina, do assédio sexual e da subordinação econômica, e a prostituição como a máxima exploração masculina de mulheres impotentes e vulneráveis.

No entanto, as feministas francesas e alemãs rejeitam a ideia de que o sexo e a sexualidade são a base da opressão masculina sobre as mulheres, são despreocupadas em relação à prostituição em todas as formas, defendem a importância do erotismo e da fantasia sexual na vida, consideram as mulheres perfeitamente capazes de se defender dos homens quando necessário e insistem na importância das identidades feminina e masculina e das habilidades de sedução. Com raras exceções,[91] as feministas francesas e alemãs rejeitam o feminismo-vítima anglo-saxão em todos os seus aspectos.[92] Elas também oferecem soluções mais construtivas que o celibato ou o lesbianismo para a dominação masculina. Por exemplo, Barbara Sichtermann propõe que os homens também deveriam ser estimulados a desenvolver seu capital erótico, de forma a se tornarem mais atraentes para as mulheres, criando mais igualdade entre os gêneros.[93] Essa é efetivamente uma nova tendência nos dias de hoje, estimulada pela nova paridade feminina no mercado de trabalho. O ideal musculoso masculino, que requer tempo e esforço na academia, é um desenvolvimento recente.[94] Mulheres mais velhas e bem-sucedidas estão escolhendo amantes e maridos mais jovens e atraentes — como ilustrado pela atriz americana Demi Moore. Casamentos com papéis invertidos estão surgindo — como demonstrado por Marjorie Scardino, a CEO americana da Pearson na Grã-Bretanha.

No geral, a cultura sexual francesa parece melhor adaptada à situação moderna, dada sua longa tradição de amor refinado e celebração do erotismo e da sexualidade dentro e fora do casamento. Contrastando com as feministas anglo-saxãs, as francesas celebram a beleza, a sexualidade e as habilidades de sedução. Em *O segundo sexo*, Simone de Beauvoir ressaltou que a feminilidade é tanto uma performance quanto uma realidade física, mas não depreciou a performance. A escritora feminista Luce Irigaray insistia que "o que precisamos para nossa civilização futura, para a maturidade humana, é uma cultura sexualizada".[95] O governo francês dá tanta importância à qualidade do sexo, que paga para todas as novas mães um curso de *rééducation périnéale* (exercícios pélvicos), de forma que elas possam voltar a ter relações sexuais (e recuperar a silhueta) seis semanas após o parto.[96] As pesquisas francesas sobre sexo revelam taxas mais altas de orgasmo durante relações sexuais e taxas mais altas de satisfação sexual, muito superiores aos níveis dos Estados Unidos ou da Finlândia.[97] O sexo fora do casamento não é obrigatório nem proibido, mas homens e mulheres apreciam as habilidades de sedução. Casos são rotulados como *aventures*, acontecem quando há atração mútua e as circunstâncias permitem e têm relação com viver a vida ao máximo. Alguns dos livros mais positivos sobre a sexualidade feminina e que mais quebraram tabus foram escritos por francesas: *A história de O*, *O diário de Anaïs Nin, O amante* e, mais recentemente, *A vida sexual de Catherine M.*[98] Esses textos fazem um contraste acentuado com os romances moralizantes de ingleses, como *Moll Flanders* e *A feira das vaidades* ou memórias recentes como *An Education.*[99] As francesas são famosas por sua beleza, elegância e estilo. Elas consideram óbvio que todos invistam em capital erótico, assim como na educação formal, e recebam diversas compensações por isso, tanto pessoais quanto profissionais. Essa perspectiva positiva contrasta agudamente com a negatividade sexual das culturas puritanas anglo-saxãs e das feministas radicais.

Em novembro de 2010, o jornal *Financial Times* organizou em Londres a conferência Women at the Top, para celebrar as conquistas das cinquenta mulheres de negócios mais bem-sucedidas do mundo, descritas em um suplemento especial da publicação. Christine Lagarde, a ministra das Finanças francesa, fez o discurso de abertura antes de sair às pressas para Bruxelas, a fim de comparecer a uma reunião com os ministros das Finanças da União Europeia. O *Financial Times* coloca Lagarde entre as três principais ministras das Finanças da União Europeia em termos de influência, efetividade e autoridade, e, em junho de 2010, ela foi indicada como a nova chefe do Fundo Monetário Internacional, a primeira mulher a assumir o cargo. Isso não a impede de também apresentar-se elegantemente e com penteados impecáveis, de usar joias vistosas, ser magra, atraente e charmosa, e de possuir habilidades sociais perfeitas — tudo isso em acréscimo ao completo domínio de sua função profissional. Como ex-praticante de nado sincronizado do time nacional, ela está em ótima forma, e diz que mantê-la é até mais importante do que dormir o suficiente. Em seu discurso, Lagarde fez um tributo à mãe, que a ensinou a se vestir bem e a falar com as pessoas.

As francesas têm algo a ensinar a todas as mulheres sobre como o capital erótico pode ser combinado com sucesso à excelência profissional, e também pode ser uma opção alternativa válida para aquelas que falham no sistema educacional.[100]

PARTE II

Como o capital erótico funciona na vida cotidiana

4. Os benefícios vitalícios do capital erótico

Como o capital erótico atinge seus resultados? Quais são os processos sociais fundamentais que tornam as pessoas com capital erótico mais bem-sucedidas que as outras? A maioria dos analistas e cientistas sociais presume que isso ocorra devido à discriminação ilegítima ou preocupa-se que a discriminação não possa ser completamente eliminada. No mundo ocidental, uma presunção frequente é que quaisquer benefícios concedidos a pessoas atraentes são desmerecidos e injustos. Mas, se assim for, por que simplesmente não ignoramos a beleza e o charme?

Duas irmãs

Isabelle e Pamela são irmãs, ainda que seja impossível acreditar nisso ao vê-las.[1] Com apenas dois anos de diferença, elas têm praticamente a mesma idade, frequentaram as mesmas escolas, tiveram os mesmos amigos, desfrutaram das mesmas atividades caras e boates nos finais de semana até traçarem caminhos diferentes na universidade. Ambas fizeram mestrado em matérias técnicas e científicas. Isabelle completou o seu com muita rapidez, enquanto Pamela levou vários anos para fazer o mesmo. Hoje, Isabelle é uma profissional bem-sucedida, tem seu próprio empreendimento, é rica, fala várias línguas, possui uma casa grande e elegante, viaja muito a negócios e de férias para lugares exóticos, come nos melhores restaurantes e tem uma sucessão de namorados. Pamela não teve exatamente uma carreira, mas uma série de empregos, normalmente em posições de apoio a outros profissionais em projetos curtos. Seu marido é o principal provedor, e uma figura célebre em seu campo científico. Esses detalhes só aparecem quando se conhece bem as duas. O mais impressionante quando se encontra as irmãs, que estão na faixa dos 40, é como são diferentes em personalidade e estilo — uma é confiante e segura de si, socialmente desembaraçada e extrovertida; a outra, social e emocionalmente insegura, desajeitada, sensível a insultos, propensa a cair em lágrimas quando as coisas não saem da maneira como quer.

A competência intelectual e as oportunidades das irmãs podem explicar facilmente os diferentes resultados. Isabelle sempre foi inteligente, estudiosa, jamais deixou de figurar entre os primeiros da turma, passava nos exames com facilidade (seja na escola ou na universidade), completou seus cursos pontualmente, escolheu viver em uma cidade com numerosas oportunidades de carreira, encontrou empregos rápida e facilmente e logo obteve ampla experiência e promoções em administração antes de montar a própria empresa. Por outro lado, Pamela sempre teve dificuldades na escola, repetiu vários anos, ficava irritada por ser mantida em uma turma e chamar a atenção entre meninas mais novas que ela, ressentia-se dos comentários dos professores, que expressavam surpresa diante do contraste entre seu desempenho e o sucesso acadêmico de sua irmã mais velha, tinha poucos amigos próximos, achou a universidade difícil, precisava fazer as provas várias vezes antes de passar e só acumulou os créditos necessários para ter um mestrado porque seus pais a sustentaram até que ela terminasse, acreditando que, se fosse possível, ambas as irmãs deviam ter as mesmas chances na vida. Ela vivia com o marido e os filhos em uma área afastada, onde as oportunidades de emprego eram escassas, dando-lhe poucas opções.

Sob outra perspectiva, os resultados dramaticamente diferentes também poderiam ser explicados pelas diferenças de capital erótico entre as irmãs. Isabella era incrivelmente bonita quando criança, com cachos dourados, olhos azuis e pele muito branca. Já Pamela tinha cabelos castanho-escuros, totalmente lisos, olhos escuros e maçãs do rosto altas, que a tornavam muito fotogênica. Sua aparência era mais marcante do que propriamente bonita, e esse traço foi acentuado conforme ela crescia. Quando elas saíam juntas, a atenção era quase invariavelmente focada em Isabelle que, com sua mente perspicaz, aprendeu rápido. Ainda que os pais das meninas insistissem que amavam as duas e as tratassem exatamente da mesma forma, parecia claro que Isabelle era a favorita do pai. Quando chegaram à adolescência, as garotas já eram totalmente diferentes em aparência, personalidade e estilo. Isabelle usava seu tempo para ajeitar o cabelo e a aparência em geral, vestia-se imaculadamente em roupas escolhidas para valorizar sua compleição delicada e tomava cuidado para nunca ganhar peso, mantendo-se magra. Ela era socialmente confiante, tinha um grande círculo de amigos e já possuía a convicção e a força internas de alguém que conhece seu lugar no mundo, que sabe como atingir todos os objetivos e pode rebater quaisquer desapontamentos e contratempos por mais amargos que sejam. Ela flertava com todos, incluindo seu amoroso pai, e, às vezes, comportava-se com aguda infantilidade para conseguir o que queria. Já Pamela se tornou uma garota grande, desajeitada, pesada e, às vezes, gorda. As aulas de balé, que ela adorava, não conseguiram refinar seus movimentos bruscos. Seus modos sociais eram sempre mordazes, demonstrando insegurança e ressentimentos por falhas e contrariedades mal disfarçados. Pamela sempre comia por conforto, periodicamente estava gorda, apesar de dançar e praticar atividades esportivas, e parecia incapaz de ser vestir de forma adequada para sua compleição pesada e sua pele morena. Geralmente, parecia estar usando as roupas de outra pessoa, desajustadas e feias, e se ofendia diante de qualquer tipo de sugestões construtivas. Seus relacionamentos, com homens e mulheres, sempre pareciam ser intensos e cheios de adversidades e brigas. Ela nunca se mostrava completamente feliz.

A maneira habitual de explicar resultados muito diferentes na vida adulta é focar nas qualificações educacionais e na experiência de trabalho — o fator do capital humano. Mas essas duas garotas cresceram exatamente nas mesmas circunstâncias familiares, beneficiaram-se das mesmas escolas e ambas fizeram mestrado. Existem poucas diferenças entre elas nesse sentido. Os cientistas sociais realizam um esforço de pesquisa muito grande tentando decifrar precisamente a contribuição da aparência, da inteligência e do caráter, que ainda podem ser subdivididos em mais de vinte traços e características específicas de personalidade. Porém, como demonstra a história dessas duas vidas, os fios são frequentemente tecidos de forma inextricável a partir da infância. Separá-los faz sentido cientificamente, mas pode ser inútil no contexto prático da vida real. Isabelle era bonita, inteligente e confiante. Levou alguns anos para que a sagacidade de seu intelecto fosse confirmada pelo sistema educacional e por seus empregos. Enquanto isso, sua personalidade alegre, sua aparência e seu estilo social eram moldados pela extraordinária beleza que possuía quando pequena. Pamela tinha uma beleza mais comum, não era feia, e poderia ter se tornado uma grande beldade se tivesse se esforçado tanto quanto Isabelle. Mas ela abandonou o esforço logo cedo. Fracassos e dificuldades frequentes em conseguir as notas necessárias na escola e na universidade certamente afetaram sua personalidade e aparência, mas todo esse desencorajamento aconteceu anos mais tarde. Desde que era bebê, ela atraía menos interesse e atenção que a irmã, e essa falta de calor social desde o berço marcou-a muito antes de começar a escola.

O capital erótico combina seis elementos de atratividade física e social: beleza, *sex appeal*, dinamismo, habilidades sociais, sexualidade e competência na apresentação pessoal. Normalmente, eles são inseparáveis na vida real, mesmo se todas as pesquisas disponíveis buscassem desmembrá-los para medir seus efeitos independentes. A aparência é a mais fácil de perceber, pois todos a veem. A sexualidade se torna importante apenas na vida pessoal dos adultos, e pode promover confiança com os colegas no trabalho. Os cinco componentes principais moldam quem somos e como somos percebidos pelos outros desde o dia em que nascemos.

Cinderela vai ao baile

Na história infantil, Cinderela recebe uma visita de sua fada-madrinha, que agita uma brilhante varinha de condão e a transforma. A infeliz criada torna-se uma princesa charmosa, elegantemente vestida e penteada, com uma carruagem e cavalos prontos para levá-la ao baile. Como que por mágica, o baile não requer qualquer prova de convite, e Cinderela sabe exatamente como se portar, dançar e cativar o Príncipe Encantado. Se ao menos a vida real pudesse ser tão simples!

Como o capital erótico faz sua mágica no mundo real? Com que idade essa mágica começa? Existem obstáculos? Uma transformação do dia para a noite é realmente possível? É mesmo necessário ser loura, ter pés pequenos e saber dançar?

Há décadas, os psicólogos sociais estudam a vida de pessoas atraentes para identificar o que as distingue, como se comparam aos que não são atraentes, e quão consistentes são os resultados. A má notícia é que é muito melhor nascer bonito. A boa notícia é que todos podem obter resultados semelhantes eventualmente — se estiverem preparados para trabalhar duro e dedicar tempo e esforço.

Os franceses sempre reconheceram isso no conceito de *belle laide* (ou *beau laid*, no caso dos homens) — alguém que é feio, mas se torna atraente através de apresentação pessoal e hábil aperfeiçoamento. Como o capital erótico é multifacetado, sempre existe espaço para sobressair-se em uma dimensão ou outra. Se você não é bonito, cultive um belo corpo, aprenda a dançar ou desenvolva habilidades sociais. Da mesma maneira, a inteligência é multifacetada, de forma que as pessoas que são classificadas como más alunas na escola (por não gostarem de aprender pelos livros) podem, ainda assim, se tornarem célebres em outras áreas, como música, esportes ou em transações com câmbio estrangeiro. Milionários raramente perdem tempo fazendo doutorado. Richard Branson era disléxico, tinha dificuldade de ler e deixou a escola aos 16 anos, mas mesmo assim criou o império comercial da Virgin. Seus irmãos frequentaram a universidade e tiveram carreiras de sucesso, mas o empreendedor mundialmente famoso é Sir Richard Branson. De maneira análoga, Mark Zuckerberg abandonou Harvard para iniciar o empreendimento do Facebook, que o tornou milionário com pouco mais de 20 anos.

A ênfase atual no capital humano e nos resultados educacionais como a rota para o sucesso gera uma espécie de miopia. Outras possibilidades e talentos são postos de lado. Poucas pessoas enaltecem os benefícios do capital social e do erótico, ou da universidade da vida, da mesma forma que os acadêmicos fazem com as vantagens das qualificações da educação superior. Mais à frente, darei exemplos de pessoas que alcançaram grande sucesso sem ajuda da família e sem se apoiar na rota da educação. O ponto principal é que os pais podem não ser necessários. As livrarias estão cheias de guias sobre tudo, desde etiqueta social e boas maneiras a práticas de beleza, coordenação de cores e estilo de vestir. Quando eu tinha 20 anos, beneficiei-me de aulas gratuitas de maquiagem dadas por grandes empresas de cosméticos, e rapidamente adquiri a habilidade que desejava. Quando realmente queremos, tudo conseguimos.

A *belle laide* e o *beau laid* podem levar algum tempo para chegar aonde desejam, mas ainda têm a possibilidade de alcançar o mesmo destino dos que tiveram uma vantagem inicial e uma viagem tranquila. As vantagens da infância podem se dissipar rapidamente se não forem sustentadas por esforço e motivação. De muitas maneiras, o capital erótico não é diferente do humano e do social. Nascer inteligente em uma família com bons contatos é uma grande ajuda, mas esforçar-se na escola e fazer amigos pode compensar a longo prazo a falta de vantagens precoces.

Infância

Os benefícios da atratividade começam na infância. Todos os bebês parecem lindos e encantadores para seus amorosos pais. O resto do mundo, porém, tem mais discernimento. Mesmo enfermeiras profissionais percebem bebês de 6 meses de forma diferente, de acordo com o grau de atratividade deles. Entretanto, a expectativa geral é que meninas não atraentes são mais capazes e desenvolvidas.[2]

Bebês e crianças pequenas atraentes são tratados de forma calorosa por todos, desde estranhos na rua até parentes próximos. Eles são bem recebidos no mundo, paparicados, participam de conversas e recebem sorrisos e mais carinhos. Têm mais chances de ganhar doces e presentes, de ser ajudados ou socorridos quando precisam, perdoados por qualquer trapalhada ou desordem. Bebês e crianças atraentes têm uma vantagem inicial na vida porque as pessoas lhes dão mais atenção, ensinam-lhes com paciência, mostram coisas novas a eles, atendem a seus pedidos e perguntas constantes de forma mais positiva, são mais tolerantes em relação a má-criações ou bagunça.[3]

Se ambos os pais são bonitos, os sentimentos calorosos logo se tornam mútuos, criando uma espiral ascendente de admiração e benquerer autorreforçados. Mesmo bebezinhos respondem de maneira mais positiva a estranhos com belos rostos do que a pessoas com feições pouco atraentes — olhando por mais tempo, respondendo ao sorriso com mais presteza. Bebês e crianças discriminam inconscientemente rostos belos e feios, indivíduos gordos e magros, crianças atraentes e não atraentes na creche.[4] A preferência pelos magros e atraentes começa tão cedo, que hoje em dia é consenso que essas reações não são aprendidas com os outros.

As reações positivas de adultos e outras crianças produzem efeitos duradouros na personalidade e nas habilidades sociais de bebês e crianças atraentes, acelerando, assim, seu desenvolvimento intelectual. Três quartos das crianças bonitas — comparadas com apenas um quarto das que não são atraentes — são julgadas como socialmente corretos, cativantes e competentes. Crianças bonitas são tratadas de maneira mais positiva do que as não atraentes, são mais populares e, de fato, exibem maior inteligência. É esse último efeito que tem sido discutido com mais frequência, considerando o argumento de que não pode haver base real para uma conexão entre beleza e inteligência. Ainda assim, todos os estudos encontram essa ligação entre as crianças, mesmo os que tentam destruir essa ideia. A associação entre beleza e inteligência normalmente é moderada, mas é encontrada de forma consistente em crianças.[5] Um estudo britânico com crianças de 11 anos de idade que procurou contestar a conclusão foi forçado a admitir que é real. Esse estudo não encontrou ligação entre a atratividade física e a inteligência, exceto nos dois extremos. Crianças excepcionalmente dotadas tendem a ser insolitamente atraentes, e crianças excepcionalmente obtusas tendem a ser insolitamente feias. As que estavam na média de inteligência tinham chances iguais de possuir atratividade ou não.[6] De forma similar, pessoas altas tendem a ser mais competentes intelectualmente, e são vistas como tal.[7]

Os psicólogos descrevem esses resultados de pesquisa como um exemplo do "Efeito Halo" da atratividade, ou seja, o que é bonito também é encarado como bom em outros aspectos. Às vezes, esse efeito também é descrito como "Efeito Pigmaleão" ou profecia autor-realizável: as pessoas se tornam o que os outros esperam que se tor-nem, correspondem às expectativas depositadas nelas. Essa explica-ção afirma que o diminuto número de pessoas (principalmente pais e parentes) que têm um relacionamento duradouro com uma criança exerce um imenso impacto em seu desenvolvimento. É verdade, mas a maioria dos pais faz o mesmo esforço com todos os filhos, então isso não esclarece os resultados diferentes.[8] Há outra explicação sim-ples que se aplica à grande quantidade de relacionamentos efêmeros e interações sociais casuais com conhecidos e estranhos, que são maioria na vida cotidiana de todos, sejam crianças ou adultos.

As interações sociais positivas que ajudam crianças a desenvolver uma personalidade agradável e habilidades sociais também auxiliam no processo de aprendizagem com os adultos e a se desenvolver inte-lectualmente. Um volume maior de interação positiva com adultos que prestam atenção a crianças atraentes facilitaria, em si, o desenvol-vimento social e intelectual delas, dando-lhes uma vantagem inicial na vida. Evidentemente, é melhor nascer bonito. A questão é *se* os outros conseguem chegar lá mais tarde, e com que velocidade.

A *visão de mundo* "Brilho Dourado"

É fácil negligenciar o que é crescer usufruindo permanentemente do calor e da bondade de adultos que olham de forma positiva para você — ou não, dependendo da situação. Crianças atraentes (e, em menor grau, adultos atraentes) beneficiam-se do que chamarei de visão "Bri-lho Dourado" do mundo social. Seu caminho na vida é sempre muito mais fácil, tranquilo, menos problemático do que para outras crian-ças. A perspectiva do Brilho Dourado consiste em um entendimento caloroso e positivo do ambiente social, e uma experiência predomi-nantemente boa nos relacionamentos sociais. Para essas crianças, é fácil se dar bem com as pessoas, é fácil conseguir o que querem, é fácil atrair atenção quando querem — ou, ao menos, mais fácil que para as crianças feias ou de aparência comum em seu círculo social. Suas ex-periências e perspectivas são muito bem exprimidas na canção americana "Summertime", de George and Ira Gershwin, normalmente cantada por músicos de jazz. A música expressa a sensação de um dia quente de verão, o contentamento e a simplicidade da vida implicados por um pai rico e uma mãe serenamente bela — pais amorosos que fazem todo o possível pelos filhos. Ela expressa a atmosfera de otimismo e abundância que torna o riso fácil, deixa tudo a nosso alcance, de forma que "o céu é o limite".

Estudos demonstram que crianças nascidas nos meses de verão, quando é quente e ensolarado, tendem a ter personalidades mais alegres que aquelas nascidas nos meses de inverno, quando o mundo está frio e escuro. As primeiras impressões podem deixar uma marca poderosa. Crianças atraentes carregam com elas a própria luz do sol, e se beneficiam de um mundo de Brilho Dourado.

O Brilho Dourado explica por que tantas pessoas excepcionalmente atraentes não se consideram bonitas.[9] Em sua opinião, elas são iguais a todos os demais.[10] O mundo que conhecem é um lugar mais caloroso, amistoso, prestativo, acolhedor, benigno e fácil de se viver do que o mundo experimentado pelas pessoas feias. Pode haver uma superposição com as personalidades positivas de pessoas que veem sucesso e sorte em todo lugar.[11]

Os processos sociais que criam homens e mulheres bonitas e agradáveis estão concentrados na juventude, mas o efeito cumulativo das experiências de mais de vinte anos de Brilho Dourado tem um impacto duradouro na personalidade e no estilo de vida durante a maturidade.

Em termos absolutos, a atratividade declina lentamente conforme as pessoas envelhecem. A maioria está no auge físico na juventude, ainda que alguns melhorem com a idade e a experiência de apresentação pessoal. Ainda que poucos estudos tenham conseguido mapear a atratividade física ao longo da vida, eles sugerem que classificações relativas permanecem bastante estáveis durante a idade adulta. Medidas de atratividade em pesquisas são sempre relativas à faixa etária, o que é a maneira realista de pedir a pessoas para julgar a aparência. Homens e mulheres que são atraentes para sua faixa etária quando jovens tendem a permanecer assim em seus anos maduros. A pessoa que é atraente aos 21 anos normalmente se torna uma pessoa atraente de 41 e de 81 anos. Não há evidências de que a idade afete mais as mulheres que os homens, exceto que a percepção sobre as mulheres é de que perdem mais até os 30.[12] Então, qualquer benefício da atratividade normalmente dura a vida toda.

Os benefícios sociais do capital erótico

O capital erótico combina atratividade física e social. Os psicólogos sociais tendem a estudar essas duas características separadamente, mas, na prática, elas estão profundamente ligadas. Homens e mulheres atraentes têm maiores habilidades sociais e são especialistas na interação positiva com outras pessoas, principalmente com o sexo oposto. Essa é uma das mais sólidas e divulgadas descobertas de pesquisa.[13]

O Efeito Halo da beleza infiltra-se até mesmo em tribunais. Estudos feitos por psicólogos demonstram que pessoas bonitas são tidas como mais honestas, charmosas e competentes do que as não atraentes. Em um tribunal, réus atraentes e bem-vestidos têm menos chances de serem considerados culpados por um crime caso não haja outros complicadores. Sabe-se que advogados aconselham réus e testemunhas a vestir-se bem para sessões no tribunal, a se portarem elegante e educadamente. Advogados atraentes também são mais dignos de crédito e persuasivos do que os não atraentes. Réus de boa aparência também têm menos chances de irem presos, de serem denunciados caso sejam pegos e de serem condenados ou punidos severamente se o caso for a julgamento.[14]

Parece que a boa aparência só é punida se tiver sido usada como parte do crime, para lograr ou espoliar alguém. Em julgamentos de estupradores, uma vítima bonita e um réu feio têm mais chance de produzir um veredicto de culpado porque as pessoas tendem a pensar que ela não buscaria as atenções dele, enquanto o homem certamente a desejaria.[15]

Estudos experimentais colocaram mulheres no acostamento de estradas com um dos pneus do carro furado ou necessitando de qualquer outro tipo de assistência. A aparência e o estilo de vestir das mulheres são variados para verificar como afetam a oferta de ajuda de estranhos. Donzelas atraentes em apuros têm 25% mais chances de receber assistência.[16] Essa provavelmente é uma boa medida da maior quantidade de ajuda geralmente oferecida a pessoas atraentes.

Pessoas que têm ideias tradicionais sobre os papéis dos homens e das mulheres valorizam a boa aparência acima de tudo, e têm mais propensão a responder de maneira diferente a homens e mulheres.[17] Contudo, consciente ou inconscientemente, todos são afetados pela aparência. Pessoas atraentes são mais persuasivas. Essa reconhecida descoberta de pesquisa é a base para o extensivo uso de indivíduos atraentes em propagandas de todos os tipos de produto, mesmo aqueles usados apenas por indústrias, e não em residências. As pessoas têm mais inclinação a comprar qualquer produto anunciado por um homem ou uma mulher atraente do que por alguém feio ou comum. Paradoxalmente, as pessoas são convencidas com mais facilidade se a intenção de persuadir é deixada clara.[18] Essa é a base do apelo erótico na propaganda examinado no Capítulo 6, e do adicional por beleza nos rendimentos apresentado no Capítulo 7.

Desde a infância, as pessoas atraentes são vistas como mais independentes, mais donas de seu destino e detentoras de maior controle sobre a própria vida que as não atraentes.[19] Espera-se que sejam mais bem-sucedidas em todas as áreas da vida. Alguns aproximam-se delas por essa razão, com a sensação de que um pouco de sua boa sorte e suas oportunidades podem passar também para eles. Existe uma justificativa para isso. Por exemplo, homens vistos com uma namorada bonita são taxados de forma mais positiva. Amigos atraentes conferem prestígio.[20] Outros reagem de maneira negativa, sentindo inveja da sorte alheia. As mulheres, em especial, podem responder dessa maneira a outras que têm o capital erótico alto.[21]

As pessoas preferem lidar com um estranho atraente, sem considerar qualquer benefício concreto que achem que podem ou não ganhar com a escolha.[22] A beleza é um bem valioso e agradável em si, e as pessoas escolhem tê-la, ou estar próximas a ela, quando podem.[23] Assim, homens e mulheres têm mais propensão de escolher jogar (ou engajar-se em absolutamente qualquer atividade) com alguém esteticamente agradável. Além disso, é mais provável que cooperem com um belo estranho. A autoavaliação da própria atratividade é também um fator presente nas reações. Quem se considera atraente é particularmente mais propenso a cooperar com outras pessoas bonitas. Homens atraentes são mais generosos, e mulheres atraentes, menos. Esses estudos despertam interesse especial, pois lidam com interações cotidianas de desconhecidos, demonstrando que homens e mulheres atraentes recebem de todos os que encontram uma sucessão de pequenas vantagens invisíveis. O efeito cumulativo ao longo da vida é um benefício considerável.[24]

Por aumentar a autoestima e a confiança das pessoas, a atratividade (ou a ausência de feiura) pode ajudar a realizar mudanças positivas em suas vidas. Pelo menos um psicoterapeuta já sugeriu que dar cirurgias plásticas a pessoas não atraentes para melhorar sua aparência pode ser mais eficaz que anos de análise para melhorar as habilidades sociais e a popularidade.[25] Um experimento americano bastante construtivo com condenados fez exatamente isso. Logo que saíram da prisão, detentos desfigurados que não eram viciados em heroína fizeram uma cirurgia plástica para reparar ou abrandar sua desfiguração. O objetivo era melhorar o ajuste psicológico, aumentar o sucesso no emprego e reduzir a reincidência. Um ano depois, a taxa de pessoas que voltaram a cometer crimes nesse grupo foi 36% *mais baixa* que entre os detentos desfigurados que não tinham feito tratamento algum. O número de reincidentes entre os ex-prisioneiros desfigurados que receberam aconselhamento e assistência social e vocacional no lugar da cirurgia plástica foi 33% *mais alta* que entre o grupo não tratado. Na verdade, a cirurgia plástica reduziu a reincidência em 69% se comparada às intervenções sociais e vocacionais.[26]

Pessoas bonitas têm menos chances de serem atormentadas pela solidão, pela ansiedade sobre seu status social ou sua aceitação pelo sexo oposto. Elas ficam mais confortáveis quanto têm companhia e são com quem a convivência é mais fácil. Têm uma iniciação sexual precoce e mais experiências sexuais. Nos Estados Unidos, pessoas atraentes não são diferentes das não atraentes no que diz respeito a atitudes sexualmente permissivas e número de parceiros sexuais, mas há uma diferença entre os europeus, devida à maior diversidade cultural e religiosa. Adultos atraentes também não se distinguem no que diz respeito à inteligência, ao sentimento de estar no controle da própria vida e ao egoísmo. Homens bonitos são mais sociáveis, mas não as mulheres bonitas, provavelmente porque, em geral, elas são desencorajadas a ser extrovertidas e amigáveis demais com estranhos.[27]

Até aqui, essa exposição demonstra benefícios cumulativos substanciais do elemento beleza do capital erótico. Entretanto, os benefícios vão além, e incluem *suposições* que normalmente são feitas sobre as pessoas bonitas.

Estereótipos populares incutem pessoas atraentes com uma ampla gama de outras características positivas, sobretudo habilidades sociais e charme, *sex appeal*, sociabilidade, assertividade, habilidades de liderança e, geralmente, boa saúde mental e felicidade. Talvez o mais importante seja que pessoas bonitas normalmente são consideradas mais inteligentes que as feias.[28]

Somando os traços positivos imputados a homens e mulheres atraentes e os benefícios genuínos que lhes cabem por causa de uma vida de experiências sociais do Brilho Dourado, os indivíduos bonitos claramente se tornam uma classe "melhor" de pessoas — em seu estilo e maneiras assim como no "Efeito Halo" de nossas atribuições. Os benefícios da beleza são verdadeiros e parece que também são universais. Presume-se que pessoas bonitas sejam competentes, então elas são tratadas como tal, social e intelectualmente. Em geral, são mais confiantes, de forma que é prazeroso conviver socialmente com elas, pois têm menos problemas e inseguranças. Elas têm menos propensão de ficar deprimidas, são mais alegres, fazem mais amigos. O mundo sorri para as pessoas bonitas, e elas retribuem o sorriso.[29]

É claro que todos já conheceram exceções ao padrão geral — pessoas bonitas que se tornaram presunçosas, arrogantes e companhias difíceis. Mas o oposto também é verdadeiro. Alguns homens e mulheres bonitas são excepcionalmente modestas, simpáticas e tranquilas, colegas prestativas e amigas despretensiosas. Uma das coisas que as pessoas mais invejam nos colegas de trabalho bonitos é que eles normalmente são impecáveis, sendo sempre gentis com todos.

Estudos que conseguem rastrear a atratividade física ao longo da vida demonstram uma relação simbiótica entre atratividade física e social. Mulheres e homens que são atraentes quando jovens desenvolvem habilidades sociais superiores. Entretanto, o contrário também ocorre: mulheres sociáveis e sorridentes quando jovens tornam-se atraentes mulheres mais velhas que cuidam mais da aparência, além de possuir maiores habilidades sociais.[30] Essa interação simbiótica entre aparência e estilo social é maior, especialmente se uma fisionomia atraente for mantida ao longo da vida.

Isso significa que as pessoas atravessam a vida tendo como um de seus principais atributos pessoais a atratividade física e social (quer tenham consciência dela ou não), juntamente com inteligência, educação, contatos sociais e amizades, e qualquer dinheiro que seus pais possam lhes dar. Beleza e charme são bens valorizados e raros em qualquer sociedade. A beleza excepcional é um item de luxo, e confere status (exatamente como ser alto), não apenas à própria pessoa, mas também a seus amigos, família e colegas, por associação.[31]

O traço distintivo do capital erótico é que muitos de seus elementos são instantaneamente visíveis, desde a infância, mesmo para completos desconhecidos e mesmo quando o *sex appeal* não é relevante. No entanto, informações sobre a riqueza, a educação e os contatos sociais de alguém requerem um conhecimento mais próximo. A maioria dos aspectos do capital erótico pode ser avaliada em uma sala lotada ou à distância, em um grande auditório. A portabilidade e a visibilidade pública o tornam potencialmente mais importante que os outros atributos, especialmente para imigrantes e outros grupos com mobilidade social.

Beleza e inteligência

Na vida adulta, assim como na infância, a beleza e a inteligência estariam conectadas? Parece razoável supor que sim, pois a beleza está ligada às habilidades sociais, o que implica certa inteligência mental e, talvez, um domínio maior da inteligência emocional. Se existe uma ligação, e homens e mulheres atraentes tendem a ser inteligentes, então eles se beneficiam de uma impressionante dupla vantagem. Por outro lado, a sabedoria popular frequentemente rotula mulheres bonitas (e, às vezes, homens também) como burras — o estereótipo da "loura burra" é praticamente universal no mundo ocidental, como personificado por Marilyn Monroe em alguns de seus filmes. Assim, qual dos estereótipos é baseado na realidade?

Praticamente todos os estudos determinam que pessoas atraentes são vistas como mais competentes e inteligentes que as menos atraentes, em todas as idades. No passado, o estereótipo era mais forte para percepções de homens do que de mulheres, mas as diferenças sexuais parecem ter desaparecido no século XXI.[32] O estereótipo tem mais força quando as pessoas estão lidando com estranhos ou em casos em que não há outra informação relevante disponível sobre a inteligência e a competência de alguém.[33] Não faz diferença se um homem ou uma mulher que está avaliando. No geral, três quartos dos adultos atraentes são julgados competentes, comparados a um quarto dos não atraentes.[34]

As percepções estimulam um tratamento diferenciado para adultos atraentes, mesmo quando as pessoas não têm consciência de que estão agindo assim. Adultos atraentes recebem mais atenção e elogios, são tratados de forma mais favorável e obtêm mais cooperação e ajuda.[35] Contudo, eles são considerados apenas um pouco mais inteligentes do que os não atraentes, ainda que sejam muito mais habilidosos em interação social.[36] Aparentemente, não há diferença entre homens e mulheres nesse ponto.

Parece que a vantagem intelectual inicial da atratividade na infância se desvanece na vida adulta, conforme todos os outros chegam ao mesmo ponto. Então, ela pode já não ter importância. Adultos atraentes já se tornaram socialmente competentes, confiantes, confortáveis e tranquilos ao lidar com as pessoas, com elevada autoestima e boa saúde mental. Mesmo deixando de lado a maior popularidade com o sexo oposto (que deve promover alegria), eles ainda têm vantagens substanciais erigidas em sua personalidade positiva e seu estilo social. Além disso, os outros presumem que pessoas atraentes possuem maiores talentos e competência, e as tratam de acordo com esse pensamento. O preconceito contra a "loura burra" do século XX parece estar ultrapassado no mundo ocidental, e homens e mulheres bonitas beneficiam-se igualmente de expectativas positivas.

Uma lição a ser aprendida é que, atualmente, é inútil — e até mesmo contraproducente — uma mulher atraente enfear-se para entrevistas de emprego e outras reuniões importantes (a não ser que esteja se candidatando a empregos de gestão, como demonstro no Capítulo 7). O preconceito contra mulheres bonitas demais para serem levadas a sério parece ter enfraquecido — sem dúvida com a ajuda de exemplos como Natalie Portman, a linda atriz de Hollywood que também é formada em psicologia em Harvard e fala quatro línguas fluentemente, inclusive o japonês. Se elas possuem habilidades comprovadas, experiência e qualificações, a atratividade se torna uma vantagem extra, um atributo a mais, e não um obstáculo. As mulheres não precisam escolher entre os rótulos da beleza e da inteligência, já que as pessoas normalmente percebem a boa aparência como mais um indicador de competência intelectual.

Habilidades sociais e gerenciamento emocional

Para quem não é bonito, personalidade, habilidades sociais, charme e boas maneiras se tornam muito importantes. Assim como subentende-se que pessoas bonitas possuem (e elas de fato desenvolvem), melhores habilidades sociais, pessoas com personalidades atraentes, de maneira oposta, aprendem a aprimorar sua beleza física com o passar do tempo, investindo também nessa área.[37] Não é difícil. Livros com conselhos para obter o melhor de si oferecem sugestões de como se vestir, arrumar o cabelo, perder peso e entrar em forma, mas também sobre como se comportar, fazer amigos, ter sucesso em encontros e relacionamentos românticos e fazer as pessoas gostarem de você.

Habilidades sociais e inteligência emocional são importantes para o sucesso no trabalho e para a carreira, assim como na vida pessoal. Entretanto, as regras sociais mudam constantemente, e nas sociedades multiculturais modernas também existe uma diversidade substancial nas convenções e nos protocolos da educação. De tempos em tempos, as regras de comportamento social são atualizadas para dar conta dos novos desenvolvimentos, como telefones celulares, correio de voz, e-mail, iPods, Twitter, Facebook e outras redes sociais, legislação de discriminação de sexo ou raça, diversidade multicultural e todas as novas situações geradas por grandes cidades poliglotas. Algumas pessoas acham que livros sobre boas maneiras e regras de conduta pública preocupam-se essencialmente em reforçar as diferenças de classe social ao ajudar pessoas que estão subindo a uma categoria social mais elevada. Eles explicam RSVP e as convenções necessárias para um jantar ou restaurante chique. Outros acham que livros sobre modos esclarecem regras básicas de civilidade, cortesia e gentileza entre estranhos, colegas e amigos,[38] e ajudam a evitar atritos. O fato é que pessoas com maneiras agradáveis e *savoir faire* são mais atraentes que pessoas desajeitadas, bruscas e socialmente inseguras.

Enquanto era adolescente, e mesmo quando adulta, Pamela tinha ataques de raiva histérica, complementados por gritos e choro em resposta a uma discussão ou desentendimento. Diferentemente da irmã, Isabelle sempre expressou sua raiva com intensidade feroz, porém comedida. Os pais de ambas geralmente tinham que intervir para acalmar Pamela e tentar solucionar as brigas. Os cientistas sociais oferecem duas perspectivas diferentes sobre as habilidades sociais envolvidas em tais situações: o trabalho emocional e a cultura da civilidade.

A perspectiva mais em voga nos Estados Unidos afirma que o gerenciamento emocional (ou a falta dele) e a maneira pela qual lidamos com atritos sociais, conflitos emocionais e estresse são exemplos de "trabalho emocional", que é uma atividade importante em famílias e grupos de amigos.[39] A socióloga americana Arlie Hochschild desenvolveu o conceito de "administração das emoções" (nas vidas particulares) ou "trabalho emocional" (na força de trabalho) para descrever o gerenciamento sentimental e comportamental de alguém de maneira a influenciar os sentimentos e comportamento de outras pessoas. Ela criou sua tese a partir de um estudo de habilidades de interação social entre comissárias de bordo da Delta Airlines, nos Estados Unidos, um exemplo de trabalho de hospitalidade.[40] Hochschild alegou que as aeromoças americanas achavam que se mostrar agradáveis e educadas com os viajantes era árduo e alienante. Ela também afirmou que os pedidos para fazer uso do trabalho emocional no emprego são mais comuns para mulheres do que aos homens. Essa afirmação é duvidosa, pois as habilidades de interação social são essenciais em praticamente todos os cargos superiores de gestão e ocupações liberais, assim como em todos os postos do setor de serviços. Mas ela provavelmente está certa ao concluir que essas habilidades sociais são mais importantes para as mulheres e os homens que trabalham nas indústrias de entretenimento e hospitalidade, nas quais a predominância é feminina, e que elas exercem mais a administração das emoções em família. São basicamente as mães que lidam com os rompantes emocionais familiares, e as mulheres geralmente investem mais atenção e esforço emocional em relacionamentos pessoais. Entretanto, elas raramente reclamam por considerar essa função alienante ou difícil.[41]

Na Europa, uma perspectiva mais completa e baseada solidamente em boas maneiras e gerenciamento emocional foi desenvolvida por um cientista social alemão relativamente desconhecido, chamado Norbert Elias, que, em diversos estágios da vida, morou e trabalhou na França, na Grã-Bretanha, na Alemanha e na Holanda.[42] Foram as suas ideias que influenciaram minha teoria de capital erótico, posicionando as habilidades sociais como um componente central.[43] Elias desenvolveu sua tese a partir de uma ampla análise de livros europeus sobre boas maneiras, demonstrando que as regras tinham mudado ao longo dos séculos (por exemplo, regras sobre cuspir ou sobre violência física), e que tinham surgido primeiro nos círculos da corte que cercava os monarcas, para, gradualmente, se disseminarem entre os outros setores da sociedade. Isso explica por que o comportamento e regras de civilidade mais refinadas são comuns entre as classes altas e por que as pessoas que sobem na hierarquia social precisam ler guias sobre boas maneiras e etiqueta, assim como descobrir quais são as melhores lojas e os restaurantes mais requintados.

Elias demonstrou que um dos principais traços do processo civilizatório em todas as sociedades foi a assimilação pessoal de normas e habilidades de autocontrole, gerenciamento emocional e cortesia em relação aos outros, que se tornaram uma segunda natureza, algo habitual e aparentemente instintivos. Essas habilidades são aplicadas a todas as atividades humanas, incluindo interação com estranhos, atos privados (como comer e fazer amor), atos públicos e comerciais (como ser pontual em compromissos e honrar contratos). Todos esses hábitos e normas sociais desenvolveram-se primeiro nas classes mais altas, e gradualmente se disseminaram pelas outras. Elias acreditava que as mulheres desempenham um papel importante ao difundir formas de conduta pacíficas, em parte através da socialização das crianças para negociar em vez de brigar. Ele considerava que todas as emoções são aprendidas e estruturadas pela sociedade em que vivemos, uma conclusão confirmada por pesquisas recentes. Por exemplo, a obsessão ocidental por amor e culpa não é universal. Entre os rastafáris, a opressão é a emoção principal. No sudeste asiático, a *lek* balinesa e a *laija* hindu (livremente traduzido como "autocontrole respeitoso") são as emoções dominantes.[44]

A teoria de Elias sobre o processo civilizatório se aplica aos relacionamentos sexuais, românticos e pessoais, assim como à interação social nos negócios e no ambiente de trabalho. Ela ajuda a explicar por que o poder erótico ganha cada vez mais influência na maior parte das sociedades avançadas, à medida que as habilidades interpessoais se tornam mais importantes e sofisticadas. Também explica por que a sexualidade sempre é, pelo menos parcialmente, uma performance, aprendida bem o bastante para se tornar uma segunda natureza, e inclui gerenciamento de emoções.

As ideias de Elias estão sendo desenvolvidas e ampliadas no século XXI por estudiosos europeus, especialmente Cas Wouters, em Amsterdã. Wouters demonstra que a maior mistura social nas economias modernas (em boates, aviões, entre colegas de trabalhos de grandes empresas multinacionais) acrescida à informalização dos modos resultantes das novas tecnologias (sobretudo e-mails e celulares) tornam os costumes modernos ainda mais complexos e sofisticados que no passado, quando havia regras uniformes e rígidas de conduta e rigorosa hierarquia social. As sociedades modernas exigem habilidades sociais ainda maiores para lidar simultaneamente (e de maneira flexível e agradável) com os muitos estilos diferentes de comunicação.[45] Qualquer um que adquira tais habilidades e consiga interpretar emoções tem uma enorme vantagem.[46]

Segundo Norbert Elias, a mãe que intervém quando uma criança ou um adolescente grita, não está realizando um trabalho emocional exaustivo ou alienante — está ensinando regras de civilidade e gerenciamento das próprias emoções, assim como a lidar com as emoções dos outros. Nas culturas mais civilizadas, todos aprendem a fazer isso como parte de seu instinto "natural". Entretanto, o gerenciamento e o controle dos sentimentos, tanto dos próprios quanto dos alheios, são menos desenvolvidos nas classes trabalhadoras (em comparação com as mais altas). Algumas vezes, essa atividade vai parecer uma tarefa árdua entre pessoas com menos capital cultural (aquelas com menos "distinção", educação ou "cultura") — e a tese de Arlie Hochschild pode tornar-se compatível com a teoria mais ampla sobre o processo civilizatório de Norbert Elias.

Em algumas culturas, como na Tailândia (e na maioria das sociedades do Extremo Oriente), maneiras elegantes e habilidades sociais refinadas são até mais importantes que beleza facial e *sex appeal*, e têm mais valor nos mercados de casamento, assim como no ambiente de trabalho. Acredito que habilidades sociais, cortesia e chame se tornam mais valiosos no contexto das sociedades multiculturais devido à exigência de mais destreza e conhecimento. Por exemplo, quando é "elegante" e quando é grosseiro se atrasar para uma reunião, um encontro, um jantar ou uma festa? Como saber quem paga em um encontro ou em uma saída com os amigos? Em que situações dar presentes é apropriado? Quais são as regras dos relacionamentos que se desenvolvem entre colegas de trabalho? O emaranhamento entre vida particular, trabalho e vida pública torna as habilidades sociais ainda mais importantes para qualquer um que busque tirar o máximo de seu capital erótico. Até hoje, os cientistas especialistas na área ainda não conseguiram medir os valores social e econômico das habilidades sociais, mesmo que todos saibam o quanto são importantes.[47]

Carisma e liderança

A eleição geral britânica de 2010 foi transformada por um carismático jovem político, Nick Clegg, líder do Partido Liberal Democrata. Pela primeira vez, a eleição incluiu três debates televisionados de noventa minutos entre os líderes dos três partidos principais. O tradicional foco em políticas partidárias foi suplementado por um novo foco nos líderes partidários: aparência, personalidade e estilo. Todas as pesquisas de opinião demonstraram que Clegg ganhou o primeiro debate com uma grande margem, e algumas deram a ele 70% de aprovação. Houve um enorme aumento no apoio aos Liberais Democratas. No fim, eles ganharam apenas 24% dos votos nacionais, contra 30% do Partido Trabalhista e 37% dos Conservadores. O aumento no apoio popular para os Liberais Democratas não foi refletido em um grande número de cadeiras parlamentares, mas transformou a paisagem política.[48] Uma coalisão governamental foi formada pelos Conservadores e pelos Liberais Democratas, a primeira em mais de sessenta anos.

Nick Clegg era o mais novo e o mais atraente dos candidatos, e isso transpareceu claramente nos debates da televisão. Alto, magro, elegante, confiante, inteligente, bonito, bem-vestido, com um charme tranquilo e domínio total das questões políticas, Clegg foi rapidamente percebido como uma figura carismática. Ele sublinhou a distinção de seu partido lembrando aos eleitores que o Liberal Democrata fora o único partido importante a votar contra a invasão britânica ao Iraque. Todos os analistas políticos analisaram a "Cleggmania" e seus efeitos no cenário político. Entretanto, houve pouco reconhecimento de que foi seu capital erótico superior, tanto quanto suas políticas partidárias, que o impulsionou na estima popular.

A liderança carismática tem sido creditada a outras figuras religiosas e políticas — particularmente Hitler, Lenin e Gandhi. O conceito original de carisma dizia respeito mais à mensagem do líder, à visão dele, que atraía seguidores e possibilitava transformações políticas, especialmente quando esta oferecia soluções para conflitos ou crises. Hoje em dia, o conceito é usado de forma mais ampla e liberal para se referir a pessoas com a personalidade positiva, o estilo e as habilidades sociais de um líder, e também a pessoas muito atraentes que conquistam seguidores, fãs, imitadores ou apoio eleitoral. Atualmente, espera-se que até mesmo líderes empresariais e CEOs sejam carismáticos, como Sir Richard Branson,[49] chefe do império de negócios Virgin.

O ponto principal aqui é que o carisma se vale de personalidade, habilidades sociais, dinamismo e imagem pública, três dos cinco elementos do capital erótico. Beleza e *sex appeal* são vantajosos, mas não essenciais. Hitler e Lenin não eram homens bonitos.

O *capital erótico nos esportes*

Com mais de 1,80m, Arnold Schwarzenegger sempre foi um homem grande, desde os 14 anos, quando começou no fisiculturismo. Aos 20 anos, ele já tinha conquistado o título de Mister Universo, o homem mais novo a vencer. Aos 23, ele ganhou o concurso Mister Olympia, e recebeu esse título sete vezes ao todo. Suas proezas atléticas e fama abriram portas para outras atividades, e ele aproveitou todas. Austríaco de nascimento, foi para os Estados Unidos e se tornou um dos maiores astros de Hollywood, atuando em papéis de guerreiros que exibiam físico excepcional, energia, vivacidade, dinamismo e a determinação que lhe rendeu tantos concursos de fisiculturismo. Ele investiu seus ganhos com filmes em negócios e tornou-se um homem muito rico. Depois de ingressar para uma família de políticos através do casamento, concorreu ao cargo de governador da Califórnia e foi o segundo imigrante a conquistar o posto, que manteve por sete anos (2003-2010). Dizem que apenas a origem desse austríaco o impediu de concorrer à presidência dos Estados Unidos, como fez, com sucesso, antes dele, o ator Ronald Reagan.

Schwarzenegger sempre foi atraente para as mulheres. Sua primeira parceira descreveu-o como extremamente carismático, aventureiro e atlético. Parte de seu apelo é que ele personifica o sonho americano, o homem que venceu sozinho, o imigrante que se deu bem. Seu sotaque austríaco era tão acentuado no princípio que sua voz teve de ser dublada nos primeiros filmes. Certa vez ele disse: "O fracasso não é uma opção." Parece correto dizer que toda a sua carreira foi baseada no fisiculturismo, na força e na vivacidade. Quando foi para os Estados Unidos com 21 anos, ele falava pouco inglês, ainda era pobre e tinha poucos contatos sociais. Seu capital erótico foi o trampolim para sucesso e fama excepcionais.

Os atletas normalmente possuem altos níveis de capital erótico. Beleza física, corpos perfeitos, boa forma e vivacidade contribuem para a popularidade dos esportes entre os espectadores — na vida real e na TV. A maravilhosa análise de Allen Guttman demonstra a importância do apelo erótico nos esportes ao longo da história.[50] Os antigos gregos valorizavam a psique perfeita dos atletas tanto quanto qualquer sucesso no esporte. Tempos depois, em Roma, os gladiadores eram tão famosos que as damas da sociedade arriscavam sua reputação por encontros secretos com eles. Os *matadores* espanhóis sempre tiveram apelo erótico, tanto para homens quanto para mulheres — o que é retratado nos desenhos de Picasso e no romance de Ernest Hemingway, *O sol também se levanta*. Patinação artística e dança de salão acrescentam músicas e trajes glamourosos para transformar a boa forma, o atletismo e os corpos perfeitos em entretenimento popular. As atividades atléticas baseiam-se tanto na exibição do capital erótico quando no sucesso esportivo.

As duas irmãs feias

As concorrentes de Cinderela no baile são suas duas irmãs feias. Nas pantomimas de Natal inglesas, elas geralmente são interpretadas por homens, que não exibem qualquer feminilidade ou elegância de estilo e maneiras. Vestem-se mal e de maneira espalhafatosa, têm penteados grotescos e são, geralmente, figuras ridículas, exibindo, às vezes, barba e barriga. Normalmente há uma irmã alta e magra e outra gorda. Nas apresentações, as crianças na plateia costumam vaiar coletivamente as irmãs feias. Na vida real, a exclusão social de pessoas gordas e feias pode ser taxada como discriminação.

O constante aumento na proporção de pessoas que estão acima do peso ou obesas em sociedades abastadas significa uma constante ampliação do capital erótico daqueles que mantêm o peso normal, porque seu valor de escassez se eleva. Na Grã-Bretanha, em um período de 15 anos, de 1986 a 2000, homens e mulheres ganharam 5 quilos, em média. Em 2008, um quarto dos homens na Inglaterra era obeso, comparado a apenas 7% em 1986. Em 2010, mais de metade dos adultos da Grã-Bretanha estava acima do peso ou era obesa, mais do que em qualquer outro país europeu.[51] Nos Estados Unidos, especificamente, a obesidade tornou-se epidêmica, afetando tanto crianças quanto adultos. Em 1977, menos de um quinto dos adultos estava acima do peso, e quase ninguém (1% dos homens e 3% das mulheres) era obeso.[52] Desde então, nos últimos trinta anos, cerca de metade da população se tornou obesa ou gorda, especialmente homens com altos salários e mulheres com salários baixos.[53]

A abundância leva cada vez mais pessoas a comer de forma exagerada. Empregos sedentários e de escritório nos levam a não fazer tanto exercício de maneira natural quanto no passado, e temos de buscá-lo artificialmente em academias e atividades esportivas de lazer. A invenção do Índice de Massa Corporal (IMC) torna mais fácil saber quando estamos acima do peso ou obesos. Gordura não é mais um julgamento puramente subjetivo, mas uma questão para estatísticas oficiais e profissionais de saúde.

Estar gordo ou magro demais não é bom para a saúde de ninguém, mas a gordura é, de longe, o problema mais comum. Estar gravemente acima do peso ou com obesidade aumenta muito a probabilidade de diabetes, doenças cardíacas e derrames. Os obesos também têm maior risco de desenvolver câncer, artrite e doenças pulmonares. Os custos adicionais de saúde para esse problema já levaram algumas seguradoras a cobrar mais por seguros de saúde para obesos. No entanto, os custos recaem sobre todos os contribuintes dos países do bem-estar social europeus.

Não existem vantagens ou benefícios concebíveis em estar acima do peso ou obeso, apenas desvantagens.[54] Apesar disso, alguns grupos feministas lançaram uma campanha ideológica para defender as gordinhas e argumentam que qualquer tipo de exclusão social ou ostracismo desse grupo constitui discriminação ilegal. Elas argumentam, inclusive, que as mulheres têm o *direito* de serem gordas.[55] Estudos da gordura têm sido promovidos como uma nova área de pesquisa, com conferências nacionais e jornais acadêmicos para promover a causa.[56] Alguns advogados norte-americanos juntaram-se à campanha, promovendo processos e buscando compensação financeira por discriminação contra os gordos e obesos.[57] Por exemplo, eles são contra a exigência das companhias aéreas de que pessoas gordas reservem dois assentos para acomodar seu tamanho (ou, do contrário, são expulsas dos voos) e argumentam que os assentos deveriam ser maiores. Fazem objeção à discriminação dos empregadores contra os gordos e obesos quando estão contratando pessoas, alegando que estar acima do peso não interfere na competência da maioria dos empregos. Eles negam que estar acima do peso cause problemas de saúde e que isso seja um fator de risco adicional para acidentes em escritórios ou fábricas, ou que esse fato impõe custos extras aos empregadores (no mínimo, para cadeiras mais largas e fortes).[58]

Ser gordo não é um problema feminista, ao contrário do que alegam alguns psicoterapeutas.[59] É simplesmente uma questão de saúde, tanto para homens quanto para mulheres.[60] A aderência feminista a uma campanha tão desajustada sugere que o movimento perdeu de vista seus objetivos e se tornou uma ideologia permanentemente negativa, sem considerar a lógica, os fatos ou a razão.

Estar acima do peso é desnecessário e indesculpável, mesmo que apenas no quesito saúde. Assim como os fumantes agora são banidos em situações nas quais fumar afeta outras pessoas, não existe razão para perdoar a obesidade em situações nas quais esta afeta as atividades e o bem-estar dos demais. Estar no assento ao lado de uma pessoa muito gorda em um voo longo ou em uma viagem de trem é uma experiência desagradável e que não se esquece rapidamente. Em geral, a discriminação contra os que estão acima do peso pode ser justificada pelos direitos humanos de todos os outros. O fator-chave é que pessoas gordas são quase sempre responsáveis pela própria condição, ao contrário dos altos ou baixos, que não têm controle sobre a própria altura, ou de membros de grupos étnicos específicos, que não podem alterar sua origem. Falar sobre "discriminação" parece estranho para uma condição que oferece apenas desvantagens e pode ser modificada com algum esforço pessoal.[61]

Entretanto, o problema principal aqui é o impacto de estar acima do peso no capital erótico. No mundo ocidental, pessoas gordas e obesas são quase invariavelmente consideradas feias, e são discriminadas tanto na vida pessoal quando na pública, no sentido de que os outros normalmente procuram evitá-las como colegas, amigas e amantes. A irmã feia gorda é malvestida e não tem charme, porém, de qualquer maneira, ser gorda a exclui da competição pela atenção do Príncipe Encantado — ao menos no mundo ocidental.[62] E ela provavelmente também ganha menos.

O conceito de "discriminação" é aplicado com rapidez excessiva em situações nas quais há tratamento ou resultados diferentes. Em muitos casos, existem explicações simples para esses resultados, que não envolvem favoritismo injusto ou inclinação intencional a favor ou contra grupos particulares. Em outros casos, pode haver justificativas solidamente documentadas para o tratamento diferenciado, como no caso dos obesos e gordos.

A mágica social dos sorrisos

Em uma entrevista para o jornalista Richard Merryman, em 1962, pouco antes de sua morte, Marilyn Monroe relembrou como o mundo a seu redor repentinamente mudou quando ela tinha 11 anos. Até então, as portas pareciam fechadas para ela, que estava do lado de fora. Conforme se tornava uma jovem beldade, de repente tudo se abriu para ela, o mundo se tornou um lugar amigável. Em sua caminhada diária de 4 quilômetros até a escola, a vida começou a lhe sorrir, e ela retribuiu o sorriso. Isso mudou a maneira como Marilyn Monroe se relacionava com as pessoas, especialmente com os homens, e foi o começo de sua estrada para o estrelato.[63]

Sorrir torna quase todo mundo mais atraentes, porém funciona especialmente bem para as mulheres.[64] A política feminista espera que as mulheres usem o sorriso com menos frequência do que costumavam fazer, tanto no trabalho quanto na vida pessoal. No momento, sorrir é um ato político. A minuciosa análise feita por Arlie Hochschild da política e da economia do sorriso na indústria das companhias aéreas encoraja muitas mulheres a considerá-lo um "trabalho emocional", que elas não devem desempenhar a não ser que sejam remuneradas — e talvez nem assim. Como tantos outros quadros de funcionários do setor de serviços, os membros das equipes de bordo das companhias aéreas devem sorrir ao servir os clientes e serem educados e charmosos sempre que possível. Mesmo assim, as mulheres norte-americanas normalmente se recusam a fazê-lo. Quando um cliente perguntou a uma comissária de bordo por que ela não estava sorrindo enquanto o servia, ela respondeu: "Sorria primeiro." Quando ele o fez, ela retrucou: "Agora fique assim pelas próximas 15 horas", e se afastou.[65] A comissária de bordo "liberada" é agora grosseira, e se recusa a fazer seu trabalho como solicitado pelo empregador. Em contraste, os japoneses sabem que o sorriso é um elemento essencial de coesão social, harmonia e educação — tanto na vida pessoal quanto na pública, para homens e mulheres.[66]

Os homens sabem usar os sorrisos. Dizem que ninguém sabe manter um sorriso como Silvio Berlusconi, o magnata da mídia e ex-primeiro-ministro italiano.[67] Sendo um homem rico e poderoso, era esperado que ele parasse de se dar ao trabalho. Mas isso não acontece. Ele se esforça, por horas a fio, durante aparições públicas e campanhas políticas. Candidatos a cargos políticos logo aprendem que a disposição para sorrir, parecer agradável e acessível (e de fato *ser* agradável e sociável com os eleitores) é parte essencial do trabalho.

Os homens de outras profissões também empregam sorrisos para tornar seu trabalho mais fácil. Consultores hospitalares, advogados, promotores, conselheiros, diretores, administradores — todos sabem que sorrir para a pessoa com quem estão falando, seja subordinado ou superior, colega ou amigo vai ajudar a discussão a transcorrer mais tranquilamente, com menos atrito, a ser mais frutífera. As mulheres normalmente têm medo de sorrir demais e serem vistas como fáceis, tolas, fracas. Mas isso é determinado por outros aspectos de seu comportamento, opiniões e decisões.

A questão do "você sorri primeiro" pode facilmente se tornar uma disputa de poder contraditória, combativa e completamente inútil. Pessoas bonitas aprendem a sorrir facilmente porque cresceram acostumadas aos sorrisos dos outros desde a infância, então retribuem. Todos os demais podem elevar seu capital erótico sorrindo primeiro, de forma que o mundo retribua o sorriso. Sorrir é o sinal mais universal de acolhimento, aceitação e contentamento em relação aos demais. Essa simples habilidade social desempenha um papel facilmente negligenciável — porém crucial — nos relacionamentos profissionais, políticos, sociais e sexuais.

O treinamento para sorrir é muito usado nas indústrias de serviços, nas quais o cliente não sente que deveria ser o primeiro a sorrir para os funcionários. Entretanto, em países altamente civilizados como o Japão, todos são ensinados a sorrir educadamente, em especial para pessoas mais velhas e superiores, e as mesmas boas maneiras são comuns em toda a Ásia. Sorrisos não custam nada e sempre são eficientes.

As pessoas que se opõem à ideia de que o capital erótico é valioso normalmente reclamam que ele é puramente herdado, portanto não poderia, ou não deveria, ter valor. Mas a inteligência é, em grande parte, inata, e mesmo assim seu valor é prontamente concedido e recompensado. Sorrisos, boas maneiras e habilidades sociais não são herdados e podem ser desenvolvidos por qualquer um. Na verdade, todos os aspectos do capital erótico podem ser desenvolvidos, assim como a inteligência. Aceitamos que é sensato que as pessoas invistam de dez a 15 anos de sua vida, ou até mais, para obter uma boa educação e desenvolver talentos intelectuais, normalmente à custa de enorme gasto pessoal e público. Por isso também faz sentido investir tempo e esforço em desenvolver o capital erótico.

Isabelle teve a sorte de nascer bonita, e isso ajudou a formar sua personalidade alegre, e agradável autoconfiança quando criança. No entanto, sua aparência definhou rapidamente, como frequentemente acontece com crianças claras. Na vida adulta, sua beleza vinha basicamente do tempo e do esforço que ela investia em visual e estilo. O cabelo, cujo tom tinha se tornado um castanho desbotado, recebia luzes regularmente para manter suas credenciais de loura. Ela mantinha sua forma, pois qualquer excesso de peso teria aparecido rapidamente em sua pequena estatura. Escolhia roupas adequadas a sua compleição delicada, mesmo que isso excluísse muitos estilos que ela gostaria de usar. Na vida adulta, seu capital erótico era devido ao trabalho árduo e à manutenção, não à beleza inata. Ela se importava com apresentação pessoal, tanto no contexto profissional quanto em casa. Já Pamela não tentava, ou não tentava o suficiente. Com sua aparência marcante, ela poderia ter tido um destaque maior que a irmã mais baixa e se tornado tão atraente quanto ela. Mas nunca se esforçou, esqueceu como sorrir, e o mundo parou de sorrir de volta.

5. Romance moderno

Nem sempre os relacionamentos são o que parecem. Rania e Mohammed são palestinos modernos que escolheram viver em Londres, mas ainda agem sob uma rígida separação de papéis. Ele é extremamente instruído e sustenta a casa, trabalhando muitas horas em uma área que frequentemente o mantém afastado da família, mas ofende-se com qualquer interferência ou envolvimento em seu controle dos assuntos financeiros. Sua mulher, Rania, concluiu apenas o ensino médio e parou de trabalhar assim que se casou. Ela não tem planos de retornar ao trabalho remunerado, ainda que gostasse de seu emprego antes do casamento. Rania se dedica a ser a esposa e mãe perfeita, e uma anfitriã elegante quando eles recebem visitas. Ela é totalmente dependente do marido e, ainda assim, parece ser a pessoa que tem mais poder no relacionamento. Se quer um carro novo, consegue. Ela tem empregadas para fazer todo o trabalho doméstico. Seu guarda-roupa é extenso e é constantemente renovado. Gasta uma fortuna em roupas, brinquedos e presentes para os filhos, a quem nada é negado, mesmo que isso signifique atrasar a conta de luz.

Já o casal Paul e Charlotte são a epítome do igualitarismo ocidental moderno. Ambos são muito instruídos e têm carreiras de sucesso. Charlotte sempre trabalhou, mesmo que o marido seja bem-sucedido em seu emprego e eles tenham um estilo de vida abastado. O casal divide os cuidados com as crianças e Paul contribui nas tarefas domésticas. A personalidade dinâmica a torna uma ótima anfitriã. E, mesmo assim, Charlotte sempre pareceu viver à sombra do marido, inibida e até mesmo diminuída por ele, apesar do caráter expressamente igualitário do relacionamento. Paul tem uma personalidade dominante, toma todas as decisões, mesmo em relação à escolha dos amigos do casal, e desconsidera a esposa quando quer, até em público.

Esses casos contrastantes parecem contradizer todas as expectativas sobre os efeitos da emancipação feminina e ganhos independentes nas relações de poder no casamento. Esposas com pouco estudo e que não trabalham podem, às vezes, ser mais poderosas que mulheres extremamente cultas que trabalham muito.

O crescente status das mulheres

Alguns jornalistas e acadêmicos ocidentais geralmente falam, erroneamente, da esposa "tradicional" que não trabalha, da batalha das mulheres para poder trabalhar e do crescimento do emprego feminino. Essa rotina de deturpação da história recente é desconcertante. Na verdade, o marido provedor, apoiado por uma esposa dona de casa em tempo integral, é uma ideia muito nova e moderna, resultado da afluência. No mundo inteiro, mulheres (e algumas crianças) trabalham nos campos e em negócios familiares durante horas e horas, realizando tantos serviços quanto os homens, e geralmente *mais*, se acrescentarmos suas tarefas domésticas e cuidados com os filhos. Na Grã-Bretanha, as taxas de mulheres trabalhando, em 1851, eram tão altas quanto em 1951.[1] Empregos de meio período distorcem as estatísticas trabalhistas. No Velho Mundo, os homens ainda fazem 50% mais horas de trabalho remunerado, em média, do que as mulheres.[2]

Tornar-se uma dona de casa "à toa" em tempo integral é um sonho utópico moderno para a maioria das mulheres. Por quase todo o século XX, o casamento foi apresentado como a melhor carreira para elas. Nas classes médias, normalmente era a única opção respeitável por causa dos baixos salários para o trabalho feminino. Famílias ricas podiam aumentar as perspectivas de uma boa união para suas filhas oferecendo um grande dote ou uma herança futura, mas a maioria das jovens se vendia no mercado de casamento usando seu capital erótico, de forma discreta, tão bem descrita nos romances de Jane Austen. Famílias organizavam bailes, festas e outros eventos sociais para exibir suas filhas nos mais belos vestidos assim que elas chegavam à idade de se casar, esperando que as garotas chamassem a atenção de alguém. Nos Estados Unidos, era costume educar tanto filhas quanto filhos. O ensino médio e o superior se tornaram lugares importantes para encontrar cônjuges — e continuam a ser até hoje.[3] Na Europa, era menos comum educar as filhas. Uma concordância universal era que os maridos mais desejáveis possuíam riqueza, status e perspectivas. Boa aparência e personalidade agradável eram um bônus.

A revolução das oportunidades iguais dos anos 1970 e a revolução dos contraceptivos nos anos 1960 mudaram tudo isso. As universidades da Europa e da América do Norte foram obrigadas a abrir as portas para as jovens, e logo as mulheres estavam invadindo cursos técnicos, e depois empregos de nível superior e ocupações liberais. Metade dos cargos médicos, farmacêuticos, jurídicos e de gerentes intermediários agora é ocupado por mulheres, e elas predominam em algumas indústrias, como o mercado editorial, a moda e a beleza.[4]

Mercados livres de uniões afetivas

Mais do que nunca, as mulheres são livres para escolher seu próprio marido, sem depender de mais ninguém. Na verdade, hoje em dia, temos mercados livres de encontros, uniões afetivas e casamentos, com pais e parentes desempenhando apenas um pequeno papel em guiar as escolhas das jovens. As mulheres agora são tão instruídas quanto os homens, às vezes até mais, e podem ganhar o próprio sustento, como geralmente fazem, antes e depois do casamento. Como essas mudanças afetaram os encontros, o romance e o casamento no século XXI? Muitas pessoas presumem que o capital erótico deve ser muito menos importante hoje do que na época em que o sustento das mulheres dependia dele.

E assim parece. Estudos realizados por todo o mundo demonstram que, quando perguntadas sobre as características que procuram em um parceiro, as mulheres preferem homens de status que tenham recursos, enquanto os homens preferem mulheres atraentes.[5] Hoje em dia, na América do Norte, as estudantes universitárias dizem que preferem um parceiro que possua seu mesmo nível de status e atratividade — elas procuram igualdade e similaridade, não a tradicional troca.[6] Os mesmos padrões foram encontrados na Alemanha entre jovens solteiras que já trabalham.[7]

Ainda assim, outros estudos sugerem poucas mudanças. Homens que publicam anúncios pessoais em jornais normalmente dizem que procuram uma parceira atraente — um terço deles *versus* apenas uma em cada sete mulheres, mais que o dobro. Pesquisas que perguntam sobre as características desejáveis em um cônjuge também descobrem que os homens são mais preocupados com boa aparência. A maior parte das evidências indica que eles dão muito mais ênfase à juventude e à boa aparência do que as mulheres, enquanto elas procuram homens ricos e importantes.[8] Por outro lado, todos esses estudos estão a certa distância do que acontece na vida real, em festas, quando as pessoas realmente se encontram pessoalmente.

Estudos sobre encontros on-line e encontros-relâmpago demonstram que as preferências declaradas têm pouco a ver com o que realmente acontece quando as pessoas são confrontadas com as escolhas da vida real. Encontros-relâmpago fornecem um microcosmo controlado do estágio de "triagem" inicial na seleção de parceiros, e tornam-se cada vez mais populares, porque permitem que as pessoas conheçam e conversem com cerca de vinte potenciais parceiros em uma noite. Cada casal conversa por, aproximadamente, de três a dez minutos antes de partir para o próximo pretendente. Depois de cada "miniencontro", os participantes fazem um cartão para dizer se querem ver a pessoa novamente. Apenas os pares de participantes que expressam um interesse *mútuo* em se ver novamente recebem os contatos uns dos outros.

Os participantes se apresentam em seu melhor para encontros-relâmpago — em estilo, modos e conversa. A estrutura dos eventos torna fácil para os organizadores classificá-los por sua atratividade geral física e social.

O que acontece na prática é que a aparência conta, especialmente para o sucesso das mulheres. As mais atraentes (como classificadas independentemente pelos organizadores) recebem mais ofertas dos homens. O interessante é que a avaliação de uma mulher sobre a própria atratividade é um indicador menos confiável de quanto sucesso ela terá em atrair pretendentes. As mulheres sabem que ter um alto nível de capital erótico "compra" homens desejáveis — aqueles com dinheiro e status, que demonstram valores familiares e têm boa aparência. As mulheres são mais exigentes que os homens, que fazem ofertas para muitas, na esperança de ter sorte com alguma. Os homens menos atraentes fazem duas vezes mais ofertas do que os outros e ainda assim não são escolhidos — a não ser que possam oferecer vantagens compensatórias. Entre homens e mulheres, o nível de exigência aumenta de acordo com a própria percepção de atratividade. Pessoas com alto capital erótico recusam-se a escolher qualquer um para futuros encontros.[9]

Eventos de encontros-relâmpago e encontros on-line são versões extremamente condensadas dos processos de seleção que ocorrem de maneiras mais casuais em festas e locais públicos. Eles expõem o critério de seleção que atua na vida real, talvez subconscientemente, ou que as pessoas podem preferir esconder em entrevistas. Demonstram que, não importa o que os homens digam, a atratividade feminina geral conta mais do que tudo. As mulheres avaliam os homens como um todo. Alguém que não é atraente pode oferecer benefícios compensatórios substanciais em riqueza, esforço e disposição para agradar de forma a fazer progresso, ou aceitar um nível mais baixo de atratividade na parceira. Os padrões são sempre mais altos para as mulheres, como demonstrado pela difundida intolerância das sociedades modernas com as que estão gordas ou obesas. Paradoxalmente, a magreza se torna ainda mais valiosa em países (como nos Estados Unidos) onde muitos estão acima do peso.[10]

A sensibilidade feminina a esses indícios sociais e econômicos pode sobrepujar o julgamento puramente sexual da atratividade. Mesmo quando devem focar apenas na atratividade *sexual* de um homem como parceiro em potencial, as mulheres levam em conta qualquer outra informação disponível — através de estilo de se vestir ou qualquer outra pista — sobre a posição social e econômica, educação ou renda. Em contraste, o julgamento masculino sobre a atratividade sexual das mulheres é focado totalmente em corpo, rosto e *sex appeal*. Eles podem ignorar detalhes externos sobre renda e status, e normalmente o fazem. Essa é a razão principal pela qual os homens exibem alta consistência em suas classificações da atratividade feminina. As classificações das mulheres podem flutuar conforme elas reúnem mais informações.[11] As avaliações masculinas e femininas sobre a atratividade sexual não são iguais. O julgamento masculino é focado no capital erótico e, por isso, é mais consistente. O feminino geralmente considera o pacote geral de capital erótico, humano, econômico e social. Assim, até mesmo Rupert Murdoch pode parecer atraente.

Isso explica por que as mulheres reclamam quando são forçadas a se encaixar em um conceito específico de beleza e *sex appeal*, enquanto os homens sabem que podem ter uma grande variedade de aparências e estilos e ainda serem considerados atraentes por elas, pois contam com o dinheiro e com outros atributos como fatores de equilíbrio.

Mercados modernos de uniões afetivas e casamento

Os resultados dos encontros-relâmpago confirmam que a troca de capital erótico feminino pelo poder econômico masculino continua existindo, mesmo no século XXI. Estudos anteriores demonstraram que era comum no século XX. A cultura cruelmente competitiva de escolas de ensino médio e faculdades mistas nos Estados Unidos as transforma em mercados públicos de casamento, além de estabelecimentos educacionais. As garotas aprendem que popularidade e sucesso social normalmente estão mais ligados à atratividade física, aos cuidados pessoais e à popularidade com garotos do que à habilidade acadêmica e sucesso escolar.[12] Garotas que são atraentes quando estão no ensino médio têm mais chances de se casar ainda jovens e ter uma renda familiar maior 15 anos depois.[13] As meninas e as mulheres entendem que inteligência e beleza são recursos igualmente efetivos no caminho para o sucesso. Não existem evidências de que elas estejam rejeitando os benefícios do capital erótico. Mulheres com grandes aspirações sociais empregam ativamente os cuidados pessoais para maximizar o valor de seus atributos físicos. Mesmo hoje em dia, as mulheres têm o hábito de trocar atratividade por riqueza e poder masculinos, e galgam a hierarquia social através do casamento.[14]

Um estudo comparativo transnacional, organizado pelo psicólogo norte-americano David Buss no final dos anos 1980, oferece as evidências mais conhecidas de que a troca de atratividade física por poder econômico continua basicamente a mesma. O estudo abrangeu 37 países e culturas em cinco continentes, com uma tendência para os setores urbanos, abastados e educados da sociedade em cada país. Os resultados demonstraram que, até mesmo hoje em dia, as mulheres modernas mais cultas preferem parceiros economicamente fortes, e que os homens normalmente buscam atratividade física em troca.[15] Mesmo mulheres extremamente instruídas com bons salários procuram parceiros abastados e bem-sucedidos e se recusam a considerar fazer um "mau" casamento com alguém que tenha um salário mais baixo do que o delas (ao contrário dos homens).[16] Quando o fazem, tais casamentos podem enfrentar mais problemas que os outros.[17] Mesmo nos dias atuais, a maioria das mulheres admite que seu objetivo sempre foi se casar com um homem com ganhos mais altos, e a maioria delas consegue.[18]

As esposas dos homens mais ascendentes nas carreiras liberais e administrativas são donas de casa em tempo integral, ou seja, não têm emprego remunerado.[19] Reformulando: um homem casado com uma mulher que cuida de todo o trabalho doméstico e familiar tem muito mais probabilidade de subir na carreira e ter um alto salário do que alguém em uma parceria na qual os dois trabalham, que precisa fazer concessões para acomodar a carreira da esposa. Mulheres que não têm a própria carreira são livres para ajudar na do marido com o próprio capital erótico, que elas têm tempo de desenvolver plenamente (como demonstrado pelas esposas de diplomatas, políticos e diretores) em acréscimo aos benefícios de eficiência de uma divisão do trabalho que permite ao marido focar exclusivamente na própria carreira, sem ter de dividir o cuidado com os filhos, comida e limpeza.[20]

As mulheres podem, assim, explorar seu capital erótico em prol da mobilidade social ascendente através do mercado de casamento em vez de, ou tanto quanto, do mercado de trabalho. Um exemplo é a bela modelo sueca Elin Nordegren, que ganhava muito por seu trabalho, mas atingiu riqueza, fama e status social muito maiores por seu casamento com Tiger Woods que, segundo estimativas, valia 500 milhões de dólares e que, dizem, foi o primeiro atleta a ganhar 1 bilhão com carreira e acordos de patrocínio. Consta que ela saiu do casamento com 100 milhões de dólares depois que a promiscuidade de Tiger Woods veio a público em 2010. Pouquíssimas mulheres vão realmente se casar com um astro do futebol ou de qualquer outro esporte, mas esse é o desejo de muitas.

Existem mais milionários do sexo feminino que do masculino na Grã-Bretanha. Algumas se tornam ricas por seus próprios esforços, enquanto outras são viúvas ricas e divorciadas que casaram bem. O mercado de casamento continua sendo um caminho para a mobilidade social ascendente, mesmo após a revolução das oportunidades iguais abrir o mercado de trabalho para as mulheres. Todas as evidências sugerem que as duas rotas podem ser igualmente importantes para o status social e a riqueza das mulheres nas sociedades modernas.[21] Assim, no século XXI, em geral, o capital erótico e o capital humano das mulheres têm aproximadamente o mesmo valor no que diz respeito à obtenção das coisas boas da vida. Isso também ajuda a explicar por que as adolescentes e jovens acreditam que a boa aparência pode levá-las mais longe na vida do que a educação, personalidade ou inteligência, e por que elas considerariam fazer cirurgia plástica para aumentar sua beleza.[22]

Sites de namoro fornecem pontos de encontro viáveis para pessoas que buscam parceiros, e estão se transformando na forma moderna de encontrá-los. O Facebook se tornou popular em parte porque combina site de namoros com um serviço de rede social. Os perfis fornecem fotos, dizem se alguém está comprometido ou disponível e o que procura. É mais eficiente que confiar na rede de fofocas. Uma das concepções mais bem estabelecidas, confirmada por todos os estudos, é que as pessoas que estão acima do peso ou são obesas não são consideradas atraentes, em detrimento de seus outros méritos. Ainda que alguns possam ter suas dúvidas sobre avaliações de atratividade em pesquisas, pois os gostos diferem, não há muito espaço para incerteza sobre tamanho e peso, especialmente quando o IMC é usado, levando em conta também a altura da pessoa. Alguns sites de namoro dizem explicitamente que excluem aqueles que estão acima do peso e outras pessoas não atraentes. O valor de troca da boa aparência e do peso normal é evidente. Nos Estados Unidos, mulheres brancas obesas têm poucas chances de se casar, e, quando o fazem, arranjam maridos que recebem salários menores, de forma que têm renda menor na vida adulta do que mulheres com peso normal.[23] (Essa afirmação é menos verdadeira em relação a mulheres negras, pois corpos grandes são mais bem aceitos na cultura dessa comunidade.)

Da mesma forma, na Grã-Bretanha, as mulheres obesas têm menos chances de se casar, e mais chance de ter um marido que ganhe pouco quando se casam, de forma que também têm renda mais baixa na vida adulta.[24] Além disso, os próprios obesos ganham menos, cerca de 14% menos que a média de todos os trabalhadores. Entretanto, a penalidade pode ser muito maior em ocupações liberais: menos 39% para homens e menos 19% para mulheres no geral (ver Tabela 4). As maiores penalidades de pagamento são para homens não atraentes e mulheres obesas.[25] Assim, essas mulheres se saem mal no mercado de trabalho e também no de casamento. Entretanto, ser alto e atraente aumenta suas chances de casamento, especialmente para os homens.[26]

O poder dentro dos relacionamentos

O capital erótico afeta o poder de barganha entre os parceiros dentro de um casal, especialmente em relação à sexualidade.[27] O argumento é apresentado com foco em casais heterossexuais, que são a grande maioria, mas aplica-se igualmente a casais homossexuais nos quais um dos parceiros é sexualmente mais atraente ou muito mais jovem. Mais adiante, analisarei os traços característicos dos casais homossexuais, entre os quais o sex appeal é ainda mais importante.

Alguns psicólogos sugerem que a barganha e a negociação por sexo acontecem somente antes do casamento, antes que o acordo esteja selado, enquanto homens lascivos estão abertos à persuasão.[28]

Porém, a acessibilidade sexual continua sendo um tópico central de negociação (e, às vezes, de amargo desentendimento) ao longo do casamento. No mínimo, a barganha se torna mais extrema com o passar do tempo, devido ao declínio do interesse sexual da mulher. A "economia sexual"[29] se aplica a pessoas casadas assim como a casais de namorados, mas aparentemente não a casais gays, como veremos mais adiante.

De certa forma, é espantoso que os cientistas sociais tenham ignorado o fator sexual nos relacionamentos por tanto tempo — possivelmente porque essa não é uma questão importante na vida dos acadêmicos. Em geral, as pesquisas focam em comparações de capital econômico entre os parceiros para avaliar relações de igualdade e poder dentro dos casais. Na Europa, as esposas tradicionalmente continuam sendo provedoras secundárias (mesmo na Escandinávia), contribuindo, em média, com um terço da renda familiar; de forma que os maridos ganham aproximadamente duas vezes mais que as esposas e, às vezes, toda a renda.[30] Frequentemente, esses valores são interpretados, sobretudo por feministas, como um indicador da dominação masculina e da "desigualdade de gênero" na família. Ainda assim, existem poucas evidências disso.[31] Pelo contrário, estudos sobre relacionamentos íntimos e livros de conselheiros matrimoniais apontam que a acessibilidade sexual costuma ser o principal recurso de barganha das esposas e não o dinheiro. As mulheres oferecem e recusam sexo para persuadir o marido a cooperar.[32] Essa estratégia é efetiva porque os homens quase sempre querem fazer mais sexo que suas mulheres, e porque a indústria do sexo comercial é estigmatizada. Esse desequilíbrio no interesse sexual constitui um dos problemas mais comuns apresentados a terapeutas de casal, conselheiros matrimoniais e colunas de aconselhamento em revistas.[33] Então, é estranho que os acadêmicos o tenham ignorado por tanto tempo em estudos sobre poder e barganha em casais.[34]

Um teste das fontes de poder conjugal é fornecido pelos casamentos por correspondência entre homens americanos e noivas da Tailândia, China, Filipinas e outros países. Normalmente, os homens procuram uma esposa no Extremo Oriente pois preferem parcerias com uma clara divisão do trabalho, sendo o marido o único provedor e a mulher, dona de casa em tempo integral. Eles acreditavam que as mulheres americanas são "feministas" demais para aceitar esse arranjo. As feministas descrevem esses casamentos transnacionais como uma escravidão exploradora da mulher. Na verdade, é justamente o contrário: essas esposas que não trabalham, que têm todas as desvantagens de morar em um país estrangeiro, longe da própria família, sentem que tiveram a liberdade de escolher um marido a seu gosto, e vivem em grande igualdade de barganha com os maridos, como os eles mesmo podem confirmar, pesarosos.[35] Esses casamentos transculturais e transnacionais geralmente envolvem mulheres que são tão atraentes quanto aventureiras (e, geralmente, bastante cultas também), que procuram um marido abastado para sustentá-las e, ao mesmo tempo, tratá-las com consideração e respeito.[36]

Esposas atraentes geram casamentos melhores. Os cônjuges se apoiam mais e interagem de forma mais positiva quando a esposa é mais atraente que o marido, depois de verificar educação e salário para comparar de igual para igual. De fato, os relacionamentos matrimoniais parecem ser mais infelizes quando o marido é mais atraente do que a mulher.[37] Parece que a convenção de os maridos serem mais altos que as esposas estende-se ao fato de as esposas terem de ser mais atraentes que os maridos.

Casos extraconjugais

Diretor da própria empresa, o marido de Samantha trabalhava muitas horas e frequentemente viajava à negócio durante semanas inteiras por toda a Europa. Ela suspeitava de que, enquanto ele estava afastado, divertia-se à noite com garotas de programa e outras mulheres que conhecia nos bares dos hotéis. Mas isso não a preocupava em excesso, especialmente porque o sexo, já há muitos anos, deixara de ser uma parte essencial do relacionamento deles. A ideia de que ela mesma poderia ter um caso só surgiu por causa de um vizinho. A esposa de Mark tinha morrido repentinamente após um derrame. Era evidente que ele não estava acostumado a ficar sozinho e precisava de companhia. Pareceu muito natural para eles almoçar ou jantar juntos quando o marido dela estava fora. Então, um dia Mark colocou os braços a redor dela e sugeriu que levassem aquilo adiante, se ela quisesse. Samantha não achava Mark nem um pouco atraente e o via apenas como um bom (e solitário) amigo. Porém, o incidente a fez pensar. Ela decidiu que poderia estar interessada em ter um amante, mas teria de ser jovem, ter um corpo bonito, ser dinâmico, alegre, atraente e sexy. O estilo de se vestir era o menos importante, pois ela podia comprar-lhe boas roupas se necessário. Mas ela não tinha interesse em um flerte com um homem mais velho, cansado e fora de forma como Mark, independente de quanto ele fosse agradável. Qualquer aventura teria de ser muito mais divertida que aquilo. Certo dia, ela encontrou um site de relacionamentos especializado em marcar encontros entre pessoas casadas, algumas das quais bastante jovens, e descobriu um mundo completamente novo. Então, achou outro site, especializado em garotões, que acabou se mostrando ainda mais divertido. Como já era casada e tinha uma vida financeira confortável, Samantha percebeu que podia ser muito mais aventureira e frívola na escolha de um amante. Optou por um estudante estrangeiro sem recursos, mas com alto capital erótico, e gastou muito dinheiro com seu jovem namorado. A alternativa seria ter escolhido um amante mais velho, e, nesse caso, ela ser a pessoa "mimada" no relacionamento.

Casos extraconjugais são de especial interesse porque expõem o valor do capital erótico mais claramente do que os mercados normais de encontros e de casamento.[38] Por causa das leis de oferta e procura e do déficit sexual masculino, são basicamente as mulheres atraentes que colhem os benefícios dos casos. Porém, homens jovens e atraentes também podem entrar no jogo.

Um estudo sobre homens e mulheres casadas que procuram casos sexuais através de sites de encontros concluiu que o "poder erótico" era o fator crucial para o sucesso ou o fracasso nos casos — especialmente do lado feminino.[39] A quantidade de homens excede a de mulheres em pelo menos dez para uma nesses sites, concedendo a elas uma enorme vantagem na escolha de quem desejam encontrar. Entretanto, muitas assinantes não são atraentes — as queixas mais comuns eram sobre mulheres gordas ou obesas e mulheres desleixadas que se apresentavam como beldades estilo *Penthouse*. Mulheres genuinamente atraentes eram, portanto, bastante escassas, ganhando o poder de fazer as regras para os encontros.

Os homens se ressentiram dessa inversão das regras habituais dos encontros, que os privaram do controle dos relacionamentos, deixando-os sem a escolha final de quem ver, quando e onde. Eles reclamam que as mulheres "exploram" e "tiram vantagem dos homens", negligenciando o fato de que os próprios exploram as mulheres sempre que podem.[40] Por outro lado, as mulheres ganharam enorme autoconfiança e felicidade por descobrir que estavam no controle e podiam empregar seu poder erótico para conseguir o que queriam.[41]

Sites de namoro fornecem mercados de encontro mais transparentes que as atividades casuais de bares e boates. Sites para encontros de pessoas casadas expõem o valor de troca do capital erótico mais claramente, porque os fatores que são importantes para relacionamentos duradouros (como religião, grupo étnico, educação, status social e idade), que estruturam de forma invisível os encontros de solteiros, podem ser deixados de lado em casos efêmeros, mesmo por mulheres.

Casos acontecem por todo o mundo. Eles existem tanto em sociedades que praticam a poligamia como nas que praticam a monogamia, entre mulheres com diversos maridos ou entre homens com várias esposas. A incidência de casos aumenta com a prosperidade. O mito da *femme fatale*, uma mulher irresistível e sedutora, é encontrado em quase todas as culturas, sejam antigas ou recentes, por todo o globo, e é usada para justificar casos, assim como casamentos inapropriados e problemáticos.[42]

Em algumas culturas, os casos não são incomuns, ainda que não sejam tão rotineiros a ponto de perder a excitação do ilícito e do proibido. Existem convenções sobre a conduta dos casos e as regras do jogo,[43] que sempre exibem uma troca de capital econômico e erótico. A oferta de algum tipo de presente em troca de favores sexuais também é comum. Na França, os casos são conhecidos como *petites aventures*, e se tornaram praticamente uma forma de arte. Um homem francês espera investir tempo, dinheiro e esforço em tornar um caso tão elegante e deliciosamente romântico quanto possível, com almoços e jantares em restaurantes agradáveis, presentes e uma ocasional viagem de final de semana para um destino romântico. O caso deve ter o romance do namoro. As francesas respondem à altura, aparecendo perfeitamente arrumadas e vestidas, e fazendo o papel da charmosa sedutora. A discrição é regra absoluta: nenhum dos lados deve confessar jamais, deve negar tudo se descoberto, e deve, de qualquer forma, tomar medidas para manter o sigilo total.[44] Na verdade, espera-se que um cônjuge que suspeite de um caso ignore o fato. Um escândalo seria deselegante, especialmente porque esses casos normalmente duram pouco.

Como de costume, as mulheres são escolhidas por seus atrativos eróticos; já os homens precisam complementar os próprios com fundos suficientes para prover entretenimento adequado. A exceção parecem ser os homens jovens com forma física excepcional e belos corpos que trabalham em *resorts* de férias como o Club Méditerranée — professores de tênis, de mergulho e outros funcionários que frequentemente se encontram com os hóspedes. Há muitas histórias sobre eles serem considerados presas fáceis —, até mesmo como parte do serviço — pelas hóspedes que fantasiam uma aventura excitante nas férias. Às vezes, são as mulheres que seduzem homens mais jovens, dinâmicos e atraentes.[45]

É notável que, mesmo nessa cultura, na qual os casos são considerados um dos luxos da vida, a diferença de gênero no desejo sexual seja tão proeminente quanto em outras. Um quarto dos maridos (comparado a apenas uma em cada sete esposas) tem casos. Os homens franceses têm duas a quatro vezes mais casos que as mulheres desse país.[46] De acordo com estudos realizados em outros lugares, os casos normalmente começam após quatro ou cinco anos de casamento ou de coabitação,[47] e não faz diferença se é o primeiro ou o segundo casamento (Tabela 3).

Estudos sobre encontros entre pessoas casadas na internet revelam que quase nunca as mulheres são totalmente conscientes de seu capital erótico ou que buscam explorá-lo ou capitalizá-lo. Os estudos também demonstram que os homens, com frequência, se ressentem quando elas usam sua vantagem, e tentam depreciá-la, rotulando-a de injusta, traiçoeira ou imoral.[48] De fato, eles se recusam a aceitar situações que limitem seu controle sobre os relacionamentos pessoais, especialmente quando estes se tornam públicos. É interessante que mesmo acadêmicos que reconhecem completamente a vantagem feminina no jogo dos encontros e nas uniões afetivas demonstram ansiedade diante da ideia de que as mulheres podem "explorar" a dependência sexual masculina.[49] Aparentemente, não há problema quando os homens exploram qualquer vantagem que têm em riqueza e status, mas as regras são feitas para evitar que as mulheres usem a vantagem do capital erótico.

TABELA 3 – Casos na França

Porcentagem de homens e mulheres com dois ou mais parceiros sexuais entre pessoas com mais de 45 anos que moraram juntas em janeiro de 1992

	Tempo de coabitação		
	0-2 anos	*5-10 anos*	*15 anos ou mais*
Primeiro casamento			
Homens com duas ou mais parceiras			
— no último ano	8	7	7
— nos últimos 5 anos		21	21
Mulheres com dois ou mais parceiros			
— no último ano	2	2	5
— nos últimos 5 anos		14	17
Segundo casamento			
Homens com duas ou mais parceiras			
— no último ano	10	7	6
— nos últimos 5 anos		25	19
Mulheres com dois ou mais parceiros			
— no último ano	3	4	2
— nos últimos 5 anos		12	13

Fonte: Bajos e outros (1998)

Sexualidade e amantes bem-sucedidos

Como o capital erótico influencia a vida sexual? Pesquisas demonstram que as pessoas associam atratividade com sexualidade, de forma

que mulheres e homens bonitos são também considerados mais inten
sos, sexualmente ativos, ousados e dispostos a experimentar.[50] Aparentemente, as pessoas atraentes de fato têm vidas sexuais mais ativas
e melhores, com uma diferença entre homens e mulheres: o duplo
padrão sexual significa que eles se gabam de suas incontáveis conquistas, enquanto elas mantêm um discreto silêncio sobre as próprias.
Mesmo no século XXI, as jovens relatam menos parceiros sexuais do
que homens jovens.

A oportunidade parece ser o fator-chave. Homens e mulheres jovens e bonitos recebem mais ofertas, os convites começam mais cedo,
eles têm mais oportunidades de ganhar experiência sexual e também
sofrem mais pressão para que isso aconteça. Como resultado, homens
e mulheres bonitos geralmente fazem a iniciação sexual precocemente. Isso já valia mesmo antes da revolução sexual. Nos anos 1960,
mais da metade dos universitários atraentes tinham iniciado a vida
sexual, comparados a um terço das mulheres de aparência comum e
feia.[51] Como a média de idade para a iniciação sexual caiu desde então, essa diferença cresceu.[52] Há uma gradual polarização da atividade sexual.

Assim, as mulheres bonitas (e, em menor grau, também os homens) ganham mais experiência sexual do que as feias, experimentam
uma variedade maior de atividades e têm atitudes mais liberais em
relação ao sexo e à expressão sexual. Os homens, mas não as mulheres, também admitem ter mais parceiras. Pessoas bonitas têm o dobro
de encontros, em média, do que adultos não atraentes.[53] Esse padrão
aparece mesmo quando a atratividade é avaliada por observadores ou
quando é autoavaliada, então é bastante vigoroso e sólido.

A moral sexual também é afetada pela aparência. O ciúme tende
a ser maior quando a outra parte é comum ou feia do que quando é
bonita. De certa forma, um amante bonito ajuda a explicar e desculpar o fato de um dos parceiros se distrair fora do relacionamento.[54]

Em países como os Estados Unidos, onde os casos são vistos com
desagrado, eles também podem ser justificados pelo sentimento de
que o relacionamento conjugal é "desigual" de alguma maneira. Casos são raros entre norte-americanos que acreditam que seu casamen-

to é equitativo ou que levam vantagem por ter mais benefícios que o cônjuge. Os casos começam mais cedo em um casamento, e são mais numerosos, entre cônjuges que consideram sua situação desfavorável ou até sentem-se traídos de alguma maneira.[55] Alguns maridos justificam seus casos indicando o fracasso da esposa em manter sua aparência e seu estilo de vestir. Um declínio acentuado no capital erótico delas é usado para explicar o fato de eles saírem com mulheres mais atraentes.[56] A alta incidência de casamentos celibatários é outra fonte de descontentamento por uma situação injusta. Em países nos quais os casos são tolerados, como França e Espanha, a oportunidade e o estilo de vida parecem ter mais importância que qualquer senso de descontentamento.

Gueixas e gays

O valor e a exibição de capital erótico diferem entre culturas e cenários sexuais.[57] Algumas culturas reprimem ativamente a sexualidade, o flerte e a exibição de *sex appeal*, como a cultura sueca. Outras promovem ativamente a exibição de *sex appeal*, comportamento sedutor e sexualidade. Elogios hábeis são um passatempo nacional na Espanha e em outros países latinos. Na Itália e no Brasil, os concursos de beleza são populares e focam basicamente na beleza corporal e boa forma física. Em grandes metrópoles multiculturais e multiétnicas, uma ampla diversidade de culturas sexuais pode estar representada, convivendo lado a lado. Londres é um exemplo. Na capital da Inglaterra, há alunos do ensino médio que falam mais de setenta línguas diferentes em casa com os pais.[58] Em ambientes com grande diversidade social sempre haverá valores culturais conflitantes — sobre sexualidade e capital erótico feminino, assim como sobre todo o resto.

Lésbicas e gays dão uma contribuição desproporcional para o debate público sobre sexualidade e para a literatura de ciências sociais sobre expressão sexual.[59] É compreensível: eles têm um interesse particular em entender essas questões e as implicações de sua diferença. Entretanto, acabam abafando os pontos de vista da maioria de 95% de homens e mulheres heterossexuais. Mais importante, as teorias oferecidas para explicar o comportamento social e sexual podem ser distorcidas por uma ênfase desproporcional no atípico.

Os acadêmicos norte-americanos têm usado os termos capital erótico e capital sexual de forma intercambiável para se referir exclusivamente à sexualidade e ao *sex appeal*, por causa de sua importância crucial na cultura gay.[60] Com foco na maioria heterossexual, minha definição de capital erótico é muito mais ampla e inclui atratividade e habilidades sociais. O *sex appeal* ainda é importante, pois o déficit sexual masculino aumenta o valor do capital erótico feminino na comunidade heterossexual. Entretanto, o capital erótico tem valor em *todas* as relações sociais e em *todos* os cenários sociais, incluindo o ambiente de trabalho, e não apenas nos mercados sexuais. O capital erótico engloba muito mais do que apenas *sex appeal* e sexualidade.

Mesmo quando não são lésbicas, as mulheres normalmente admiram outras mulheres excepcionalmente bonitas, bem-vestidas ou charmosas. Ainda que não sejam gays, os homens admiram outros homens com corpos "malhados" excepcionalmente bem tonificados, rostos bonitos e maneiras sociais elegantes. Como a beleza, o capital erótico é um símbolo de status, um artigo valioso em escassez em qualquer sociedade e, portanto, um bem luxuoso.[61] As pessoas têm a tendência natural de se aproximar de gente bonita, e isso afeta o caráter das interações sociais, mesmo na ausência de qualquer desejo sexual ou erótico. Parece apropriado reservar o termo mais específico "capital sexual" (ou *sex appeal*) para estudos sobre encontros sexuais e desejo sexual entre gays, e deixar o conceito de "capital erótico", como o defino, para estudos mais abrangentes sobre a maneira com que esse quarto atributo pessoal altera o status e a estrutura de poder de quase todas as interações sociais e econômicas.

De fato, capital sexual é *sex appeal* e atratividade sexual — o segundo elemento do capital erótico. O capital erótico *não* se limita apenas ao *sex appeal* e tem uma conversibilidade muito mais ampla em capital econômico, cultural e social.[62] Sociabilidade e amplas habilidades sociais são fundamentais para o capital erótico e para as culturas heterossexuais.

Essa questão é ilustrada pelo contraste entre as práticas de *cruising* gay e o papel da gueixa. Praticado nos parques públicos de Londres no meio da noite, quando não há ninguém por perto, o *cruising* envolve relações sexuais completamente *silenciosas*. Falar é a gafe máxima. A comunicação restringe-se à linguagem de sinais e gestos para as três mensagens principais: "Estou interessado", "Não, obrigado" e "Siga-me". Não há rituais de corte, nem flerte ou processo de sedução. Não existe absolutamente qualquer socialização. Os homens mal conseguem se ver no escuro, e essa é uma das maiores atrações — mesmo quem está fora de forma, é velho e feio pode se sair bem nessas condições. Roupas estilosas e aparência são muito menos importantes que nos mercados de encontro gays habituais. O *cruising* é um exemplo extremo, mas ficadas em saunas exibem traços semelhantes, mesmo que a iluminação seja muito melhor. A ênfase está na aparência e na observação de, acima de tudo, corpos atraentes. A socialização é mínima, às vezes, é até inexistente. Como os homens não usam nada além de toalhas nas saunas gays, há poucos indicadores de classe social e status econômico.[63]

Não existe equivalente para essas relações exclusivamente sexuais nos mercados comuns de encontros heterossexuais. Nem mesmo bordéis funcionam nesse estilo cru e direto. Espera-se que as prostitutas exibam algumas habilidades sociais, simpatia, charme e graciosidade com os clientes, que se vistam bem e desempenhem algum trabalho emocional. Homens e mulheres raramente se envolvem nesse tipo de relação sexual instantânea, socialmente cega e emocionalmente fria com estranhos em lugares que não têm restrições de acesso ou qualquer tipo de porteiro, onde o desejo é a única linguagem.[64] Teorias que explicam as relações sexuais gays em tais situações seriam totalmente inadequadas para uma compreensão completa do desejo, das ficadas, do romance e das parcerias nas comunidades heterossexuais, nas quais o dinheiro e o status social normalmente são trocados por capital erótico.

Por outro lado, as gueixas relacionam-se com tudo, menos sexo. Clientes habituais e outros fregueses as contratam como artistas completas, anfitriãs, garotas festeiras e companhias decorativas para reuniões em restaurantes e cafés. Elas dançam, tocam e cantam, conversam, flertam escandalosamente, incitam o desejo dos homens e os fazem se sentir desejados. Gueixas costumam se tornar íntimas de apenas um cliente habitual, que as cortejou e paga generosamente por esse privilégio, especialmente se busca exclusividade. As habilidades de uma gueixa são artísticas e sociais. Seus trajes e aparência a tornam uma obra de arte, prodigamente bonita e elegante — ela é um evento luxuoso em si. Se ela disponibiliza a intimidade sexual, tradicionalmente é depois de uma noite de duas a quatro horas de socialização e entretenimento, que fornece um elaborado ritual de corte. Gueixas e seus clientes normalmente se conhecem antes que aconteça qualquer intimidade. Em geral, elas vendem entretenimento erótico, flerte, fantasia e desejo, não puramente sexo. Para muitos homens heterossexuais, esses fatores podem ser tão importantes quanto o próprio sexo, e é por isso que existem tantos equivalentes modernos.[65]

De fato, gueixas, cortesãs e os equivalentes modernos vendem capital erótico como um pacote completo, com ou sem o elemento da performance sexual. Já as subculturas gays tendem a focar quase exclusivamente no apelo e na atividade sexual. Essa é uma diferença tão importante, que as culturas heterossexuais e homossexuais devem ser tratadas como entidades consideravelmente separadas, não como sutis variações sobre o mesmo tema — uma questão frequentemente negligenciada em estudos sobre o assunto.

Na vida cotidiana, é claro, não existe diferença visível entre gays e heterossexuais. Os colegas de trabalho quase nunca conhecem os interesses sexuais uns dos outros, pois esse é um assunto pessoal. Regras de comportamento na esfera pública são bastante distintas das normas da vida particular.

O Fator X nos relacionamentos

Em todo lugar, o capital erótico sempre foi considerado uma vantagem e um atributo. Em sociedades mais abastadas, um número maior de pessoas pode pagar por ele, investindo na própria aparência ou escolhendo um parceiro que seja, ao mesmo tempo, esteticamente agradável e uma pessoa com personalidade agradável.

Uma das aplicações da teoria do capital erótico está nos mercados de encontros, uniões afetivas e casamento. Alguns sociólogos se esforçaram para medir o nível de igualdade entre os cônjuges em atributos que são facilmente medidos: educação, classe social de origem, idade, altura e religião. Ainda assim, estudos sobre uniões afetivas e casamento demonstram que os homens trocam suas forças econômicas pela boa aparência e o *sex appeal* das mulheres sempre que podem, uma troca reconhecida por psicólogos,[66] mas sistematicamente ignorada por sociólogos.

Apenas uma teoria das ciências sociais concede ao capital erótico um papel. A teoria da preferência argumenta que os mercados de casamento continuam sendo tão importantes quanto os de trabalho para a obtenção de status pelas mulheres[67] e considera a atratividade física e as conquistas educacionais das mulheres igualmente relevantes para o casamento moderno. A teoria da preferência identifica o capital erótico como um dos quatro papéis ou funções das mulheres que exercem a carreira do casamento: gerar e criar os filhos; cuidar da casa e do trabalho doméstico; administrar o consumo, o lazer e as relações sociais; e ser um bem de consumo luxuoso em si. A "esposa-troféu" (ou parceira-troféu) é uma beldade, uma parceira sexual habilidosa, companhia decorativa e charmosa, símbolo de status sexual por si mesma.[68] Conforme a riqueza aumenta, mais pessoas podem se dar ao luxo de ter tal companhia.

A importância do poder erótico é imensamente realçada nos modernos mercados livres de uniões afetivas. Quando os pais e a família escolhiam parceiros adequados, podiam se dar ao luxo de desconsiderar o valor do capital erótico quando comparado ao capital econômico e social. Os pais podiam vender uma bela jovem para um homem velho e feio se ele fosse rico e poderoso, como ilustrado pela pintura de Goya, de 1792, *O casamento*. Todas as evidências de pesquisas sobre encontros-relâmpago, encontros on-line e sobre a maneira com que as pessoas se aproximam de quem lhes interessa em bares e boates demonstram a enorme importância da aparência, do estilo e da atratividade sexual nos modernos mercados livres de uniões afetivas. Normalmente, homens e mulheres são julgados apenas pela aparência, ao menos a princípio, mas o padrão para elas é sempre mais alto, e os homens que pagam pelas despesas e oferecem presentes sempre atraem mulheres. Jogadores de futebol famosos e astros pop têm grandes grupos de jovens ao redor em boates, justamente porque são conhecidos por gastar dinheiro para se exibir, e não por causa de sua personalidade carismática ou de sua educação.

O capital erótico continua sendo tão importante depois do casamento quanto antes. Matrimônios que contam com uma esposa mais bonita são mais felizes do que aqueles em que o marido é o mais atraente do casal. Esposas sedutoras e sexualmente competentes têm casamentos mais bem-sucedidos do que os casamentos com escassez de sexo ou celibatários revelados pelas pesquisas sobre sexo. Voltando aos dois casais contrastantes com os quais começamos, o capital erótico parece ser o Fator X, tão facilmente negligenciado nas economias capitalistas nas quais qualificações, sucesso profissional e dinheiro são priorizados a ponto de negligenciar todos os outros talentos. Rania é 12 anos mais nova e muito mais bonita que seu feio marido. Ele claramente a considera uma grande beldade e um bom partido. Na verdade, ela está apenas moderadamente acima da média em termos de aparência, mas investe tempo e esforço para maximizar o que possui. Manteve-se magra apesar dos vários filhos que teve. Seu pesado cabelo castanho recebe luzes habilidosas para parecer louro mel e é mantido longo, possibilitando inúmeras variações de penteado. Pode-se apenas imaginar que ela mantém o marido apaixonado e sexualmente satisfeito.

Já Paul e Charlotte são muito compatíveis em tudo, incluindo a aparência. Em todo o mundo, os maridos são tipicamente três anos mais velhos que as esposas, assim como mais altos. Paul é sete anos mais velho que Charlotte, o suficiente para já possuir uma enorme vantagem sobre a esposa em realizações profissionais quando se conheceram. Inevitavelmente, sempre ganhou mais que ela, e sempre ganhará, de forma que ela tem uma carreira subordinada de "esposa acompanhante". Dada a tendência praticamente universal de maridos serem mais velhos que as mulheres, o que de início parece igualdade pode, na verdade, acabar sendo uma parceria díspar na maioria dos casais. Como não é uma grande beldade e não é acentuadamente mais bonita que o marido, Charlotte não tem na manga qualquer atributo extra para contrabalançar a vantagem profissional de Paul, e é, na prática, uma esposa mais subordinada que Rania, com muito menos poder no relacionamento.

O capital erótico pode ter valor igual às qualificações educacionais no mercado de trabalho e no casamento. Infelizmente, o feminismo radical não conseguiu perceber a importância decisiva do capital erótico no equilíbrio de poder na vida pessoal. Para a maioria das pessoas, isso é mais importante que qualquer benefício obtido na força de trabalho e na vida pública.

6. Sem dinheiro, nada feito: vendendo entretenimento erótico

O déficit sexual masculino influencia todos os relacionamentos e interações entre homens e mulheres, assim como fantasias, sonhos e aspirações. Não é surpresa que sempre tenha existido uma indústria do sexo comercial em todas as sociedades que possuíssem moeda, mesmo em países que fingiam proibi-la. Até hoje, proibir a prostituição, ou criminalizá-la de uma forma ou outra, não se mostrar mais eficaz do que a Lei Seca foi em erradicar a venda e o consumo de álcool nos Estados Unidos, nos anos 1920. Ela contribuiu apenas para o desenvolvimento de lucrativas empreitadas criminosas. A indústria do sexo comercial é de extraordinário interesse porque expõe o valor total do capital erótico, incluindo a sexualidade.

Como alguns economistas reconhecem, o enigma não está em descobrir por que mulheres inteligentes e atraentes se tornam prostitutas, mas por que *mais* mulheres não escolhem essa ocupação, dados os altos ganhos em potencial para relativamente poucas horas de trabalho.[1] Os cientistas sociais costumam esbarrar com essa questão e ignorá-la. O estigma social atrelado à prostituição é tão poderoso que mesmo acadêmicos temem ser maculados por qualquer interesse sério em explicar qualquer aspecto da economia sexual.[2] Entretanto, não é apenas a indústria do sexo comercial em seu sentido mais estrito que negocia capital erótico (feminino e masculino) — toda a indústria do entretenimento o emprega e explora de um jeito ou de outro. Talvez, a exploração do capital erótico pela indústria da propaganda seja o fim mais "respeitável" dessa diversificada empreitada comercial.

O erotismo na propaganda e no marketing

A linda atriz americana Brooke Shields se tornou famosa em 1978 no filme de Louis Malle, *Pretty Baby – Menina bonita*, interpretando uma garota criada em um bordel de Nova Orleans, que é iniciada na profissão da mãe. Em agosto de 1980, aos 15 anos, ela renovou sua fama ao estrelar uma série de TV e propagandas para o jeans da Calvin Klein. Nua, a não ser pela calça, ela ronronava: "Nada fica entre mim e meus Calvin." A campanha se tornou um dos mais famosos comerciais de calças jeans de todos os tempos. Imediatamente a propaganda tornou Calvin Klein o nome mais conhecido da moda norte-americana e impulsionou várias imitações de outras marcas.

A campanha foi incrivelmente cara na época. Brooke Shields recebeu 500 mil dólares para fazer os comerciais. Eles foram escritos por Doon Arbus e filmados por Richard Avedon, um dos principais fotógrafos da época. Mais de 5 milhões de dólares foram gastos para comprar espaços publicitários. Os jeans da Calvin Klein já vendiam bem, apesar do elevado preço de 50 dólares cada um. Depois da campanha, as vendas explodiram e alcançaram 2 milhões de calças jeans por mês. Em 1991, as campanhas impressas da Calvin Klein eram classificadas pelos consumidores norte-americanos como as mais marcantes e memoráveis. Enquanto alguns de seus anúncios eram mais bem-sucedidos que outros, não há dúvida sobre a eficácia de seu apelo erótico. Em 1995, as vendas líquidas dos jeans da Calvin Klein atingiram 462 milhões de dólares, apesar da crescente competição de outra grife que também investia em campanhas publicitárias extremamente eróticas.[3]

Como sempre nos lembram os profissionais de propaganda e marketing, sexo vende. Ou, em minhas palavras, o poder erótico feminino vende. Cerca de 90% dos anúncios que se baseiam em apelo erótico usam imagens de belas e glamourosas mulheres em suas campanhas, não de homens. A revolução sexual dos anos 1960 impulsionou um crescimento gradual nos anúncios para artigos de higiene, perfumes e roupas masculinas, com um novo foco em homens bonitos com corpos esbeltos ou atléticos em anúncios eróticos. Entretanto, o foco nas mulheres se mantém, apenas levemente atenuado. Um dos resultados do movimento feminista dos anos 1960 foi que as mulheres liberadas se sentiram livres para se tornarem sexualmente proativas e exigir que os homens se empenhassem mais para equiparar essa sexualidade.

Aparentemente, as mulheres compram dois terços das roupas íntimas masculinas, então pôsteres retratando homens atraentes de cuecas são direcionados, principalmente, a elas.[4]

No dia 12 de junho de 2009, houve um frenesi da imprensa em frente à loja de departamentos Selfridges, em Londres. Um enorme pôster de seis andares do astro de futebol David Beckham, nu a não ser pela cueca Armani, foi lentamente desenrolado a partir do telhado para cobrir totalmente a frente do prédio na Oxford Street. Houve relatos de garotas desmaiando de excitação na rua enquanto outros fãs lutavam para ter uma visão melhor. A Selfridges relata alegremente um aumento de 150% nas vendas depois dos anúncios com David Beckham.

Pessoas famosas e sensuais vendem. As campanhas de Brooke Shields e de David Beckham ilustram a nova tendência das campanhas de marketing de preferir belas mulheres e homens com alto capital erótico que também atingiram distinção em seu campo de atuação a modelos profissionais que não fizeram nada além de posar para a câmera. O apelo de Beckham inclui o fato de que ele é um feliz homem de família, marido de uma glamourosa estilista, Victoria, que tem uma grife própria e bem-sucedida, e pai de quatro lindos filhos. Além disso, ele personifica a história de alguém que alcançou fama e fortuna através da carreira no futebol, e é um homem que venceu pelo próprio esforço. O anúncio da Armani exibido na Selfridges tinha o benefício adicional de oferecer um caráter sensual para os gays, em contraste com o visual mais saudável e comum que Beckham normalmente exibe. Mesmo assim, em janeiro de 2010, David Beckham tinha sido substituído pelo astro do futebol português Cristiano Ronaldo, igualmente bonito e mais jovem, nos anúncios de jeans e roupa íntima da Armani. Na propaganda, assim como no esporte, a competição pode ser intensa.

Imagens eróticas de mulheres e sexualidade têm sido usadas em propagandas para o consumidor, e mesmo em propagandas de produtos industriais usados apenas por homens, desde, pelo menos, 1850. Tais imagens vêm sendo empregadas de maneira crescente no mundo ocidental a partir da metade da década de 1970. Muitas pessoas apreciam essa nova forma de arte erótica comercial e pública. E devem mesmo apreciar, pois os anúncios ajudam a vender produtos de todos os tipos: carros, bebidas alcoólicas, café, perfumes, roupas, cigarros e pneus da Pirelli, assim como lingerie, camisinhas e apetrechos sexuais. Algumas mulheres fazem objeção a elas, citando valores morais e familiares e objeções feministas.[5] No fim do século XX, o novo estilo de propaganda erótica tinha se tornado tão onipresente que os acadêmicos estavam analisando seu significado e suas consequências sociais.[6]

Estima-se que um quinto de toda a propaganda do mundo ocidental se baseie no apelo erótico.[7] Marcas tradicionais e bem-estabelecidas que se deparavam com um longo e vagaroso declínio rumo à extinção descobriram que uma imagem nova e sexy pode restabelecer suas fortunas, às vezes de forma considerável. Na Europa, isso aconteceu com a Gucci, a Burberry e a Dior. Nos Estados Unidos, a Abercrombie & Fitch começou, em 1892, como fornecedora de artigos e roupas esportivas para classes superiores e homens mais velhos, e se tornou bem-sucedida. Nos anos 1960, tinha saído de moda e, em 1977, declarou falência. Em 1993, ainda perdia 6 milhões de dólares por ano em vendas de 85 milhões. Em menos de uma década, um novo CEO e uma nova estratégia de marketing transformaram a empresa decadente em uma marca moderna que vendia "estilo de vida" para jovens e universitários. Crucial para essa guinada foi o uso intenso de imagens eróticas nas propagandas da empresa. Isso incluiu a revista-catálogo *A & F Quarterly*, repleta de fotos de belos jovens nus ou seminus brincando e se divertindo, vendida apenas para pessoas com mais de 18 anos. A estratégia foi bem-sucedida. Em 2001, a empresa teve lucro de 68 milhões de dólares em uma renda bruta de 1,35 bilhão, com um valor de mercado de 2,5 bilhões, depois de ser comprada por apenas 47 milhões em 1988.[8]

Esse exemplo demonstra claramente que são os consumidores jovens que respondem de forma mais positiva ao apelo erótico nos anúncios — embora os homens, em geral, sejam mais favoráveis do que as mulheres em relação à sexualidade na propaganda.[9] Nos Estados Unidos, uma pesquisa de marketing descobriu que metade das pessoas com idades entre 18 e 24 anos disseram que se sentiriam mais inclinadas a comprar roupas se estas fossem anunciadas com imagens de apelo erótico.[10] O foco dos anunciantes no *sex appeal* para a faixa etária abaixo dos 30 anos se encaixa perfeitamente com os resultados das pesquisas sobre sexo.

Mais recentemente, a propaganda começou a usar o capital erótico masculino assim como o feminino — como ilustrado por anúncios paralelos "feminino/masculino" da Versace para o perfume Light Blue em 2009. O estilo de anúncios sexy normalmente difere pouco do estilo da arte e da fotografia erótica. Isso é especialmente verdadeiro no tocante a anúncios de perfumes, cujo aroma não podem ser mostrado em uma foto, ao contrário de roupas ou bolsas, de formas que os anúncios simplesmente criam o clima.

Garotas festeiras

A caracterização de Audrey Hepburn como Holly Golightly na versão cinematográfica de *Bonequinha de luxo* se tornou tão icônica quanto muitas das personagens de Marilyn Monroe. Imagens suas usando um elegante e justo vestido preto, com pérolas e uma longa cigarreira inspiram retornos à elegância da moda dos anos 1950. Na verdade, a versão cinematográfica do romance de Truman Capote altera fundamentalmente a história. Holly era uma garota festeira de 19 anos que cobrava dos homens por sua companhia, cobrava muito mais por sexo, já tivera 11 amantes (um número imenso na época), e estava abertamente procurando um homem rico com quem pudesse se casar. Sua personagem é baseada na mãe de Capote e em muitas jovens ambiciosas que ele conheceu em Nova York nos anos 1950, algumas das quais de fato se casaram com homens bastante ricos.[11] Holly é adorável — extrovertida, brincalhona, elegante, sedutora, muito bonita e sexual, mas experiente o bastante para ignorar homens pobres. Capote via Marilyn Monroe como a atriz ideal para o papel. Ele considerava Audrey Hepburn, com sua imagem pura e classuda de princesa assexuada, totalmente inadequada. Mas quando a história de 1958 se tornou o filme de Hollywood de 1961, estava irreconhecível, de forma que, na maior parte do tempo, Holly parece apenas uma socialite leviana. O fato de pedir aos homens com quem sai 50 dólares "trocados" para a gorjeta toda vez que vai ao toalete é facilmente negligenciado no filme. Ela é até considerada uma mulher moderna, sofisticada e liberada, que só faz o que quer, e o figurino de alta-costura de Hepburn só reforça essa imagem. No processo de limpar as atividades "imorais" de Holly para o filme, Hollywood modificou seu amigo narrador do flat no andar de cima de um homem gay (como o próprio Capote) para um escritor heterossexual em dificuldades que também vende sexo para viver. Ele é sustentado por uma mulher casada que o visita periodicamente para fazer sexo, mas, como de costume, isso é considerado muito menos chocante do que quando uma mulher faz o mesmo. O filme termina reafirmando valores convencionais quando Holly é abandonada pelo rico amante diplomata brasileiro mais velho, com quem esperava se casar. Em vez disso, ela finalmente se acomoda a uma vida respeitável com seu pobre amigo escritor. O romance original tem um desfecho mais questionável.[12]

Ainda assim, *Bonequinha de luxo* é um dos poucos filmes da moderna indústria cinematográfica que retrata a mulher em questão como impetuosa, dinâmica, independente e obstinada, em vez de uma perdedora incompetente.

Entretenimentos eróticos

Toda a indústria do entretenimento vende capital erótico, especialmente no mundo ocidental. Ela também vende excitação, emoções extremas, intriga, fofoca, conhecimento, enigmas, fantasia, imagens e música, alegria e felicidade — mas tudo isso é frequentemente realçado e vendido com uma grande porção de capital erótico por cima. Se o ator principal de um filme não é tão bonito (ou ainda que seja), adiciona-se uma linda atriz para decorar a ação. Astros cinematográficos, cantores populares e celebridades esportivas são sempre mais bem-sucedidas, mais populares, têm mais fãs e ganham mais com acordos de patrocínio e propaganda caso possuam alto poder erótico. Alguns cantores pop vendem a si mesmos com um foco tão direcionado ao capital erótico que é fácil negligenciar o fato de que também são talentosos, como é o caso de Beyoncé Knowles. De maneira similar, George Clooney é tão charmoso que os críticos cinematográficos normalmente o subestimam, taxando-o simplesmente como um rosto bonito, apesar do fato de ele ser produtor de filmes e um ator excelente.

Na indústria global do entretenimento, que é imensa, existe uma pequena indústria do sexo comercial (também cada vez mais global) que vende capital erótico no sentido mais completo, incluindo serviços sexuais. Em países onde esse comércio é criminalizado, como Estados Unidos e Suécia, o preço local por serviços sexuais pode se elevar devido aos riscos mais altos, e a maior parte do comércio é terceirizada para os países vizinhos. Por exemplo, a grade maioria dos homens suecos que visitam prostitutas o faz fora da Suécia, durante viagens de negócios ou férias no exterior, assim como normalmente bebem álcool em quantidades absurdas quando viajam para outros lugares.[13] Em países onde o comércio sexual é aceito, como Espanha ou Brasil, é mais fácil encontrar estabelecimentos nos quais o sexo esteja disponível, e é menos complicado para mulheres e homens entrar e sair desse trabalho porque não há barreiras fixas e muito menos o estigma típico de outras nações.[14]

A indústria do sexo comercial abrange uma grande variedade de serviços e produtos. Fantasias eróticas são mais comuns do que o sexo físico em si. Até mesmo a venda de serviços sexuais difere fundamentalmente entre os mais básicos até os mais sofisticados. Profissionais do sexo na rua são o elemento mais visível da prostituição e a fonte da imagem pública da profissão. Os setores invisíveis do comércio formam uma parte muito maior, e estão a um mundo de distância em estilo e preço. Estima-se que na Europa as prostitutas de rua constituam cerca de apenas 10% da indústria, um elemento mínimo e pouco representativo, mesmo que seja o mais visível. A maioria das pessoas trabalha em ambientes fechados de diversos estabelecimentos.

Os contrastes acentuados entre a camada superior, das garotas de programa e acompanhantes, e a inferior, das prostitutas de rua, podem ser vistos na indústria de Los Angeles, em um estado no qual a venda de serviços sexuais é tecnicamente ilegal.[15] A maioria das prostitutas de rua são negras, não completaram o ensino médio, normalmente estão na casa dos 20 anos e são casadas. Metade dessas mulheres é usuária de drogas; a outra metade se apoia no álcool. Muitos clientes são estranhos que as garotas nunca viram antes; uma minoria é composta por clientes regulares semanais. A negociação acontece em um carro ou em um canto tranquilo da rua, com a mesma frequência que acontece em um quarto de hotel ou motel, e é tipicamente breve e direta, durando, em média, menos de 15 minutos para sexo oral ou masturbação. A conversa não é um traço principal da transação, nem beijos e carícias. Prostitutas de rua oferecem alívio sexual com pouco ou nenhum adorno, mas têm a atratividade e o *sex appeal* da juventude.

Em nítido contraste, garotas de programa (ou garotas festeiras, como prefiro chamá-las) estão vendendo capital erótico no sentido mais amplo, com o sexo constituindo apenas um dos elementos do pacote, que, com frequência, é completamente indistinguível de um encontro com uma não profissional. Nos Estados Unidos, as garotas de programa são quase invariavelmente brancas (nunca negras), estão tipicamente na casa dos 20, não são casadas e têm nível universitário. Praticamente nenhuma delas usa drogas, mas podem compartilhar drinques alcoólicos com um cliente. A maioria de seus clientes é habitual e as vê periodicamente ao longo do ano, seja na própria casa ou na delas. O programa típico dura uma hora, mas as garotas de programa normalmente gastam muito mais tempo em um encontro, almoçando, jantando ou tomando drinques antes de uma sessão privada, ou até mesmo antes de passar a noite. Em todos os outros aspectos, esses são encontros normais, com tempo dedicado a conversa, abraços e beijos, carinhos, talvez uma massagem, estímulo sexual mútuo e diversas atividades sexuais. Garotas de programa são atraentes e se vestem muito bem, indistinguíveis de outras jovens. Elas têm mais chances de receber presentes de seus clientes, e os presentes tendem a ser valiosos: joias e perfumes, em vez dos cigarros e da comida oferecidos às prostitutas de rua.[16]

As prostitutas de rua vendem serviços sexuais específicos de uma maneira eficiente. Garotas de programa oferecem um relacionamento mais completo, ou a chamada "experiência de namorada", e todos os elementos de seu capital erótico, assim como sua inteligência e capital humano, são postos em ação. As garotas de programa cobram dez vezes mais que as prostitutas de rua em Los Angeles, e o diferencial de preço é similar em Londres e outras cidades.[17] Prostitutas de rua fornecem um serviço casual, enquanto garotas de programa normalmente trabalham com um sistema de encontros marcados.

Até certo ponto, o que os homens estão verdadeiramente comprando é a fantasia da parceira perfeita, que gosta deles e os aceita como são, alguém que quer o mesmo que eles, que é dócil e cooperativa, assim como excepcionalmente atraente nos mínimos detalhes. O sexo por telefone realiza a fantasia mais completamente, porque os parceiros nunca se encontram.[18] Sexo por telefone é apenas um dos exemplos do novo tipo de relacionamento fantasioso que se tornou possível por causa do telefone e da internet. Há pouquíssimo tempo atrás, existíamos apenas no espaço e no tempo, como seres físicos em interação face a face com outros que conhecíamos bem ou superficialmente. Hoje, qualquer um pode criar uma nova persona sob um pseudônimo e um endereço de e-mail anônimo ou número de celular. Relacionamentos fantasiosos à distância se tornaram possíveis. As atendentes mais habilidosas de sexo por telefone são capazes de apresentar a voz e a linguagem certas para quaisquer cenários imaginários que o cliente conceba. O menos óbvio é que os clientes também podem criar uma identidade imaginária para essas interações. Eles fingem ser bonitos, educados, ricos, bem-sucedidos e poderosos. Exatamente da mesma maneira que as atendentes fingem ser jovens, magras, bonitas, com longos cabelos da cor que o cliente considere ideal e o estilo certo de roupa e lingerie.

Ainda que a maioria dos usuários de sexo por telefone faz uso desse serviço ocasionalmente, alguns se tornam usuários habituais de uma empresa e pedem uma garota específica com quem gostam de falar. Ao longo do tempo, relacionamentos se desenvolvem pelo telefone, em parte porque as atendentes são encorajadas a manter os clientes falando pelo maior tempo possível, para aumentar a conta final da chamada. Os clientes mandam presentes para as mulheres (através da caixa postal da empresa); um homem já chegou até a mandar um anel de noivado (depois que sua noiva o dispensou). De tempos em tempo, clientes e atendentes de sexo por telefone se encontram na vida real. Esses encontros cara a cara são quase sempre um desastre. Os clientes ficam chocados ao descobrir que sua amante idealizada estava mentindo sobre a aparência, e as atendentes ficam ultrajadas ao perceber que o cliente fora desonesto o tempo todo sobre seu status social e econômico.[19]

Clientes de sexo por telefone são quase exclusivamente homens, de forma que a maioria das atendentes é mulher. (Serviços para a comunidade gay variam entre os países.) Elas são recrutadas pela qualidade de sua voz e maneira de falar — idade e aparência não têm importância. Apenas com a voz, elas criam a cena que produz o "final feliz" assistido para o cliente — ou, alternativamente, o encontro casto repleto de insinuações sexuais, flerte e promessa. Para alguns clientes, a ideia de que o relacionamento pode levar a um encontro é um grande atrativo. As atendentes fornecem uma gama praticamente ilimitada de fantasias sexuais.[20] No processo, elas ficam mais acostumadas e confortáveis com a ideia de práticas sexuais diversificadas. Entretanto, a performance sexual claramente não é a essência aqui. O que é negligenciado em vários estudos sobre esse tipo de comércio é que o cliente pode se sentir atraente e desejável, independentemente da realidade de sua situação. Sexo por telefone permite aos homens experimentar um maior poder erótico, assim como comprá-lo na fantasia.

Sentir-se desejado por uma mulher jovem e bonita o suficiente para fazer valer o sacrifício também é o que oferecem as boates de *hostesses* de Tóquio. Normalmente, os homens visitam essas boates em grupos e sentam-se com diversas *hostesses* para entretê-los e servir seus drinques. Flerte sexual e emocional é indispensável para esse serviço, mas o sexo em si não é, e essa pode ser parte da atração. Nesse sentido, as boates de *hostesses* são equivalentes a boates de striptease que oferecem danças eróticas nos Estados Unidos, mesmo que os dois entretenimentos pareçam bastante diferentes.[21]

Os clientes das boates japonesas, às vezes, têm casos com as *hostesses*, ou com jovens colegas de trabalho, e esperam pagar generosamente pelo privilégio em ambos os casos. Entretanto, uma grande proporção dos executivos japoneses é impotente, devido às longas e estressantes horas de trabalho, e muitos casamentos japoneses são celibatários.[22] Alguns não são muito bons nos rituais de corte e sedução por trabalharem em equipes totalmente masculinas. Flertar com jovens atraentes e charmosas em boates de *hostesses* se torna um gratificante entretenimento erótico em si, basicamente da mesma maneira que comprar uma série de danças eróticas é para os homens norte-americanos e ingleses em boates de striptease. O homem fica isento de preocupação referente à qualquer performance sexual ou fracasso resultante de um desempenho inadequado. Mas ainda tem a atenção lisonjeira e benéfica para o ego de uma jovem glamourosa com grande *sex appeal* que o faz se sentir aceito e desejado, nunca julgado. Para homens mais velhos e cansados, isso pode ser tão satisfatório quando o próprio sexo, e muito menos exigente. Dizem que o sexo está na cabeça, e fantasias sexuais com uma beldade inatingível podem ser melhores que a realidade.[23]

A atração de shows burlescos, boates de striptease e outros entretenimentos eróticos é óbvia, mesmo quando o sexo não está no menu. As garotas são jovens e lindíssimas, com corpos magros e sensuais. Elas têm a forma física necessária para fazer apresentações vigorosas, as roupas e fantasias geralmente são sofisticadas e o serviço é acompanhado sempre de um sorriso, especialmente para clientes generosos, com muito dinheiro para torrar. A maioria das boates de dança erótica tem uma constante rotatividade de dançarinas no palco e cobra um baixo preço por uma dança na mesa. Dessa forma, os clientes podem banquetear os olhos em alegres beldades sem fazer uma despesa grande demais. Caso tenham dinheiro para gastar, e queiram se exibir para outros homens, pagam para que algumas garotas sentem-se com eles, sejam uma companhia agradável e flertem o suficiente para que os homens se sintam irresistíveis novamente. Reservar uma sala privada torna tudo isso mais pessoal e especial.[24]

No Oriente Médio, as dançarinas do ventre fornecem um tipo equivalente de dança erótica. Mas, nesse caso, sem o estigma atrelado ao striptease, talvez porque a regra do "não toque" é absoluta, sendo mais parte da cultura do que um requerimento legal. Dançarinas do

ventre profissionais são mais comuns em clubes noturnos e restaurantes de hotel, mas também dançam em casamentos e outras celebra-
ções familiares.[25] Todas as garotas e jovens aprendem a fazer a dança
do ventre de forma provocante, com habilidades variadas, e se apresentam em festas de família. O valor do capital erótico feminino é
celebrado, e não fica escondido em cantos escuros, reservado apenas
para os homens.

Mesmo sem o sexo físico em si, homens heterossexuais de todo o
mundo estão prontos a gastar somas substanciais para desfrutar da
companhia de mulheres com alto capital erótico. Na comunidade gay,
a ênfase é focada mais especificamente no próprio sexo, seja ele profissional ou não, incluindo o sexo por telefone. Entre as mulheres, a
demanda por entretenimento erótico é limitada a ponto de ser invisível. Por exemplo, bares semelhantes às boates de *hostesses*, mas com
atendimento masculino, foram estabelecidos no Japão para oferecer
os mesmos serviços às mulheres, mas não deram muito certo.[26] Esse
padrão de demanda, e a falta dela, parece ser universal.

Entrando e saindo

Não há um estereótipo válido que possa ser aplicado ao trabalhador
sexual, porque muitas pessoas entram e saem na indústria. Alta rotatividade é a norma, com constante afluência de novos grupos, locais e
globais, instruídos ou não. Em 2010, uma em cada quatro dançarinas
de *lap dance* na Grã-Bretanha já tinha diploma universitário, e uma
em cada três estava custeando seus estudos.[27] Nos Estados Unidos, a
maioria das garotas de programa faz faculdade.

Memórias sexuais de mulheres são raras. Ainda mais raras são as
memórias escritas por garotas festeiras, strippers, garotas de programa e prostitutas. Uma das mais informativas é *Working*, de Dolores
French, porque ela começou tarde, aos 27, gosta do trabalho e parte
para explorar toda a gama de serviços sexuais profissionais, incluindo trabalhar como prostituta de rua, no bairro da luz vermelha de
Amsterdã e em um bordel porto-riquenho.[28] French é incomum, pois
trabalhou, durante um período relativamente longo, no comércio. A

grande maioria das mulheres entra e sai, ficando apenas alguns meses ou anos, e então segue em frente com a vida. Três anos parece ser, em média, o máximo de tempo antes que o tédio se instale. Às vezes, elas trabalham em período integral por alguns meses. Muitas trabalham em meio período, suplementando um emprego normal em um escritório ou uma loja. Esse é um padrão antigo na Europa. O equivalente mais atual são estudantes universitárias e, em alguns países, até mesmo garotas de colégio, que ganham um considerável dinheiro extra vendendo favores sexuais.

A indústria do sexo comercial sempre foi estratificada, com limites indistintos. A era de ouro das cortesãs na França foi entre 1852 e 1870, um período de luxo pomposo e prosperidade, e as cortesãs eram apenas um dos caprichos de que os homens ricos desfrutavam.[29] Muitas garotas aspiravam à riqueza e ao status de mulheres como La Paiva, Apollonie Sabatier e Marie Duplessis, que foram imortalizadas em *A dama das camélias*, de Alexandre Dumas, e na ópera *La Traviata*, de Verdi. As mais famosas e bem-sucedidas cortesãs, também conhecidas como *grandes cocottes*, eram atraentes, e algumas eram excepcionalmente bonitas. Todas eram inigualáveis na cama. Mas sexo nunca é o evento principal. As cortesãs vendiam seu capital erótico como um pacote completo, de uma maneira muito parecida com a das amantes dos reis franceses, como Madame de Pompadour. Elas eram bonitas, usavam roupas caras, viviam em grande estilo e exibiam seus encantos publicamente na ópera ou em passeios em suas carruagens. Tinham as habilidades sociais e a inteligência para manter *salons* frequentados por artistas e escritores. Cortesãs e concubinas são um exemplo do que os economistas chamam de "bens de Giffen", algo que, quanto mais caro fica, mais desejável se torna, pois possuí-los prova a riqueza e o sucesso do proprietário.

As melhores cortesãs eram exemplo para centenas de jovens. Costureiras, chapeleiras e floristas suplementavam seus magros salários (geralmente metade do que ganhavam os homens) vendendo favores sexuais e companhia. Conhecidas como *grisettes* e *lorettes*, essas garotas mergulhavam no sexo comercial de uma maneira parcial e ocasional, conforme a oportunidade permitia, até que se casassem. De maneira similar, em Londres, centenas de jovens trocavam favores sexuais por dinheiro sem necessariamente partirem para a prostituição em tempo integral.[30]

Existe uma ideia comum e equivocada de que as mulheres que trabalham na indústria do sexo têm poucas habilidades e poucas opções. Isso não é verdade. Uma grande diversidade de mulheres ingressa nesse trabalho em estágios específicos da vida, de forma casual ou temporária, incluindo estudantes e mulheres extremamente cultas. O diário de uma garota de programa londrina, conhecida apenas pelo nome de Belle de Jour, transformou-se em dois best-sellers depois de fazer sucesso como um blog na internet. Os livros detalham suas aventuras sexuais, profissionais e pessoais, e seu gradual afastamento do trabalho após dois ou três anos bem-sucedidos. Em novembro de 2009, cinco anos após parar de trabalhar como garota de programa, Belle de Jour revelou-se (através de uma série de entrevistas de jornal) como a Dra. Brooke Magnanti, uma especialista em neurotoxicologia do desenvolvimento e epidemiologia de câncer que fazia parte da equipe de pesquisa de um hospital universitário em Bristol. Ela trabalhava como garota de programa enquanto finalizava seu doutorado, tendo descoberto que podia superar os ganhos dos colegas trabalhando apenas algumas horas por semana, fazendo algo que gostava e em que era competente. O emprego de meio período lhe deixava com bastante tempo para terminar sua tese e impulsionar sua carreira.

A Dra. Katherine Frank trabalhou como stripper por seis anos enquanto fazia seu doutorado — sobre dança erótica e os clientes que a apreciam. Trabalhar dentro de tipos contrastantes de boates levou-a a um relato mais criterioso e compreensivo do cenário da dança erótica do que normalmente é oferecido por jornalistas e defensoras do feminismo.[31]

A Dra. Amy Flowers trabalhou por quatro meses como atendente de sexo por telefone na Califórnia enquanto completava seu doutorado. Como tantas outras estudantes, ela considerava a flexibilidade do horário de trabalho muito adequada para sua rotina e conseguia fazer seus deveres universitários entre as ligações em noites pouco movimentadas. A mente aguçada que usou em seu lucrativo emprego de meio período a levou a desenvolver a teoria do sexo por telefone como um exemplo dos relacionamentos terciários que proliferam nos século XXI, conforme a internet e os telefones substituem os encontros cara a cara.[32]

Talvez, os serviços nas boates de Tóquio sejam o exemplo clássico dos bens de Giffen: quanto mais cara a boate e suas *hostesses*, mas são valorizadas. Empresas usam visitas a esses estabelecimentos como divertimentos especiais para equipes de empregados, que são levados por seus chefes. Nos anos 1980, uma empresa pagaria algo entre 80 e 500 dólares por cliente a hora, dependendo do estilo e da localização da boate. Em geral, esses estabelecimentos são administrados por gueixas formalmente treinadas, que são a atração principal e dão o tom do lugar. As boates também empregam dezenas de *hostesses* que se sentam com os clientes, acendem seus cigarros, servem drinques e se envolvem em alegres gracejos e conversas sedutoras para ajudar os homens a relaxar após um longo dia de trabalho. Algumas *hostesses* seguem a carreira a longo prazo. Centenas de jovens trabalham em boates por curtos períodos. Estas incluem estrangeiras "exóticas" que estão em Tóquio temporariamente durante uma viagem pelo mundo ou uma aventura no Extremo Oriente, e querem ganhar dinheiro para o trecho seguinte da viagem. As *hostesses* dessas boates são sempre bonitas, normalmente têm menos de 23 anos e possuem ensino universitário, são refinadas nos modos e no estilo e vestem-se bem. As melhores boates empregam as garotas mais bonitas e cobram os preços mais altos por sua companhia. Em algumas, espera-se que as funcionárias sejam suficientemente bem-informadas para debater assuntos atuais com os homens, se necessário. *Hostesses* fornecem flerte sexual, massageiam o ego dos homens e oferecem um descanso das rígidas regras profissionais dos japoneses.[33]

Em países onde o sexo comercial não é criminalizado, como no Brasil, os mercados sexuais se tornam ainda mais fluidos, tendo limites flexíveis entre relacionamentos baseados em trocas de presentes e a venda explícita de serviços sexuais. A tradição brasileira do "homem mais velho que ajuda a menina jovem" permite que senhores tenham relacionamentos de "padrinho" com mulheres mais jovens, sem qualquer estigma e sem rotular esse relacionamento como prostituição. A cultura brasileira valoriza a sexualidade feminina e espera que os homens paguem de um jeito ou de outro por sexo e intimidade. Mulheres de classe média com diploma universitário e da classe trabalhadora entram e saem de relacionamentos nos quais existe alguma troca de sexualidade por dinheiro, seja implícita ou explícita. Isso é especialmente comum com homens estrangeiros, simplesmente porque, em geral, eles são comparativamente ricos pelos padrões locais. Os turistas consideram atraente essa fluidez na sexualizada cultura brasileira, assim como desconcertante em suas particularidades.[34]

Na África do Sul, prostituição *ad hoc* é comum entre as jovens das áreas rurais e urbanas. Quando os salários são pagos no fim do mês, elas vendem sexo para homens com dinheiro para gastar. Muitos deles consideram inapropriado fazer sexo com a esposa que está grávida ou amamentando, então, durante esses períodos, procuram essa atividade extraconjugal.[35]

Todas essas formas de entretenimento erótico permitem às mulheres entrar e sair, trabalhar meio período ou ocasionalmente, combinar o trabalho com objetivos de longo prazo bastante diferentes. Isso os torna opções atraentes para estudantes sem recursos, assim como para outras jovens que têm os interesses e os talentos necessários. A preponderância de estudantes universitárias e graduadas entre essas mulheres é uma forte evidência de que beleza e inteligência normalmente estão combinadas e trabalham juntas.

Comprando capital erótico

Assim como qualquer mulher (ou homem) que é atraente o bastante tem potencial para ganhar muito dinheiro explorando seu capital erótico por algum tempo, qualquer homem que goste de mulheres ou homens bonitos pode potencialmente gastar dinheiro em entretenimentos eróticos, incluindo serviços sexuais.

Em geral, o estigma ligado à prostituição se estende também aos clientes. Paul, por exemplo, alega que não sonharia em pagar por sexo — está "acima disso", insiste. Entretanto, ele já desfrutou de noites com lindas garotas festeiras em Hong Kong e outras cidades do Extremo Oriente, onde faz negócios. O pagamento das garotas foi feito por seus anfitriões, seus contatos de negócios, fato com o qual ele se sentiu perfeitamente confortável. É provável que o estigma dos clientes tenha se intensificado depois que a revolução sexual dos anos 1960 supostamente deu permissão aos homens para fazer tanto sexo quanto quisessem com não profissionais, no que os suecos chamam de "mercado sexual normal" de sexo não conjugal.[36] De fato, existem grupos de homens cujo acesso a encontros sexuais casuais é tão limitado que o sexo comercial se torna a única opção. Pessoas a quem faltam membros e homens que não são fisicamente atraentes são dois exemplos.[37] Muitos outros simplesmente querem variedade.

Na Suécia, o professor de serviço social Sven-Axel Mansson fez campanha por mais de vinte anos por leis que criminalizassem os clientes. Para fundamentar seu caso, ele os apresentou como perdedores, antifeministas violentos com mulheres, incompetentes sexuais, tiranos intimidadores, traidores e porcos patriarcais que desumanizam e exploram as mulheres — em resumo, homens que não são bons o bastante para se sair bem no mercado sexual normal.[38] Para fazer isso, Mansson reinterpretou os resultados de pesquisas suecas sobre sexo e de outros países sob uma perspectiva feminista. Por exemplo, ele reinterpreta fatos inevitáveis sobre o comércio sexual na Suécia. Como ressaltado antes, mais de 80% dos homens suecos que consomem serviços de sexo comercial o fazem em outros países, durante viagens de negócios e férias. A estigmatização da indústria do sexo comercial e de seus clientes dentro da Suécia levou o comércio a ser terceirizado no exterior, em países vizinhos ou distantes, como a Tailândia. Mansson apresenta isso como a corrupção estrangeira de bons homens suecos em viagem para fora do país, nas quais aprendem práticas degradantes e atitudes imorais.[39]

Em outros lugares, vender sexo é uma atividade legal, e não estigmatizada, como no norte da Europa. Mesmo assim, o ex-primeiro-ministro italiano Silvio Berlusconi negou, em 2009, seu uso de garotas de programa e garotas festeiras. Uma delas, a linda loura Patrizia D'Addario, falou com a imprensa sobre festas a que tinha comparecido em uma das casas de Berlusconi, onde ela (e outras mulheres como ela) forneciam companhia elegante e decorativa para homens de negócios e políticos — incluindo sexo, se fosse requerido. O pagamento delas era feito pelos homens de negócios que as contratavam para a festa e que queriam ficar em bons termos com Berlusconi e seu governo. Conforme os jornais devoravam o escândalo, tornou-se claro que garotas festeiras eram comumente convidadas por homens de negócios e políticos italianos para eventos sociais da elite.

Na China, a transição para o capitalismo com características chinesas resultou em todo tipo de mudanças sociais, algumas totalmente imprevistas. As esposas começaram a trabalhar em meio período em vez de período integral, e algumas até pararam completamente de trabalhar para se tornarem dependentes dos maridos. As jovens e bonitas "esposas-troféu" reapareceram, assim como as mulheres magnatas dos negócios, que construíram fortunas com os cônjuges ou sozinhas, na florescente nova economia. Depois de ser completamente banida durante o socialismo, a prostituição ressurgiu, juntamente com as amantes, concubinas, garotas de programa e "segundas esposas" para homens que viajavam pelo trabalho. Os homens de negócios de Hong Kong, que viajam regularmente para o continente por causa de sua profissão, acham conveniente manter uma segunda esposa para fornecer os confortos habituais do lar. Com grandes disparidades de renda e custos entre Hong Kong e a China continental, as segundas esposas se tornam um luxo acessível.[40]

Novas formas de corrupção aparecem dentro da burocracia. Por exemplo, mulheres atraentes que tentam obter permissões e documentos dos funcionários do governo podem se oferecer para fazer sexo com eles de forma a garantir atenção mais rápida (e resposta positiva) a seus pedidos. Homens de negócios revivem o velho costume de oferecer garotas festeiras e outros luxos a funcionários cujas decisões podem ser cruciais para o sucesso de um empreendimento.[41]

Garotas festeiras sensuais e bonitas sempre foram um componente da alta sociedade, dos negócios e da política de alto nível. Seu capital erótico acrescenta brilho e elegância a qualquer reunião, quer inclua sexo com qualquer dos homens presentes ou não. Nesses círculos, existe o reconhecimento de que elas "acrescentam valor" e glamour a qualquer evento social, com sua beleza, suas maneiras elegantes, seu charme e suas belas roupas e joias. Holly Golightly continua viva no século XXI.

Muito poucos homens compram alívio sexual puro e simples. Normalmente, os encontros sexuais são parte de um pacote que inclui *sex appeal*, beleza, habilidades sociais, vigor da juventude, roupas atraentes e estilo classudo, assim como a própria performance sexual competente. Até mesmo o sexo oral acontece com alguém que se pode *ver*. Aparência, estilo e boa forma são muito importantes em estimular o desejo masculino. Para as mulheres, o desejo é mais difuso, mais social e emocional. Talvez isso explique o minúsculo e quase inexistente mercado de garotões, prostitutos e entretenimentos eróticos fornecidos por homens, como strippers, nus masculinos, pornografia e shows como o dos Chippendales.[42]

Homens que compram serviços sexuais

A indústria do sexo só existe por causa da demanda masculina por diversidade erótica. Mesmo assim, estudos sobre clientes são muito mais raros que estudos sobre mulheres que vendem serviços sexuais. Muitos deles possuem riqueza e status social, e são ainda mais preocupados em proteger a privacidade e o anonimato do que as mulheres. Como de costume, os relatórios tendem a dizer tanto sobre os preconceitos e estereótipos dos autores quanto sobre os próprios clientes. Muitos estudos focados na indústria do sexo comercial foram incapazes de tratá-la como exemplo de desvio social, sublinhando implicitamente a pureza moral e a convencionalidade dos autores.[43] Estudos realizados em países onde a prostituição é ilegal (como os Estados Unidos) ou semilegal (como a Grã-Bretanha), ou por defensores da criminalização (como os relatórios suecos de Sven-Axel Mansson) têm maior propensão de oferecer pesquisas *advocacy*[44] no lugar de uma análise imparcial e objetiva. Mas, hoje em dia, existem bastantes estudos para formar um quadro claro.[45] Homens que compram serviços sexuais não têm um desvio de comportamento, são pessoas normais e comuns.

O déficit sexual masculino é de longe a fonte mais importante de demanda por serviços sexuais e entretenimento erótico de todos os tipos. Essa necessidade insaciável assume diversas formas. Para os homens que estão sem uma parceira (que nunca foram casados, que são divorciados ou viúvos), visitar uma prostituta é uma solução simples para uma vida sem sexo, e pode ser uma alternativa eficiente a cortejar e seduzir uma namorada sem ter a certeza de que ela estará interessada em sexo (a despeito de seu investimento de tempo e dinheiro em encontros).[46] Igualmente importantes são os maridos em casamentos com escassez de sexo — aqueles em que o ato acontece menos de uma vez por mês, ou menos de 12 vezes por ano.[47] Ambos os grupos têm o potencial de se tornar usuários regulares de serviços de sexo comercial. O terceiro consiste dos maridos que querem ou precisam de mais sexo do que têm em casa, de forma temporária ou permanente — devido a gravidez, doenças ou ausência da esposa por outras razões. Esse último grupo tem uma natureza mais passageira do que a dos clientes habituais. Geralmente, todos esses grupos procuram sexo convencional.

A segunda fonte de demanda por serviços sexuais profissionais são as especialidades particulares que a esposa não fornece. Estas vão de práticas pouco exóticas, como o sexo oral e o que alguns homens descrevem como "sexo animal", sem aberturas emocionais e rituais de corte, a atividades como sexo anal, BDSM e outras especialidades apreciadas por minorias, ou realização de fantasias e fetiches pessoais (como o de pés bonitos). Pelo menos metade dos clientes, e mais da metade dos clientes habituais, mencionam essa razão.[48] Eu ainda incluiria homens (e mulheres) que simplesmente querem variedade em sua vida sexual, incluindo o estímulo de mulheres exóticas de aparência estrangeira nesse grupo. No mundo ocidental, isso inclui negras, orientais e mulheres do subcontinente indiano. No Extremo Oriente, funciona ao contrário, é claro, de forma que as mulheres mais "exóticas" no Japão e na Índia são as europeias brancas. Uma diversidade de amantes introduz novidade e variedade aos encontros sexuais e estimula o desejo. Metade dos homens no estudo americano dá essa razão.[49] Uma pesquisas sobre a vida sexual dos italianos descobriu que a necessidade de variedade era um ímpeto crucial para os casos.[50] Ter aventuras, visitar prostitutas e frequentar boates de striptease parecem ser atividades permutáveis.

A terceira fonte de demanda por serviços sexuais profissionais é a preferência e a disposição de pagar por sexo *egoísta* (ou imediato). Assim, os homens conseguem o que querem sem persuasão ou negociação, e sem ter de retribuir. Pagam por sexo à vontade, do jeito que querem, quando querem, sem se sentir em débito com a parceira. Eles gostam de ser a figura central. Como disse um dos homens: "Eu não pago a ela para vir aqui, pago a ela para ir embora." Por essa razão, mesmo um japonês com uma esposa atraente e sexy, a qual teria recebido bem uma vida sexual mais ativa, prefere ir a uma *soapland* depois de tomar alguns drinques com os colegas.[51] Meu palpite é que a crescente riqueza estimula esse tipo de demanda. O feminismo também pode ser um fator, levando as mulheres a insistir que os homens deveriam ser menos egoístas em sua abordagem sexual. Outro fator é a grande pressão de empregos que impõem muitas horas de trabalho e frequentes viagens de negócios. Usar garotas (ou garotos) de programa se torna o estilo de vida escolhido por homens solteiros que se dizem "casados com o emprego" ou "casados com a empresa".[52] Um estudo norte-americano determinou que um terço dos clientes alega não ter tempo para um relacionamento convencional e/ou não querer as responsabilidades de um relacionamento convencional. Um quinto dos clientes também disse que prefere visitar prostitutas a ter um relacionamento convencional, e metade apreciava estar no controle durante o sexo.[53] Para muitos homens, desfrutar do sexo sem a necessidade de desenvolver um relacionamento é um luxo. Para alguns, sexo casual, ficadas e visitas a prostitutas podem ser permutáveis.

Homens que visitam prostitutas são tão normais quando os que não visitam,[54] mas, geralmente, têm a libido mais alta. Todas as pesquisas sobre sexo identificam uma pequena minoria de homens (e mulheres) com vidas sexuais excepcionalmente ativas, e estes normalmente usam serviços sexuais de profissionais em acréscimo a outras relações. Uma indicação de quão pouca diferença existe entre os dois é que a "experiência de namorada" é um dos pedidos mais populares para as profissionais do sexo. Muitos homens gostam de conhecer uma mulher socialmente, conversar enquanto tomam drinques ou jantam e ter alguma noção de sua real personalidade antes de progredir para a intimidade.[55]

A maioria das pesquisas que tentou explicar a demanda por prostitutas negligencia um fator absolutamente crucial: todas as profissionais do sexo são fisicamente atraentes, a maioria também tem boas habilidades sociais e é jovem o bastante para estar na faixa etária que aprecia o sexo (ver Fig. 2). Entretanto, muitos clientes têm baixo capital erótico e sabem disso. Em uma pesquisa norte-americana, metade dos homens admitiu ter habilidades sociais fracas, especialmente com mulheres. Um quarto admitiu que não era fisicamente atraente, o que provavelmente significa que pelo menos um terço ou mais não seria considerado atraente.[56] Fatores e motivações similares alimentam a demanda por serviços de boates de striptease, usados por homens que dizem que não visitariam prostitutas.[57] Na verdade, os homens pagam por acesso a mulheres com capital erótico tão alto (comparado ao deles) que seriam completamente inatingíveis se tentassem ficar com elas em um lugar convencional como um bar.

Cada vez mais propagandas de entretenimentos eróticos (incluindo serviços sexuais) estão sendo transferidas para a internet. Sites e celulares substituem as negociações cara a cara. Alguns sites permitem que os clientes postem "críticas" de encontros com prostitutas ou garotas de programa específicas, ou que registrem suas experiências em determinados destinos de turismo sexual. Essas críticas demonstram que os homens estão comprando capital erótico como um pacote completo, às vezes com foco especial no *sex appeal* e na beleza de uma garota.[58]

Os homens estão comprando capital erótico como um todo, especialmente quando escolhem a "experiência de namorada". Estão pagando para olhar e tocar belos corpos, ver lindos rostos, serem recebidos por uma jovem sorridente que normalmente é vinte ou até mesmo trinta anos mais nova que eles.[59] As críticas tendem a dar a competência sexual como certa, e normalmente passam mais tempo comentando a personalidade da mulher, o modo de ser, a inteligência e a habilidade de tratar cada cliente como um convidado de honra. Ao pagar por prazer, os homens podem encontrar sua "mulher ideal" e transformar em realidade sua fantasia com uma beldade jovem e disposta. O fato de as agências e os sites fornecerem fotos e detalhes permite aos homens escolher um tipo específico de mulher. O nível de detalhes é similar ao fornecido por modelos profissionais em sites de agências. As fotos sensuais também não são tão diferentes.

Quando um homem fala em fazer "alguma coisa diferente", ou "o que eu quero", ou estar "no controle" no encontro sexual, normalmente está se referindo à liberdade de ter o que prefere em termos de aparência, tipo de corpo e sexualidade, mais do que qualquer necessidade de ser fisicamente dominante, demandar submissão ou atividades incomuns.[60] O ego sexual masculino é uma flor delicada. Os homens que fracassaram em ter uma performance adequada na cama quase sempre culpam a mulher. Inevitavelmente, os sites são usados por alguns para reclamar de profissionais que mentem sobre aparência ou idade, ou fracassam em estimulá-los para atingir uma performance adequada. A maioria dos homens escolhe acreditar na fantasia de que são tão habilidosos sexualmente que levam a mulher ao orgasmo, provando, assim, sua virilidade e seu capital erótico.[61]

A julgar pelos comentários do site, a maioria dos homens está inteiramente satisfeita com sua experiência com o sexo profissional, e cerca de metade se torna cliente habitual.[62] Ocasionalmente, eles se apaixonam por prostitutas e garotas festeiras, e, às vezes, se casam com elas. Muitos desenvolvem uma amizade real com as mulheres favoritas que veem regularmente. De vez em quando, fantasia e realidade se misturam.

Tráfico, drogas e cafetões

Quando estive em Amsterdã para uma conferência, adicionei um longo final de semana para visitar os pontos turísticos. Era final de novembro e o tempo já estava congelante, com um vento do ártico soprando do mar do Norte, e todos aninhavam-se em casacos de inverno. Conforme andava pelo bairro da luz vermelha, via as mulheres escassamente vestidas nas vitrines, mas elas estavam em um lugar aquecido e pareciam confortáveis sob suas luzes escarlates. Então, eu a vi.

Ela era incrivelmente bonita, pequena e perfeita em cada detalhe, e parecia ter cerca de 19 ou 20 anos. Parecia ser tailandesa, com um cabelo longo, grosso e brilhante e grandes olhos. Estava sentada imóvel em uma das maiores vitrines, vestida com um adorável espartilho de renda, parecendo uma modelo posando para um fotógrafo. De fato, tinha a mesma aparência de qualquer garota em um sedutor anúncio de lingerie que decora revistas e outdoors por todos os cantos. Só que ela era incrivelmente bonita e viva. Senti compaixão por ela, e imaginei que, se eu fosse homem, minha reação imediata seria querer pagar suas dívidas e levá-la para casa de vez, se ela quisesse. Quando passei pela área no dia seguinte, ela não estava em sua vitrine, e nunca mais a vi.

Uma garota tailandesa em Amsterdã imediatamente levanta a questão de como ela chegou até ali, quem pagou pela cara passagem aérea e por sua moradia ou hospedagem. Mas a ideia de que garotas estrangeiras "exóticas" sejam invariavelmente as vítimas de traficantes foi demolida por Laura Maria Agustín em seu livro que explica o comércio sexual como uma fonte crucial de emprego lucrativo para imigrantes, sejam legais ou ilegais, que querem viajar e ver o mundo, e talvez orquestrar uma melhora permanente em seu status social e econômico, casando-se com um homem rico. A perspectiva fundamentada de Agustín cria um forte contraste com a mensagem dominante das feministas radicais e outras defensoras, que alegam que tráfico, drogas e exploração por cafetões são endêmicos no comércio sexual (e permeiam até mesmo a indústria dos entretenimentos eróticos, que é mais ampla), para concluir que isso deveria ser abolido e criminalizado. Agustín assinala que a criminalização não tem propósito.

O elo entre sexo comercial e drogas é mais fraco do que o que a maioria das pessoas imagina. O vício em drogas é geralmente limitado às prostitutas de rua, e não é causado pelos horrores dessa atividade. As pessoas que se tornam dependentes de drogas precisam ganhar muito dinheiro rapidamente para sustentar seu vício, e não são empregados interessantes para profissões comuns. As mulheres logo descobrem que a prostituição oferece os ganhos mais altos no menor tempo, e é a melhor aposta. Arrumar prateleiras de supermercado não financia a dependência em drogas. Essas pessoas têm pouca chance de serem contratadas, e muita de serem demitidas, da maioria dos empregos burocráticos ou liberais, caso seu vício seja descoberto. Com frequência, os estudos realizados na Grã-Bretanha e nos Estados Unidos descobrem que uma alta proporção de prostitutas de rua já usava drogas ou era alcoólatra antes de se envolver com a prostituição, e essa foi a razão principal para terem ingressado nessa atividade.[63]

O consumo de drogas é extremamente raro entre a maioria das profissionais do sexo que trabalha em lugares fechados, e o alcoolismo parece ser inexistente.[64] As profissionais do sexo mais astutas economizam dinheiro e saem do negócio assim que atingem seus objetivos financeiros.

O tráfico humano se tornou a última desculpa para pânicos morais e cruzadas contra a indústria sexual.[65] Exemplo disso é um relatório do governo britânico que tentou ao máximo, através de referências ao tráfico, justificar novas restrições legais para a prostituição. Em conjeturas extravagantes, o relatório estimou que mais de 4 mil mulheres na Grã-Bretanha vieram, forçadas por traficantes, para o país por causa de sexo, ainda que isso represente apenas 5% da estimativa deles de 80 mil pessoas envolvidas com a prostituição.[66] A proporção real é provavelmente mais próxima de 2% ou 3%. O governo tentou tornar ilegal toda uma indústria porque uma minúscula fração desta estava desobedecendo a lei. O tráfico já é abrangido por leis de sequestro, prisão ilegal, chantagem e regras de imigração, além de leis mais novas impulsionadas pelo protocolo das Nações Unidas que o tornam um crime. Então, as leis existentes tratam totalmente do problema, caso a polícia esteja disposta a aplicá-las. Leis que ataquem a indústria do sexo comercial por causa do tráfico são o equivalente a fechar todos os restaurantes e cafés do país porque alguns deles têm cozinhas sem higiene ou empregam imigrantes ilegais.

Um tema comum em textos feministas sobre prostituição é que as mulheres estão sendo exploradas por homens — cafetões, gerentes e, em alguns casos, traficantes. Uma análise animadoramente leve da economia da cafetinagem feita pela equipe *Freakonomics* apresenta uma história bastante diferente. Profissionais do sexo ganham mais dinheiro, trabalham menos horas e têm maior segurança quando são protegidas por cafetões. Nos Estados Unidos, as prostitutas de rua também utilizam os serviços deles para evitar a prisão, ainda que a taxa da polícia para evitar isso seja de serviços sexuais gratuitos, um bom exemplo de permuta. Os cafetões norte-americanos levam 25% de comissão em todos os negócios que arranjam, e, mesmo assim, as prostitutas de rua ganham mais dinheiro com um cafetão que trabalha para elas como agente do que sozinhas. Cafetões podem anunciar os serviços de suas prostitutas diretamente para homens e em locais de difícil acesso para as mulheres, e conseguem clientes melhores, que gastam mais. É um arranjo no qual todos saem ganhando.[67] De maneira similar, garotas de programa valorizam os serviços de um gerente, apesar de sua alta taxa de comissão, porque aumenta a segurança, reduz os riscos, eleva os ganhos e ajuda a manter uma separação saudável entre a vida profissional e pessoal.[68] A nova alternativa da propaganda na internet deixa as mulheres responsáveis por seus próprios arranjos, e pode ser arriscada. Os cafetões normalmente merecem sua comissão.

O valor do capital erótico

Nem todos são apropriados para fornecer entretenimento erótico. Entretanto, para os que se adaptam e possuem o capital erótico necessário, as recompensas e benefícios são consideráveis.

Para quem fornece entretenimento erótico, os ganhos elevados são o benefício mais óbvio e importante; porém, normalmente, este é ignorado nos estudos acadêmicos. Para as pessoas que ganham bons salários em ocupações liberais, técnicas e administrativas (incluindo jornalistas e acadêmicos), é fácil negligenciar a atração financeira sobre os que possuem pouca ou nenhuma qualificação, cujas opções são limitadas a empregos que requerem relativamente pouca habilidade ou são mal pagos.[69] Para imigrantes com poucos (ou nenhum) amigos e contatos em um país novo e desconhecido, a escolha entre o mal pago com um enfadonho trabalho doméstico e um ganho muito maior na venda de entretenimentos eróticos ou sexo é normalmente resolvida em favor do último, especialmente se querem pagar empréstimos de passagens aéreas e outros custos o mais rápido possível. Laura Agustín cita mulheres imigrantes da América do Sul que conseguem liquidar todos os empréstimos em um curto período de tempo ao trabalhar em um dos muitos hotéis e boates em grandes autoestradas na Espanha, que também funcionam como bordéis informais.[70]

Existe a tendência de ver todos os trabalhadores imigrantes como pobres e não instruídos. Alguns realmente o são. Mas todos têm motivação para tentar uma vida melhor no exterior. Muitos são instruídos e podem ser considerados pobres apenas porque os padrões de salário e de custo de vida são muito mais altos na Europa e na América do Norte.

Cientistas sociais acadêmicos demonstram uma impressionante ingenuidade ao "descobrir" que a principal motivação para a prostituição é econômica.[71] Isso é tão inteligente quando explicar que a motivação principal dos homens e mulheres que se arrastam para trabalhar em fábricas, lojas e escritórios todos os dias é financeira. Por definição, o trabalho remunerado é realizado pelo pagamento; não é caridade ou voluntariado. Os homens que trabalham na indústria de serviços financeiros (e são homens, em sua maioria) estão lá para ganhar tanto dinheiro quanto puderem no menor tempo possível. Eles não trabalham porque tem um amor profundo por transações monetárias em câmbio estrangeiro, ou porque o trabalho de consultoria de fusões e aquisições é intelectualmente estimulante, ou porque vender seguros ou derivativos vai tornar o mundo um lugar melhor, ou porque reestruturar os empréstimos de uma empresa é um processo criativo. Os homens de serviços financeiros estão lá para ganhar dinheiro, receber grandes taxas de comissão e ter lucro. Eles não são diferentes dos homens e mulheres que ganham dinheiro na indústria do sexo comercial e, mais amplamente, na indústria do entretenimento, exceto por, talvez, serem mais ambiciosos e, às vezes, inescrupulosos. Muitos pesquisadores concentram-se em personalidade, histórico familiar e outras características dos profissionais do sexo, ou em seus relacionamentos com clientes, e esquecem de mencionar os ganhos excepcionais que são o ponto principal do exercício.[72] A ganância pode ou não ser benéfica, mas é a característica de quase todas as atividades em sociedades capitalistas. O que distingue as pessoas que trabalham na indústria do sexo é que elas, normalmente, deixam os clientes felizes enquanto ganham a vida, e também são bonitas.

Os ganhos são algo entre duas a quarenta vezes mais altos do que uma mulher poderia alcançar em outros empregos disponíveis para ela, de acordo com seu nível educacional. Garotas de casas de massagem tailandesa ganham dez vezes mais que empregadas.[73] Dançarinas de boates de striptease em Nova York e São Francisco conseguiam ganhar mais de 500 dólares por noite, ou mais ainda, em 2008-9.[74] Prostitutas de rua norte-americanas ganham quatro vezes mais que mulheres que têm empregos convencionais.[75] Em alguns casos, garotas jovens sem qualificações, mas que são atraentes, podem ganhar mil vezes mais do que em um emprego não especializado. Como acontece em todas as empreitadas autônomas e taxas freelance, os ganhos flutuam, e dependem de talentos individuais e de "estar no lugar certo". Alguém com a "atitude certa" e que seja graciosamente sedutora, pode ganhar o dobro em uma noite do que outra stripper talvez mais bonita, porém fria. As strippers nos Estados Unidos podem ganhar o dobro, o triplo ou o quádruplo do que ganhariam em um emprego comum.[76] Relutância em fazer o trabalho e acidez com os clientes acontecem, entretanto, e algumas mulheres não são adequadas para a profissão.[77]

Os ganhos dependem em parte de a mulher ser capaz de avaliar o mercado e se adaptar às flutuações da demanda e do interesse. Garotas de programa muito requisitadas podem tranquilamente aumentar suas taxas de 300 a 500 dólares por hora sem sofrer perda de clientes.[78] Taxas em metrópoles tendem a ser muito mais altas do que em cidades rurais. Em países onde a prostituição é criminalizada, as taxas podem ser mais altas do que em países nos quais é legalizada, devido à escassez e aos riscos mais altos.[79] Entretanto, a revolução sexual dos anos 1960 levou a um acentuado declínio na demanda e nos ganhos, conforme os homens obtinham acesso a sexo gratuito fora do casamento.[80] Na Europa, os preços se mantiveram constantes por décadas devido ao alargamento da União Europeia e ao influxo de mulheres da Europa Oriental, que ofereciam preços mais baixos.[81]

Ainda que atualmente a remuneração seja consideravelmente mais alta do que em empregos comuns, era ainda mais alta no passado, especialmente para mulheres jovens. Um estudo de 1750 cita taxas de prostitutas londrinas que parecem astronomicamente altas para os padrões modernos, devido à desigualdade de renda na época, que era muito maior. A virgindade de uma jovem bonita podia ser vendida (diversas vezes) por 150 a 400 libras, ou de três a oito vezes o salário anual de 50 libras de um trabalhador de Londres, e cem vezes o salário anual de 4 libras de uma empregada. As taxas passavam a ser muito mais baixas depois da iniciação sexual da garota, mas uma jovem atraente ainda podia ganhar mais de 2 libras por uma relação sexual, ou metade do salário anual de uma empregada londrina.[82] A indústria da prostituição contribuiu significativamente para a economia da cidade. Essas altas taxas mantiveram-se no século XIX, quando uma prostituta podia ganhar em um dia o que outras mulheres da classe trabalhadora ganhavam em uma semana.[83]

A indústria do sexo continua sendo proveitosa nos dias de hoje. No estado de Nevada, nos Estados Unidos, os bordéis são extremamente lucrativos — tanto para os proprietários quanto para as garotas que trabalham ali.[84] As mulheres que fazem o trabalho de sexo por telefone o escolhem porque ele dá dinheiro, permitindo que ganhem duas ou três vezes mais do que em outros empregos abertos para elas; além disso, não precisam gastar dinheiro com roupas bonitas, cosméticos e cabeleireiro, pois permanecem invisíveis.[85] Em Londres, as garotas de programa ganhavam 300 libras ou mais por hora em 2002.[86]

Em Jacarta, garotas festeiras e *hostesses* podem viver em favelas mas, mesmo com relações sexuais esporádicas, conseguem ganhar quatro vezes mais do que em um emprego burocrático, viver com algum conforto e ainda mandar dinheiro para a família.[87] A venda de companhia feminina e sexo em Jacarta é estruturada de forma mais frouxa do que em outras cidades, com mulheres de classe média casadas e jovens solteiras participando, mas o *éthos* básico é o mesmo em todos os lugares: "Sem dinheiro, nada feito." Turistas que esperam se sair bem com uma garota pagando-lhe apenas alguns drinques podem ficar chocados com a rapidez com que as mulheres os avaliam em termos de riqueza e generosidade — e rejeitam os que procuram serviços sexuais gratuitos.[88]

No Japão, as taxas das *hostesses* e os preços de drinques nas boates de Tóquio são tão exorbitantes que poucos homens chegam a desfrutar de tais entretenimentos às próprias custas. Na maioria dos casos, tais noitadas são organizadas por chefes e custeadas pela empresa. Os salários das *hostesses* permitem um estilo de vida decente e podem ser bastante altos para garotas bonitas e vestidas de maneira elegante nas melhores boates. *Hostesses* e garotas de *soaplands* ganham de três a quatro vezes mais do que um salário de uma funcionária de escritório.[89] Hoje em dia, a prostituição é tecnicamente ilegal no Japão, mas encontra atitudes bastante flexíveis. Estudantes adolescentes descobrem que podem ganhar 400 libras para passar algumas horas com um homem mais velho, o que lhes permite comprar roupas e acessórios de grife recém-lançados. Jovens atraentes podem ganhar de quarenta a cinquenta vezes a hora de uma vendedora de loja.[90]

Na Nigéria, não existe uma linha divisora precisa entre vender sexo e ser amante ou namorada de um homem rico e casado. Em todos os casos, espera-se que o homem pague por todo o entretenimento, e que seja generoso com a mulher, dando presentes ou dinheiro. Lá, o lema geral é "Sem dinheiro não tem romance!"[91] Jovens e estudantes atraentes exploram ao máximo suas oportunidades.

Benefícios pessoais: *uma nova perspectiva*

Além das consideráveis recompensas financeiras, existem os benefícios pessoais e psicológicos. Eles cabem principalmente às mulheres das seções "invisíveis" da indústria do entretenimento, de forma que são negligenciados devido à ênfase dada à prostituição de rua.[92]

Quando as mulheres exploram seu capital erótico durante algum tempo, tornam-se mais confiantes, especialmente ao lidar com homens, sejam eles gentis ou desagradáveis. Suas habilidades sociais tornam-se mais desenvolvidas, de forma que conseguem lidar com uma variedade maior de situações e pessoas. Elas ficam mais liberadas e aventureiras sexualmente. Mesmo mulheres que fazem apenas o trabalho de sexo por telefone já exploraram mentalmente toda a diversidade de atividades sexuais e se tornaram mais tolerantes e mais abertas em relação às possibilidades na própria vida. Todas as mulheres, mesmo aquelas que só fazem sexo por telefone, dançam em boates de striptease ou aquelas que gostam de fazer sexo com muitos homens ao mesmo tempo, tornam-se menos submissas no sexo e mais dominantes socialmente, mais seguras, mais acostumadas a estar no controle — no sexo e nos relacionamentos.[93]

Maior confiança, senso de igualdade com os homens, foco na autonomia (e não na submissão) são o resultado disso, mesmo nas culturas mais patriarcais. As memórias de Sayo Masuda sobre sua vida como gueixa na metade do século XX revelam um grau de independência intelectual e uma habilidade para controlar clientes ricos que é ainda mais notável dada sua infância de abjeta pobreza e humilhação trabalhando como ama na família de um proprietário de terras. Um estudo sobre a prostituição vitoriana observa, com perplexidade, as personalidades independentes das mulheres. Em acentuado contraste com o caráter submisso da maioria das mulheres na Inglaterra Vitoriana, as que vendiam sexo, normalmente em meio período ou de forma sazonal, eram pessoas independentes, insubordinadas, provocativas e até mesmo agressivas, que valorizavam sua liberdade acima de tudo e sabiam barganhar com os homens.[94] A atitude impetuosa e independente das profissionais do sexo do Velho Oeste norte-americano é retratada em muitos filmes, como *Jogos e trapaças – Quando os homens são homens*, com Julie Christie, e *Era uma vez no Oeste*, com Claudia Cardinale.[95]

Quatro processos parecem atuar aqui. Primeiro, sempre existe um elemento de autosseleção na indústria do sexo comercial e dos entretenimentos eróticos. As mulheres que descobrem não possuir nenhum talento relevante se afastam logo. Segundo, um número desproporcional das que são bem-sucedidas o bastante para ficar por dois ou três anos cresceu sem a influência e a socialização opressiva da mãe (ou do pai), que ensina as garotas a serem dóceis, submissas e educadas. Terceiro, lidar com homens em termos de igualdade (ou até de superioridade) exerce um impacto permanente na personalidade feminina. Quarto, mulheres que descobrem quão *mais* podem ganhar vendendo serviços sexuais do que em atividades comuns adquirem um pouco da inabalável confiança que homens em ocupações muito lucrativas demonstram.[96]

Mulheres que exploraram ativamente seu capital erótico adquirem um senso intensificado de seu próprio valor como pessoas, do valor de sua sexualidade, mais amplamente, e de seu capital erótico. Elas se tornam menos dispostas a deixar os homens controlarem os relacionamentos para terem vantagem própria e menos deferentes aos que presumem automaticamente que têm a palavra final em qualquer negociação ou relacionamento com uma mulher. Esses efeitos vêm da experiência como garotas de programa, dançarinas de *lap dance*, strippers, *hostesses*, atendentes de sexo por telefone e até mesmo como participante de um raro grupo de mulheres que ingressam (de graça) em orgias sexuais e sexo com vários homens simultaneamente — basicamente qualquer envolvimento, ainda que temporário, no campo do entretenimento erótico.[97]

Quase todos já se depararam com pessoas e experiências desagradáveis, seja no comércio sexual ou em empregos convencionais em escritórios, lojas e fábricas. Ninguém é perfeito, as coisas dão errado, algumas pessoas são grosseiras, arrogantes ou até mesmo violentas. Entretanto, as mulheres ganham confiança e autoestima ao perceber que podem lidar com a maioria das dificuldades, que os homens em seu pior comportamento são patéticos e desprezíveis e que as mulheres sempre têm alguma coisa que eles querem. A mudança psicológica tende a ser permanente. Essas mulheres têm "atitude".

Paradoxalmente, muitos cursos modernos de estudos de gênero visam, na prática, produzir exatamente esse aumento de "atitude" entre as jovens, através de justificativas ideológicas para a inferioridade masculina ou da raiva em relação à exploração e aos maus tratos que os homens impõem às mulheres. Essa mudança no comportamento e nos valores geralmente é temporária, e desaparece com o atraente namorado seguinte, que é egoísta, exigente, dominador ou, simplesmente, insensível. Ela também pode ruir quando essas mulheres se deparam com evidências que contradizem os mitos feministas. Por exemplo, as estudantes normalmente ficam chocadas ao descobrir que a Suécia e outros países escandinavos não constituem uma moderna utopia feminina como é divulgado, que naquele país a disparidade salarial entre homens e mulheres está na média da Europa, que a segregação sexual nas ocupações é a mais alta entre os países da OECD, e que as barreiras para a ascensão feminina são maiores do que nos Estados Unidos, com sua política de empregos instáveis.[98]

Muitos homens não gostam quando as mulheres apresentam muita autoconfiança, em geral reclamando das atitudes desafiadoras que elas absorvem em cursos de estudos de gênero. Eles têm muito mais razões para serem cuidadosos com mulheres que conhecem o valor de seu capital erótico. Esse é um dos motivos para a egoísta estigmatização do homem como profissional do sexo, e a tendência mais ampla de diminuir mulheres que exploram seu capital erótico.

As indústrias do entretenimento, do sexo comercial e da propaganda revelam como é alto o valor que o capital erótico feminino (e masculino) pode atingir. As melhores modelos fotográficas, como Elle McPherson e Gisele Bündchen, se tornaram milionárias quando jovens. Também demonstram que é o capital erótico como um todo que tem o valor mais alto. O preço de serviços sexuais básicos estritamente definidos pode ser bastante baixo — como demonstrado pelo fato de que, em qualquer país do mundo, as taxas das prostitutas de rua serem muito menores do que as cobradas pelo tempo de *hostesses* de boates, strippers, acompanhantes, garotas festeiras ou garotas de programa. No Japão, onde há uma tradição mais forte de valorizar o capital erótico feminino, e não existem obstáculos puritanos ao sexo, jovens atraentes podem ganhar muito dinheiro apenas por sua companhia e flerte tranquilo.

Como reconhecem alguns estudiosos, o enigma está em por que mais mulheres não vendem entretenimentos eróticos,[99] especialmente quando têm menos de 35 anos, possuem bastante libido e são mais atraentes para os homens. A resposta é dada no Capítulo 3: homens patriarcais estigmatizam a venda de sexo impondo a dicotomia santa/ prostituta às mulheres e, assim, impedindo que elas entrem e saiam de atividades de sexo comercial.

Os valores das meritocracias capitalistas do mundo ocidental nos convidam a admirar pessoas que exploram seu capital humano para ganho pessoal. Não vejo razão alguma para não admirar igualmente pessoas que exploram seu capital erótico ao máximo.

7. O vencedor leva tudo: o valor profissional do capital erótico

É fácil ver como a atratividade física e social pode ser um atributo para estrelas da mídia, das indústrias do entretenimento e da hospitalidade ou, de forma mais geral, no setor de serviços. O capital erótico poderia parecer irrelevante para empregos liberais ou de gestão. As pessoas que estão nesses cargos superiores são recrutadas por sua *expertise*, conhecimento, experiência — habilidades demonstráveis em campos especializados. Mesmo nesses rarefeitos escalões superiores da estrutura profissional, a aparência a as maneiras sociais podem fazer a diferença. De forma similar, existe um "adicional por beleza" geral em toda a força de trabalho. Infelizmente, a discriminação sexual é bastante visível nesse ponto. Apesar de as mulheres geralmente serem consideradas mais bonitas e atraentes que os homens, o acréscimo salarial é menor para elas. De maneira recorrente, estudos sobre decisões de contratação, recrutamento e promoção no mundo ocidental revelam muito mais ambivalência em relação à atratividade feminina que à masculina, e as recompensas por atratividade são substancialmente mais altas para os homens do que para as mulheres. Esse é um novo campo de discriminação sexual velada.

O retorno econômico do capital erótico pode ser comparado com o igualmente impressionante retorno por estatura. Os benefícios profissionais de ser alto (especialmente para os homens) não são questionados, ainda que normalmente o adicional por beleza seja taxado de injusto e discriminatório — ao menos em países anglo-saxões e especialmente para mulheres. Essa inconsistência de atitude revela ainda mais discriminação sexual. Eu esperaria que o adicional por beleza fosse maior em países que não compartilham a ambivalência sobre o valor do capital erótico.

Na indústria do entretenimento, o retorno do capital erótico deriva principalmente de elementos físicos: beleza e *sex appeal* — em alguns casos, também sexualidade. No mercado de trabalho comum, os aspectos *sociais* do capital erótico são mais valiosos: habilidades de apresentação pessoal e vestuário, habilidades sociais e poder de persuasão, boa forma e dinamismo social. Exibições abertas de *sex appeal* podem ser severamente penalizadas como inapropriadas nesses contextos, especialmente para mulheres.

Boa aparência em gestão e profissões liberais

A diferença de gênero nos retornos do capital erótico parece ser maior em empregos de gestão e profissões liberais. Experimentos de laboratório cuidadosamente controlados demonstram que as candidatas atraentes e altamente qualificadas são consideradas *menos* adequadas do que homens atraentes e altamente qualificados para um emprego em gestão. (O exemplo escolhido era gestão de vendas, que é igualmente acessível a homens e mulheres.) Entretanto, as candidatas altamente qualificadas e *não atraentes* são consideradas adequadas para o emprego. Os psicólogos explicam essa discriminação contra *candidatas atraentes* para empregos em gestão através dos estereótipos de masculinidade e feminilidade. Homens atraentes e mulheres *não* atraentes são vistos como mais masculinos, mais motivados, menos emotivos e mais decididos que outras pessoas, por isso possuiriam os atributos necessários para empregos nessa área. A suposição não declarada por trás dessa lógica parece ser de que mulheres atraentes e femininas podem ser mais facilmente desviadas pelo casamento com um homem bem-sucedido, de forma que se tornam menos focadas na própria carreira. Mesmo experientes profissionais de RH classificam homens e mulheres atraentes como mais agradáveis e com maiores chances de conseguir o emprego, mas pecam por cautela ao preferir candidatos homens.[1] De fato, a atratividade é percebida como um fator ligado à personalidade, aos valores e objetivos de vida, e, às vezes, pode ser uma armadilha para mulheres nos níveis mais altos da hierarquia profissional, especialmente para empregos de gestão.

Algumas qualificações podem sobrepujar os estereótipos. Presume-se que pessoas que já obtiveram um MBA sejam vistas como motivadas e dedicadas o suficiente à carreira para serem levadas a sério e ter menos dificuldades de ingressar em empregos de gestão. Um estudo sobre o sucesso profissional de graduados de MBA de tempo integral em uma grande universidade dos Estados Unidos usou fotografias tiradas durante o ingresso para o programa de MBA para obter classificações independentes da atratividade de cada graduado. E descobriu que a atratividade aumentava o salário inicial dos homens e acelerava os aumentos salariais em empregos de gestão. A atratividade não afetava os salários iniciais das mulheres (mas pelo menos não as desqualificava!); porém, as mais atraentes ganhavam salários melhores posteriormente em suas carreiras. Para cada grupo de maior atratividade na usual escala de cinco pontos (Tabela 1), os salários eram aumentados em cerca de 2.500 dólares (nos valores de 1983, portanto, mais que o dobro hoje em dia); no entanto, o adicional por beleza normalmente era mais alto para homens do que para mulheres.[2]

Um estudo similar, com graduados de uma prestigiada faculdade de direito nos Estados Unidos, também descobriu que a atratividade aumentava de forma considerável o sucesso profissional, em termos de empregos obtidos e ganhos mais altos.[3] Esses graduados em direito eram um grupo singularmente homogêneo no que dizia respeito à habilidade e experiência escolar, apesar de um espaço de duas décadas de formaturas em direito. Mas havia uma exceção. Juízes independentes classificaram as advogadas como muito mais bonitas que os homens, ainda que o tamanho da discrepância variasse entre grupos de graduados.[4] Não havia ligação entre atratividade e habilidade nesses grupos. Mesmo assim, advogados com aparência acima da média ganham de 10% a 12% a mais por ano do que aqueles que estavam abaixo da média em aparência, descontados todos os outros fatores.[5] Aqui, novamente, o adicional por beleza é maior para aumentos de salário depois que as pessoas já estão no emprego e já provaram sua competência, do que para salários iniciais. Além disso, é possível notar que a boa aparência aumenta os salários iniciais dos homens, mas não os das mulheres. Aqui, também, vemos a ambivalência dos empregadores em relação a mulheres que são atraentes, assim como inteligentes e instruídas, como essas graduadas de faculdades de direito indubitavelmente são.

Não há duvida alguma sobre o que é causa e o que é efeito nesses estudos longitudinais de faculdades de direito e graduados de MBA. As fotos foram tiradas na admissão para a faculdade de direito e os cursos de MBA, bem antes da graduação. Os graduados relataram seus ganhos subsequentes nas pesquisas realizadas por cada universidade para monitorar os resultados de carreira de seus alunos, o que forneceu informação sobre ganhos entre um até 15 anos depois. Pessoas bem-sucedidas podem "comprar beleza", mas esse fator não invalida os resultados dos estudos longitudinais. Além disso, não houve indicação de que a riqueza dos pais aumentasse a atratividade de um estudante no começo de seu curso de graduação.[6] Assim, esses estudos provam conclusivamente que o capital erótico em si é a causa de aumento de ganhos no mercado de trabalho.

A discriminação dos empregadores parece não ter influência adicional por beleza — pelo menos não além da discriminação contra mulheres bonitas em cargos superiores. A autosseleção para os empregos mais bem-pagos parece ser o fator mais importante nos processos do mercado de trabalho, além de todos os processos sociais que tornam as pessoas atraentes mais positivas, socialmente competentes, inteligentes e capazes de interação social. Os advogados mais atraentes dirigiram-se para o setor privado e para as maiores empresas, onde a média de salários é alta. Advogados atraentes autônomos têm ganhos ainda maiores do que os que são atraentes mas trabalham em uma empresa, de forma que a discriminação do empregador claramente não é um fator. Os clientes preferem advogados com boa aparência, e outros estudos demonstram que advogados atraentes conseguem resultados melhores no tribunal, arranjando mais clientes em número e em fidelidade.

Os maiores retornos para a atratividade acontecem no setor privado e em aumentos salariais durante o tempo de emprego, que são claramente ligados ao desempenho, às taxas de sucesso e à qualidade do serviço, como percebidos pelos clientes. Quinze anos depois da graduação, um advogado atraente estaria recebendo 10.200 dólares a mais por ano no setor privado, mas apenas 3.200 a mais no público (nos valores de 1983, portanto, mais que o dobro hoje em dia), descontados outros fatores. Os advogados mais atraentes trabalham como defensores em litígios, onde o capital erótico rende os retornos mais altos. Advogados atraentes têm 20% mais chances de ganhar uma promoção precoce a sócio da empresa, mas a atratividade parece *diminuir* as chances das mulheres de uma promoção precoce ao status de sócia,[7] assim como dificulta a entrada em empregos de gestão.

Na economia do conhecimento, assim como em outros campos, boa aparência e habilidades sociais associadas rendem benefícios concretos, medidos mais facilmente pelos ganhos. A atratividade física aumenta a produtividade em ocupações liberais e de gestão, talvez devido às profecias autorrealizáveis, mas principalmente porque pessoas atraentes e agradáveis são mais persuasivas e é mais fácil trabalhar com elas. O elemento de habilidades sociais do capital erótico é um fator-chave, além das habilidades de apresentação pessoal e estilo.

O *adicional por beleza* no mercado de trabalho

Os resultados de estudos de caso de ocupações específicas podem não se aplicar a toda a força de trabalho. Isso requer estudos verdadeiramente nacionais, que são raros.

Apenas três bancos de dados de pesquisas nacionais — duas dos Estados Unidos e uma do Canadá — incluem avaliação da aparência dos entrevistados pelos entrevistadores, assim como informações sobre suas ocupações e rendimentos. Mais de metade dos homens e mulheres foi considerada na média, e cerca de um em cada dez foi classificado abaixo da média em aparência (ver Tabela 14). Até agora, esses três estudos são as únicas pesquisas que forneceram informações sobre aparência e rendimentos, de forma que têm sido examinados com bastante atenção. Invariavelmente, as análises encontram um adicional por beleza, que varia entre homens e mulheres, e depende de como é medido.[8] O aumento absoluto é sempre maior do que o aumento descontado de outros fatores, e estudos diferem na forma de verificar os outros fatores.

Pessoas feias ganham menos do que as pessoas com aparência média, que ganham menos que homens e mulheres bonitas.[9] Combinando o adicional por beleza e a penalidade por feiura, o impacto geral é substancial. Na América do Norte, homens atraentes ganham entre 14% e 27% a mais, em média, do que os não atraentes. Mulheres atraentes ganham entre 12% e 20% a mais do que as não atraentes. Pessoas que mantêm uma aparência atraente e uma conduta social consistente ano após ano têm maior sucesso econômico do que aquelas cuja aparência e estilo variam ao longo do tempo.

O adicional salarial para uma aparência excepcionalmente boa tende a ser menor que a penalidade por uma grande feiura — ao menos na América do Norte. Esse padrão pode ser diferente em culturas nas quais as pessoas se sintam mais confortáveis com a valorização do poder erótico, como na Itália ou no Brasil. Além disso, provavelmente o impacto do capital erótico é ainda maior hoje em dia do que era por volta de 1980, quando essas pesquisas foram realizadas.

Em todas as três pesquisas, o adicional por atratividade e as penalidades por feiura foram mais extremos no grupo mais jovem, de 18 a 30 anos, indicando que o capital erótico é especialmente valioso para as pessoas mais novas, que têm menos experiência de trabalho e qualificações (menos capital humano). Alternativamente, o valor do capital erótico está aumentando ao longo das gerações e do tempo, com padrões cada vez mais altos de beleza.

O adicional por beleza e a penalidade por feiura não são explicados por diferenças de inteligência, classe social, autoconfiança ou pela inclinação do entrevistador.[10] O impacto da atratividade também não é atribuível ao fato de as pessoas serem altas ou baixas, ou a seu peso, fatores que exercem um impacto independente nos ganhos.[11]

As descobertas dos estudos norte-americanos são confirmadas por um estudo britânico mais recente, que coletou informações sobre aparência, altura, índice de massa corporal e ganhos de pessoas de 33 anos.[12] Assim como nos estudos norte-americanos, a atratividade tem um impacto mais forte nos ganhos masculinos do que nos femininos, e as penalidades de pagamento para falta de atratividade são maiores que as recompensas por boa aparência.

A aparência tem um impacto profundo em nossas chances de conseguir um emprego. Há uma diferença de 10 pontos percentuais nas taxas de emprego entre homens e mulheres não atraentes e atraentes, assim como existe entre pessoas baixas e altas. É surpreendente que a obesidade não afete a probabilidade de conseguir um emprego, embora reduza os ganhos.

Comparações de rendimentos entre a pequena minoria de pessoas não atraentes e o grupo mais numeroso de pessoas atraentes demonstram grandes adições nos ganhos dos últimos: 20% a mais para homens e 13% a mais para mulheres. Os aumentos nos ganhos continuam sendo significativos em ocupações liberais e de serviços, analisadas separadamente, especialmente para os homens (Tabela 4). Pessoal altas também tiveram ganhos substancialmente mais altos se comparados aos das pessoas baixas: 23% a mais para homens e 26% a mais para mulheres. Entretanto, homens e mulheres obesos ganharam de 13% a 16% menos do que a média.[13]

Na Grã-Bretanha, assim como nos Estados Unidos, o adicional por beleza é devido parcialmente à autosseleção: pessoas bonitas encaminham-se para profissões de contato com clientes e vendas, nas quais a atratividade é uma vantagem, com um típico benefício de pagamento de 9% a mais. Mulheres atraentes têm mais chances de serem contratadas, e homens e mulheres baixos e obesos têm *menos* chances, especialmente em ocupações liberais e burocráticas. No geral, o estudo demonstra que o impacto da aparência pode ser similar aos benefícios das qualificações educacionais — às vezes, até maior.[14]

O estudo mais recente, realizado por psicólogos sociais, oferece as conclusões mais exatas sobre a relativa importância da inteligência e da atratividade, e de educação *versus* atratividade. O Harvard Study of Health and Life Quality coletou retratos, de frente e de perfil, como parte de uma pesquisa nacional, e incluiu um estudo especial de carreiras de adultos na área de Boston, com três entrevistas ao longo de dois anos. Isso permitiu que os pesquisadores coletassem informações mais detalhadas sobre inteligência e confiança por meio de uma bateria de testes sobre personalidade e habilidades cognitivas.[15] O fato de que o capital erótico só é avaliado pela atratividade facial não chega a ser uma fraqueza como demonstro mais adiante.

TABELA 4 – O impacto da atratividade física e social nos rendimentos, Grã-Bretanha, 1991

	O *aumento médio (ou queda)* *dos ganhos por hora obtido por* *cada mudança na aparência*	
	Homens	*Mulheres*
Toda a força de trabalho		
Atraentes X não atraentes	+20%	+13%
Altos X baixos	+23%	+26%
Obesos X média de todos os trabalhadores	–13%	–16%
Ocupações liberais		
Atraentes X não atraentes	+14%	+3%
Altos X baixos	+17%	+12%
Obesos X média de todos os trabalhadores	–14%	–9%
Ocupações de serviços		
Atraentes X não atraentes	+21%	–5%
Altos X baixos	+34%	–3%
Obesos X média de todos os trabalhadores	–3%	–2%

FONTE: *Harper (2000)*

TABELA 5 – O impacto relativo da atratividade na renda, Estados Unidos, 1997

	Efeitos diretos	*Efeitos indiretos*	*Efeitos totais*
Inteligência geral	.41	.11	.52
Autoavaliação básica	.23	—	.23
Qualificações educacionais	.18	—	.18
Atratividade física	.13	.08	.21

FONTE: *Judge e outros (2009)*

Em geral, boa aparência, intelecto, qualificações, personalidade e confiança determinam o salário, tanto para homens quanto para mulheres (Tabela 5). Pessoas mais atraentes recebem salários mais altos, são mais confiantes e possuem melhores qualificações educacionais, mas a inteligência é ainda mais poderosa para aumentar a confiança, a educação e o salário.[16] Mesmo depois de levar em consideração a inteligência, a boa aparência aumenta o salário, em parte por aprimorar as realizações educacionais, a personalidade e a confiança. O efeito total da atratividade no salário é aproximadamente igual ao das qualificações educacionais ou da autoconfiança, mas é muito menor do que o impacto da inteligência.[17] Pessoas atraentes acham mais fácil interagir socialmente, são mais persuasivas e, portanto, mais bem-sucedidas na vida pessoal e pública.

Vastos Estudos, com amostra ampla e representativa de indivíduos, revelam os efeitos gerais da atratividade e medem o alcance do adicional por beleza em toda a força de trabalho. Entretanto, experimentos de laboratório cuidadosamente controlados são melhores para destacar os mecanismos causais fundamentais. Dois acadêmicos idealizaram uma série engenhosa de experimentos com universitários na Argentina ao longo de 2002-2003 para descobrir como a atratividade influencia os relacionamentos em ambientes de trabalho.[18]

Os estudantes foram colocados de maneira aleatória em grupos de "empregadores" e "empregados" para organizar e desempenhar a tarefa de solução de um labirinto que exigia verdadeira habilidade não afetada pela atratividade física.[19] Os empregados ganhavam dinheiro predizendo corretamente a própria performance. Os empregadores ganhavam dinheiro predizendo corretamente a performance dos empregados. O grau de interação visual ou oral entre empregadores e empregados variava. Empregadores sempre viam um currículo das qualificações e experiência profissional de cada empregado. Além disso, alguns empregadores viam uma foto estilo passaporte do empregado, alguns entrevistavam o empregado por telefone, e outros o faziam pessoalmente. O resultado desse estudo em laboratório foi um adicional por beleza considerável, de cerca de 15% a mais em ganhos, similar ao dos estudos nacionais nos Estados Unidos e na Grã-Bretanha.

A atratividade aumentou a estimativa de habilidade, sucesso e ganhos feita tanto pelos empregados quanto pelos empregadores. O adicional por beleza foi levemente maior (17% a mais) quando os empregadores encontraram o empregado em pessoa, e um pouco menor (13% a mais) quando simplesmente viram uma foto ou falaram com o empregado pelo telefone. Uma pequena parte do adicional por beleza, cerca de um quinto, foi atribuída ao fato de pessoas atraentes serem mais confiantes que as outras. Excluído o elemento da confiança, ainda restava um adicional por beleza "puro" de cerca de 10%.

O resultado mais notável desses experimentos é que o aumento por atratividade era grande mesmo quando os empregadores não viam uma foto ou apenas entrevistavam o empregado por telefone. Ficou claro que pessoas atraentes, assim como os ricos, são diferentes de nós — elas adquiriram habilidades sociais e de comunicação que vão além da confiança, que impressionam os empregadores mesmo quando permanecem invisíveis.[20] Esse estudo experimental demonstra que o adicional por beleza é explicado, em parte ou totalmente, por charme e habilidades de interação social superiores nas relações profissionais. Isso é inteiramente consistente com as evidências de pesquisa examinadas no Capítulo 4 sobre o processo por meio do qual a atratividade torna-se uma parte fixa da personalidade e do caráter, refletida nas habilidades sociais e interpessoais.

Mesmo quando os estudos medem o impacto da atratividade facial (como em uma foto), na prática estarão percebendo o impacto mais amplo de uma personalidade positiva, de habilidades sociais e também dos modos de uma pessoa atraente, porque estes estão profundamente relacionados entre si. Avaliando todos esses estudos juntos, parece que o capital erótico concede um aumento médio nos ganhos de cerca de 15% a 20%, mais para homens e menos para mulheres. Em casos individuais e profissões específicas, o aumento nos ganhos pode ser consideravelmente mais alto, especialmente no setor privado. Alto capital erótico também aumenta as taxas de emprego e de promoção.

Entretanto, alguns estudos tentam analisar o impacto das habilidades sociais e das habilidades de apresentação pessoal em separado da atratividade facial.

Habilidades sociais e trabalho emocional

Cada vez mais, as habilidades sociais são um aspecto essencial do trabalho. Conforme as economias modernas deslocam a ênfase da agricultura e das indústrias manufatureiras para as indústrias do setor de serviços, mais empregos envolvem trabalhar com outras pessoas (em vez de com apenas objetos). As habilidades sociais tornam-se uma parte essencial do trabalho diário, mais do que breves interlúdios de socialização com colegas no começo e fim do expediente. Mesmo quem passa a maior parte do dia sentado em frente a uma tela de computador está sempre se comunicando com outras pessoas, direta ou indiretamente. Em empregos de escritório, a habilidade de ser um colega agradável, com quem se tem facilidade de conversar, além de charmoso, amigável, alegre e cooperativo é um grande atributo. Essas habilidades são especialmente importantes para gerentes, supervisores e pessoas que lidam com clientes e negociações. Esses talentos se mesclam às habilidades sociais que tornam alguém atraente na vida pessoal, e podem incluir a habilidade de flertar de uma maneira tranquila e não ameaçadora, sem cruzar o limite do assédio sexual.

Sorrir ao encontrar pessoas é apenas um exemplo desse comportamento. Sorrir de maneira natural e amistosa para clientes é uma das instruções mais importantes nos manuais de serviços; é o traço mais comum de propagandas de serviços e produtos, além de ser uma linguagem universal de boas-vindas e aceitação. Para alguns dançarinos profissionais, um sorriso fixo é parte das performances. Apresentadores de TV normalmente exibem sorrisos entrelaçados aos assuntos atuais e outras histórias que relatam. Foi dito sobre Silvio Berlusconi, presidente italiano no começo do século XXI, que "ninguém sabia manter um sorriso melhor do que Berlusconi" em todas as aparições públicas.[21] A maioria dos políticos em regimes democráticos considera sorrir como parte essencial de seu papel, em eventos públicos, durante a campanha eleitoral e a exposição na mídia. Um bom sorriso sempre ajuda.

À primeira vista, a teoria do trabalho emocional de Arlie Hochschild explica por que sorrir e possuir outras habilidades sociais são tão importantes na força de trabalho moderna, e por que as mulheres não são recompensadas por esse trabalho. Sua tese é bastante popular, especialmente nos Estados Unidos.[22] Hochschild apresenta o sorriso e as habilidades relacionadas como um árduo trabalho emocional. Ela alegou que um terço dos trabalhadores dos Estados Unidos realiza trabalho emocional, mas todas as mulheres o fazem; que a maior parte do trabalho emocional é feito por mulheres; que o trabalho emocional é alienante; que empregadores exploram as habilidades sociais das mulheres e não as recompensam adequadamente.[23] Assim, sua tese conecta-se a argumentos sobre a desvalorização do trabalho feminino em geral e a minha própria tese de que o capital erótico é desvalorizado.[24]

Entretanto, a base para a tese é frágil. Um estudo de caso dos integrantes da equipe de bordo da Delta Airlines, formada majoritariamente por mulheres, foi generalizado para toda a força de trabalho dos Estados Unidos. O estudo da equipe de bordo foi ligeiramente ampliado por um segundo estudo de caso, sobre homens cujo trabalho é cobrar dívidas, em que é necessário ser desagradável e ameaçador com os clientes que não pagaram, em contraste com o acolhedor bom-humor da equipe de bordo. Mas a discussão sobre esse segundo grupo de trabalhadores está restrita a apenas dez páginas do livro.[25] O importante, porém, é que o estudo de Hochschild sobre a equipe de bordo baseou-se profundamente nos manuais e no treinamento em classe dessa equipe, suplementado por algumas entrevistas com as mulheres.

Como qualquer um que já sofreu a indiferença negligente da equipe de bordo de algumas companhias aéreas saberá, os manuais de treinamento enfatizam charme amistoso e boas maneiras precisamente porque é difícil persuadir a equipe a se manter sempre agradável ao longo de seu turno. Hochschild não chegou a demonstrar se os manuais de treinamento se traduzem no tipo de serviço no trabalho, nem se as mulheres fazem mais trabalho emocional que os homens, nem se seu conceito de trabalho emocional tinha uma utilidade mais ampla em todas as ocupações. Entretanto, a teoria entrou na moda de forma instantânea nos Estados Unidos.

O elemento de habilidades sociais do capital erótico aproxima-se mais da teoria de Norbert Elias do processo civilizatório do que a tese de Arlie Hochschild, mais de uma perspectiva europeia de civilização e cortesia do que de uma visão norte-americana do charme e das boas maneiras como "trabalho árduo". Elias argumenta que, em sociedades avançadas, o autocontrole, o gerenciamento emocional e as regras de sociabilidade se tornam tão arraigadas e habituais que se transformam em uma "segunda natureza", inconsciente, um hábito que raramente (ou nunca) é quebrado. Regras de autocontrole e civilidade são internalizadas mais completamente nas classes altas, e ajudam a definir grupos de status. Elas se tornam parte da personalidade e do estilo, e são aplicadas em situações profissionais e na vida pessoal.[26] É por isso que o trabalho emocional normalmente não é tido como alienante. Uma insegurança consciente das regras sociais surgiria principalmente em grupos de menor status que ainda estivessem aprendendo estilos de educação, charme e boas maneiras,[27] as habilidades de interação social essenciais para o capital erótico.

Os cargos superiores de gestão e as ocupações liberais exigem os níveis mais altos de habilidades sociais. Entretanto, homens e mulheres em tais posições são *menos* propensos a perceber ou relatar o emprego de tais habilidades, pois estas já estão arraigadas em suas personalidades e modos, tornaram-se uma segunda natureza, são aspectos garantidos de estilo, cortesia e educação.[28] Um colega que foi promovido a gerente executivo reclamou que metade de seu tempo era gasto lidando com os problemas pessoais e ansiedades de sua equipe (e não com assuntos profissionais), e ainda assim, isso nunca era reconhecido como parte importante de seu papel e seu conjunto de habilidades.

Estudos realizados fora dos Estados Unidos contradizem, de maneira direta, a tese de Hochschild e confirmam a teoria de Elias, especialmente os mais recentes, pois são rigorosos, maiores e mais representativos. Uma pesquisa de 1998 sobre equipes de bordo europeias concluiu que a maior parte das pessoas recrutadas para esses empregos já é bem equipada para lidar com a maioria dos tipos de desavença social sem nenhum problema, são habilidosas em negociar demandas administrativas e em lidar com passageiros desagradáveis sem transtornos desnecessários, e desenvolvem complexas habilidades de equipe e relacionamentos profissionais que possibilitam um ambiente de trabalho acolhedor.[29] Outro estudo menor descobriu que equipes europeias de funcionários podiam ser imaginativas e criativas em sua abordagem do trabalho, exercendo habilidades divertidas com alto nível de sofisticação.[30]

Uma comparação dos funcionários dos parques da Disney nos Estados Unidos e no Japão descobriu que os japoneses tinham muito menos dificuldade de fornecer serviços do que os norte-americanos, que precisavam de um treinamento rigoroso para se tornar consistentemente amáveis com os clientes.[31] A cultura japonesa é uma das mais civilizadas do mundo, e todos os seus integrantes aprendem regras de educação, boas maneiras e autocontrole. É um país no qual quase todos cursaram o ensino médio, de forma que adquirem o mesmo treinamento moral em valores, atitudes e normas comportamentais ao longo da vida escolar. Isso inclui trabalho em equipe, reconhecimento da fina linha que divide a aparência pública dos sentimentos íntimos, autocontrole emocional e o hábito de discutir e analisar erros de maneira produtiva em pequenos grupos de trabalho. No Japão, o treinamento do sorriso começa na infância, e o sorriso público é um sinal de educação e a principal máscara emocional.[32] Convenções e normas de comportamento relativamente parecidas são encontradas em muitas outras culturas do Extremo Oriente, e são exibidas na infalível cortesia das equipes de suas companhias aéreas. Já os valores norte-americanos enfatizam a individualidade, a autenticidade e a autoexpressão, de forma que o comportamento público e as habilidades sociais relacionadas se tornam mais variáveis e, portanto, imprevisíveis. Os resultados de pesquisa dos Estados Unidos podem ser mais idiossincráticos do que representativos de todas as sociedades modernas.

Finalmente, não existem evidências fortes de que as mulheres trabalhem mais do que os homens ao ser charmosas em ocupações nas quais homens e mulheres trabalham lado a lado — como gestão, ensino, medicina ou vendas e marketing. O difundido estereótipo de que isso acontece nunca foi provado de maneira satisfatória.[33] Então, até hoje não existem evidências conclusivas de que as mulheres façam mais trabalho emocional do que os homens, em economia alguma.

Ainda não há uma maneira confiável e rigorosa de medir boas habilidades sociais e gerenciamento emocional, mesmo que possamos identificar prontamente indivíduos sem sensibilidade social ou grosseiros.[34] Estudos sobre o adicional por beleza nos ganhos podem incluir ou excluir a contribuição desse elemento invisível de habilidade social. De qualquer maneira, como a atratividade social e a física são, na prática, profundamente interligadas, não podemos ter certeza, mas parece haver uma tendência a desvalorizar as habilidades sociais, talvez porque sejam invisíveis e, aparentemente, naturais e fáceis.

A informalização das maneiras modernas e dos modos sociais é outra razão pela qual as habilidades sociais tendem a ser desvalorizadas nos dias de hoje. Assim como a improvisação exige habilidades e experiência maiores do que simplesmente seguir o roteiro da peça ou a partitura musical, lidar de maneira flexível com uma maior mistura social e com grupos multiculturais e mistos (de clientes e colegas) requer um alto nível de hábil gerenciamento emocional, de cortesia e conhecimento social. Algumas pessoas acham, erroneamente, que a informalização dos modos sociais significa que "vale tudo", que qualquer coisa é permitida. Na verdade, ela exige habilidades mais flexíveis e sofisticadas, além de maior autocontrole.[35]

Leis suntuárias, uniformes e códigos de vestuário

Em dezembro de 2010, o banco suíço UBS emitiu um código de vestuário de 43 páginas para os funcionários, suscitando muitos debates sobre a necessidade de tais diretrizes e o cabimento das recomendações oferecidas. Foi requisitado às mulheres que usassem roupa de baixo, preferivelmente da cor de sua pele, de forma que não aparecesse, e que não deixassem mais que dois botões da camisa abertos no pescoço. Os homens foram aconselhados a usar meias até o joelho (sem estampas de desenhos animados), de forma que a pele não aparecesse, e ternos pretos, azul-marinho ou cinza.

Essas diretrizes podem parecer detalhadas demais, mas para um banco global podem muito bem ser necessárias. Códigos de vestuário que parecem "óbvios" em Nova York e Londres podem não ser tão evidentes em Mumbai, Xangai, São Paulo ou Lagos. Embora sejam evidentes para algumas pessoas, outras não percebem os códigos de vestuário implícitos para os trajes profissionais apropriados. Após eu declarar que as mulheres deviam explorar seu capital erótico, perguntaram-me muitas vezes se isso significava usar decotes no trabalho. Claro que não! Existe uma grande diferença entre se vestir para um encontro e se vestir para o escritório, entre se vestir de maneira atraente e de maneira desconcertante. O capital erótico inclui habilidades de apresentação e estilos adequados à ocasião e ao lugar, seja a sala de reuniões ou o quarto.

Certa vez, uma colega foi trabalhar vestida para uma entrevista de promoção no emprego, que aconteceria à tarde. Ela estava com um vestido preto, pensando que parecia sério e sóbrio, mas era um vestido de festa de renda, revelando pele sob o tecido, e parecia pouquíssimo profissional. Ela não conseguiu a promoção, mas não entendeu por quê. Em uma pesquisa com 3 mil gerentes, 43% admitiram ignorar alguém para uma promoção ou aumento salarial por causa da maneira como essa pessoa se vestia, e 20% tinham inclusive demitido pessoas por essa razão.[36]

É claro que existem enormes diferenças entre ocupações e indústrias. Na moda, nas artes e na mídia, criatividade, cor e estilo são esperados, e não reprimidos, em contraste com a uniformidade monocromática de banqueiros e advogados. Em todos os contextos sociais, conformidade ao código de vestuário relevante é o padrão, seja ele escrito ou exibido pelos trajes de seu chefe. Tudo isso exige sensibilidade social, inteligência, bom gosto e a noção de como se vestir para subir na carreira.

Alguns acadêmicos já argumentaram que certos cargos envolvem "trabalho estético" em associação ao trabalho emocional, e que essa é uma evolução recente.[37] Essa ideia foi desenvolvida na Glasgow School of Hotel Management, a partir de um projeto direcionado a ajudar os desempregados das camadas mais baixas a obter o estilo e as maneiras necessárias para conseguir um emprego na indústria da hospitalidade em expansão, especialmente em hotéis de classe alta. Um curso de treinamento foi idealizado para ensinar a esses jovens sem habilidades a "ter boa aparência e falar direito".[38]

Não há nada de novo na ideia de que estilo importa. Sempre existiram códigos de vestuário para quase todas as ocupações e status sociais — especialmente para pessoas em empregos de serviços. Empregados em casas de família normalmente usam uniformes especiais para personificar e exibir a riqueza e o estilo de seus empregadores. Normalmente, os uniformes são usados para garantir que todos os empregados obedeçam ao estilo e ao código de vestuário do empregador, apresentem uma imagem pública consistente, e sejam publicamente identificáveis por sua função e seu emprego, e também, talvez, sua categoria e seu status. As convenções modernas substituem os rígidos uniformes por códigos de vestuário mais flexíveis, explícitos ou implícitos, mas são poucos os empregos que não possuem código de vestuário algum.

Espera-se que advogados compareçam ao tribunal usando roupas pretas, mesmo que não haja lei que os force a isso. Na Inglaterra, uma advogada tentou reivindicar uma ajuda de custo para as lúgubres roupas pretas de trabalho que detestava, mas era obrigada a usar no tribunal. Sua reivindicação foi rejeitada com base no fato de que todos têm de usar roupas no trabalho, e não havia compensação para a obrigação profissional de usar uma cor e um estilo de roupas que não lhe agradavam. Ajudas de custo são concedidas apenas para roupas de segurança e equipamento de proteção que nunca são usados na vida cotidiana.

Desde o começo da civilização, existem regras de estilo, códigos de vestuário e convenções que abrangem penteados, acessórios, joias e sapatos, assim como roupas. A apresentação pessoal em lugares públicos e no trabalho nunca foi uma questão aleatória de tentativa e erro ou da vontade de cada um. As "sextas-feiras casuais" em centros de negócios e finanças simplesmente substituem um código de vestuário por outro conjunto de regras, mais difícil de seguir.[39]

A importância social dos estilos de vestir e da apresentação pessoal refletiram-se em leis suntuárias que proibiam certas pessoas de usar determinados tecidos, joias e cores que denotavam classes mais altas ou status de casta, e em leis impondo roupas diferentes para homens e mulheres.[40] Até certo ponto, a moda serve ao mesmo propósito hoje em dia, diferenciando tribos de estilo e de forma de viver, identificando os ricos, que podem renovar o guarda-roupa com as novas tendências do ano e as novas cores e modelos da estação. Os psicólogos dizem que as pessoas estabelecem uma impressão de alguém nos primeiros sessenta segundos do encontro. O estilo e a apresentação pessoal, em termos de roupas, cabelos, acessórios e maneiras, contribuem para essa impressão. Consultores que aconselham sobre candidatura e entrevistas de emprego costumam dizer que nunca se tem uma segunda chance de causar uma boa primeira impressão.

Um estudo experimental testou o impacto do cuidado pessoal e do estilo na seleção para um emprego de analista financeiro. Candidatos bem-arrumados e vestidos de maneira apropriada tinham mais chances de serem contratados do que os mal arrumados, mesmo que os avaliadores afirmassem dar pouca importância à aparência dos candidatos.[41] Como era de se esperar, os candidatos mal qualificados e mal arrumados tinham menos chances de serem contratados, e os bem qualificados e arrumados, mais. Entretanto, os candidatos mal qualificados, porém bem-arrumados, tinham mais chances de serem contratados que os bem qualificados e mal-arrumados — mesmo que os avaliadores estivessem convencidos de que consideravam a aparência um fator sem importância.[42] Quando pessoas igualmente qualificadas estão sendo entrevistadas para empregos de gerência — como normalmente é o caso com candidatos selecionados — as atraentes e bem-arrumadas têm a vantagem, e mais chances de serem escolhidas, mesmo por consultores profissionais de pessoal.[43] Essa pesquisa também confirma, mais uma vez, a descoberta de diversos estudos maiores: a atratividade e a boa apresentação pessoal podem contar tanto quanto as qualificações educacionais.[44]

Há muito se sabe que uma aparência atraente e maneiras agradáveis facilitam qualquer empreitada, de forma que as pessoas se esforçam para obtê-las. Em 1527, Nicolau Maquiavel ressaltou em *O príncipe* que: "Todos veem o que você aparenta ser, mas apenas poucos percebem o que você é, e esses poucos não se atrevem a contrariar a opinião dos muitos, que têm a majestade do Estado para defendê-los." Ele deixou claro que o requisito essencial para os governantes era *aparentar* ter boas qualidades — através de boas roupas.[45]

Os primeiros jesuítas sabiam da insistência de Maquiavel por uma boa aparência, mas decidiram que uma boa reputação também era importante para o sucesso. Seu lema, *Suaviter in modo, fortiter in re* [Suave no modo, forte no conteúdo], foi formulado em 1606. A preocupação jesuíta de "personificar" a Igreja Católica produziu algumas igrejas muito elegantes, mas também um recrutamento seletivo para assegurar que todos os padres fossem pessoalmente apresentáveis, assim como persuasivos. Uma aparência agradável era essencial.[46]

Avançamos até o século XXI, e empresas como a Abercrombie & Fitch selecionam as equipe das lojas com base na boa aparência e estilo de educação e maneiras da classe média, de forma a personificar a imagem do produto, nesse caso roupas, em vez da salvação eterna. Essa cadeia de lojas é muito frequentemente escolhida para observação, pois, como o UBS, ela definiu seu estilo e seu código de vestuário ao escrever um *Look Book*, em vez de esperar que a equipe das lojas aprendesse o código pelo processo de osmose.[47] Porém, códigos de vestuário (implícitos ou explícitos) são padrão em todos os ambientes de trabalho, e nem sempre agradam a todo mundo.

A atual legislação trabalhista concede aos empregadores o direito de especificar códigos de vestuário.[48] Mais de 90 por cento dos empregadores na indústria da hospitalidade produzem códigos de vestuário para empregados.[49] Em algumas ocupações, esses códigos aumentam o capital erótico dos funcionário, sendo fato óbvio nas indústrias do entretenimento. A grande vantagem dos uniformes e dos códigos de vestuário escritos é que não se baseiam na habilidade das pessoas de entender e colocar em prática regras implícitas. Os uniformes também dão aos empregadores maior controle. Alguns uniformes procuram apagar o capital erótico — por exemplo, hábitos de monges e uniformes escolares.[50] Outro procuram homogeneizar o capital erótico dos que os usam — por exemplo, roupas de vedetes, mas também de recepcionistas de hotel e integrantes da equipe de bordo de companhias aéreas. Alguns uniformes proporcionam glamour e status e aumentam o capital erótico, como as roupas de noite dos crupiês em cassinos ou os trajes usados no tapete vermelho pelas estrelas de cinema em eventos transmitidos pela TV, como o Oscar.

Conforme se modificam as condições sociais e econômicas, os códigos de vestuário devem ser atualizados. Escritórios e residências com aquecimento central possibilitam roupas muito mais leves que no passado. Até que ponto minissaias, tecidos leves e transparentes ou pernas descobertas são permitidas em um escritório? Sociedades multiculturais podem levar a combinações estranhas, com algumas mulheres da equipe do escritório usando minissaias, enquanto outras, sentadas ao lado delas, cobrem a cabeça com lenços e usam roupas que escondem tudo além de pulsos e tornozelos. De qualquer maneira, a apresentação pessoal importa, declara sua posição (esteja você ciente da linguagem visual ou não), exibe ou esconde seu capital erótico, seu status e seu estilo. Uma grande habilidade na linguagem do vestir e do estilo é sempre recompensada.

No mundo ocidental, as mulheres têm uma escolha de estilos mais diversa que os homens. Há, portanto, mais atenção aos estilos femininos de apresentação pessoal, e às mensagens transmitidas, e tentativas mais frequentes de controlar o vestuário feminino (e a exibição de capital erótico de forma geral) através de críticas e restrições legais. Por exemplo, os homens têm tentado tornar ilegais as minissaias nos escritórios do Peru. Em julho de 2010, na Europa, a Assembleia Nacional francesa votou para banir os véus que cobrem todo o rosto das mulheres em locais públicos, e propostas similares estão sendo considerados na Bélgica e na Espanha.[51]

Todos precisam usar roupas, ainda que mínimas. Na selva tropical amazônica, tribos que parecem andar nuas, na verdade usam roupas. Entre os Ianomâmis, há uma fita amarrada ao redor da cintura, que pode ser removida para tomar banho no rio. Alguém pego sem a fita na cintura ficará extremamente envergonhado por ser visto completamente nu. Todos os estilos de vestir transmitem mensagens, intencionais ou não, e os códigos de vestuário são onipresentes, tanto na vida social quanto no ambiente de trabalho. Em todos os contextos sociais, incluindo o profissional, a aplicação correta das regras de estilo é recompensada (e sua falha, punida) da mesma maneira que outros talentos. As habilidades de apresentação pessoal podem ser cruciais para obter promoções, conseguir ou manter um emprego. Por causa da grande flexibilidade e variedade, os códigos de vestuário são mais difíceis para as mulheres que para os homens, com mais espaço para erros e mensagens enganosas. Em Nova York, uma mulher alegou que tinha sido demitida injustamente pelo Citibank porque as roupas justas exibiam sua silhueta curvilínea — negligenciando o fato de que os homens que trabalhavam com ela nunca usariam roupas tão apertadas.[52] A exibição de capital erótico no ambiente de trabalho exige mais sofisticação do que as pessoas imaginam, e as penalidades por erros podem ser severas.

Diferenças entre o setor público e o privado: efeitos de seleção

Todos os estudos nacionais de grande escala sobre os efeitos da atratividade física e social têm sido realizados em países anglo-saxões. Um traço comum dos relatórios de pesquisa, sejam feitos por economistas, sociólogos ou psicólogos, é a grande ansiedade que expressam diante de suas descobertas. Sem exceção, cientistas sociais se preocupam com as possíveis implicações de discriminação, estereotipagem e preconceito. Como um dos relatórios conclui: "Vivemos em um mundo tão cativado pela beleza quanto desconfortável com as vantagens que ela concede."[53] Essa perspectiva sobre o capital erótico não é universal, e os cientistas sociais norte-americanos estão novamente presumindo, incorretamente, que seus pontos de vista são compartilhados pelo resto do mundo.[54] Essa ansiedade, entretanto, tem um efeito benéfico: impulsiona os pesquisadores a investigar todos os processos que explicam o adicional por beleza.

Crianças atraentes crescem em um mundo mais positivo e amistoso, o que as leva a se tornar pessoas mais agradáveis, extrovertidas e confiantes, em todos os contextos mais atraentes como colegas, amigos e parceiros. Além disso, existem três processos principais de classificação e seleção que produzem o adicional por beleza e a penalidade por feiura no mercado de trabalho. Primeiro, pessoas atraentes direcionam-se a ocupações e indústrias que valorizam e recompensam o capital erótico. Elas certificam-se de que estão no lugar certo. Já as pessoas não atraentes têm mais propensão a escolher empregos nos quais a aparência não é importante. Segundo, como já demonstrado anteriormente em relação aos advogados, as pessoas atraentes ga nham melhor porque conquistam mais clientes e fregueses, têm uma clientela fiel, conseguem vender mais produtos e serviços e podem cobrar taxas mais altas. Elas exibem o que os economistas denominam como "ganhos de produtividade" — valem mais porque se saem melhor no emprego e alcançam melhores resultados. Terceiro, os retornos por atratividade, assim como para alguns outros talentos, estão aumentando nas economias modernas devido ao impacto das novas tecnologias, mídias e internet. Com incontáveis fotografias de pessoas em jornais e revistas, na TV e em sites, a aparência física, o estilo e as maneiras sociais se tornaram elementos muito mais dominantes da persona pública. Isso se aplica a todos, desde políticos e esportistas até funcionários comuns, em ocupações nas quais a aparência costumava ser irrelevante, como em funções acadêmicas,[55] assim como àqueles para quem o capital erótico sempre foi importante, como os integrantes da indústria de entretenimento.

Os setores público e privado diferem em números absolutos de empregos nos quais a aparência importa. Quase todos os empregos de vendas e marketing estão no setor privado. Ainda que ambos os setores empreguem especialistas em relações públicas, existem mais RPs no setor privado. Com exceção dos países socialistas, nos quais as artes são financiadas pelo Estado, quase toda a indústria de entretenimento está no setor privado — com empregos para cantores, dançarinos, músicos, atores, apresentadores, acrobatas e outros artistas. O esporte profissional é uma atividade do setor privado por definição. Os políticos provavelmente constituem o único grupo ocupacional do setor público que inclui um grande elemento de performance pública, com frequentes aparições em eventos retratados pela TV e por jornais. No geral, existem muito mais empregos no setor privado, em que aparência atraente, cuidados pessoais e habilidades sociais são atributos valiosos. Esse setor também oferece melhores recompensas por desempenho. Então, não é surpresa que as pessoas com alto capital erótico direcionem-se para o setor privado, no qual podem ganhar mais.

Além disso, organizações com fins lucrativos normalmente dão maior valor a uma elegante aparência, com códigos de vestuário implícitos ou explícitos, como observado anteriormente. Os funcionários do setor privado e os profissionais autônomos geralmente investem mais tempo, dinheiro e esforço para ter uma boa aparência do que o típico empregado do setor público. Recepcionistas de hotéis, por exemplo, exibem maior capital erótico em seu estilo e maneiras do que bibliotecários em instituições públicas. São bem-arrumados, vestidos com esmero, têm boa postura e sorriem mais frequentemente. Funcionários do governo raramente investem tanto em aparência quanto vendedores e equipes de prestadores de serviços em empresas privadas. Às vezes, o desmazelo e as maneiras lúgubres dos funcionários do setor público podem levar os clientes a sentir que não estão sendo tratados da maneira correta.

Todos os estudos encontram uma concentração mais alta de pessoas atraentes (especialmente homens) empregadas no setor privado do que no público.[56] Esse é um resultado da autosseleção e da "seleção dinâmica" em empregos que oferecem as melhores remunerações.[57] Não há nada de injusto ou discriminatório nesse processo, que não difere dos processos de seleção que favorecem pessoas instruídas na economia do conhecimento e em cargos de alto escalão.

Questões de igualdade: *altura* versus *atratividade*

A atratividade traz recompensas financeiras, mas ser alto também. Em geral, os estudos determinam um retorno econômico ainda maior para a grande estatura do que para atratividade (Tabela 4). Seria concebível que questões de igualdade surgissem por causa do retorno econômico por ser alto. Ainda assim, as vantagens da altura extra são amplamente aceitas, enquanto a beleza é, às vezes, vista com ambivalência. A beleza feminina em particular é normalmente tratada de maneira adversa. Isso não faz sentido e expõe o preconceito contra a beleza no mundo ocidental.

Em geral, as pessoas que ocupam os cargos mais importantes são altas. Para os homens, especialmente, ser alto é um auxílio. Homens baixos têm de ser bastante competentes para superar essa desvantagem. Napoleão conseguiu. Hitler também.[58] Alguns magnatas dos negócios são baixos. Entretanto, o caminho dos homens altos é mais tranquilo e fácil na vida.

Em todas as culturas, a grande estatura é amplamente considerada uma característica positiva, especialmente para os homens. Pessoas altas são percebidas de forma positiva, e normalmente homens altos são considerados atraentes. Apenas pessoas excessivamente altas são rejeitadas — elas se elevam tão acima do resto de nós que a comunicação é impedida. No mercado de trabalho, a altura é uma vantagem — pessoas altas ganham mais e têm mais chances de conseguir os cargos mais importantes.

Um magnífico compêndio de informações sobre como a vida é diferente, e geralmente melhor, para os homens e mulheres mais altas foi reunido por Arianne Cohen.[59] Ela demonstra que crianças altas são tratadas como se fossem mais velhas do que realmente são, de forma que desenvolvem mais rapidamente sua competência social. Pessoas altas chamam a atenção e tendem a ser tratadas como líderes por seus contemporâneos, de forma que prontamente se encaixam nesse papel. Elas vivem mais e parecem ser mais saudáveis. Nos Estados Unidos, elas ganham 20% a mais que pessoas baixas. Homens altos têm mais chances de se tornar CEOs e chefes em qualquer organização.[60] A maioria dos presidentes americanos foram altos, certamente mais altos que seus oponentes. Muitos atletas importantes são altos.

A própria Arianne Cohen é muito alta, tem mais de 1,90 metro, de forma que sabe por experiência própria que as pessoas reagem de maneira diferente a quem é alto. Pessoas altas têm celebridade instantânea e modificam o comportamento dos que estão ao redor, de formas importantes ou triviais. Assim como as pessoas que são excepcionalmente bonitas, os altos estão sempre em evidência, nunca conseguem ter privacidade em lugares públicos, são lembrados por aqueles que os encontraram. Constituem uma pequena minoria (apenas 15% da população da América do Norte) e não se encaixam fisicamente em um mundo feito para pessoas de tamanho médio. Pessoas altas sofrem desvantagens práticas — assentos de carros e de aviões raramente fornecem a eles espaço suficiente para as pernas, e suas roupas são difíceis de encontrar, pois o mundo é delineado para os medianos. Mulheres altas acham mais difícil encontrar parceiros adequados e, como consequência, têm taxas de natalidade mais baixas, com uma taxa de fertilidade média de 0,7 filho comparada com 1,7 filho para mulheres de altura média.[61] Por outro lado, elas têm vantagens significativas no mercado de trabalho. Na Europa, pessoas altas são contratadas mais rapidamente que as baixas (11% a mais para homens e 6% a mais para mulheres). Elas ganham um quarto a mais, em média, do que pessoas baixas (Tabela 4). Em profissões liberais, homens altos ganham 17% a mais, e mulheres altas, 12% a mais do que pessoas baixas, antes de verificar outros determinantes de remuneração.[62] Para os homens, ser alto pode ter os mesmos efeitos que a beleza nas mulheres — compensando a falta de qualificações educacionais. Homens altos que não completaram o ensino médio têm um ganho salarial de 15% a mais, ainda que a grande estatura não confira benefícios àqueles que têm educação universitária.[63]

À primeira vista, isso pode parecer discriminação, seja ela consciente ou não. Entretanto, na infância, os processos sociais que favorecem crianças atraentes também se aplicam a crianças altas. Crianças altas se destacam, literalmente. Elas são mais notadas, ganham mais atenção e são, portanto, auxiliadas. As pessoas as percebem como mais velhas e mais maduras do que realmente são, e as tratam de acordo. As conversas com crianças altas acontecem de maneira mais intelectual, e elas ganham responsabilidade mais cedo, são vistas como líderes naturais e recebem essa função. O tratamento e as expectativas diferenciadas são basicamente inconscientes, como no caso de crianças atraentes, e partem de todos, inclusive de estranhos, criando um ambiente social sistematicamente distinto. Ao chegar aos 20 anos, quem foi uma criança alta já adquiriu uma personalidade diferente, mais confiança e maiores habilidades sociais do que os que foram medianos ou baixos.

No começo da vida adulta, as pessoas altas têm um desenvolvimento social e psicológico consideravelmente melhor, em termos de estabilidade emocional, extroversão, motivação, otimismo, autoridade, cortesia com os outros e sociabilidade. Elas também possuem maior habilidade intelectual, possivelmente devido à melhor nutrição.

Maiores e melhores habilidades sociais contribuem igualmente para o aumento nos salários das pessoas altas.[64] Esse é praticamente o mesmo processo relatado anteriormente sobre pessoas jovens e atraentes.

Em estudos, a altura é mais fácil de medir (e de maneira mais precisa) do que a beleza, assim como as descobertas sobre seus benefícios econômicos e suas causas fundamentais são ainda mais incontestáveis do que as descobertas relacionadas a outros aspectos da aparência. Ninguém pode alterar sua estatura, de forma que ser alto é uma característica verdadeiramente inata, ao contrário de beleza, estilo de vestir e habilidades sociais, que podem ser desenvolvidas e alcançadas através do empenho. Mesmo assim, os benefícios econômicos da altura são universalmente aceitos, nunca apontados como discriminatórios. Exatamente pelas mesmas razões, os retornos econômicos do capital erótico deveriam ser aceitos como legítimos e justos, em vez de rejeitados como resultado de preconceito e discriminação.[65]

Deuses antigos e celebridades modernas

Pessoas bonitas podem se tornar celebridades. Celebridades ganham dinheiro, fazendo o que for — e mesmo quando não fazem nada.

Paris Hilton é o clássico exemplo da celebridade moderna: é famosa apenas por ser famosa, e não por qualquer realização.[66] Ela abastece colunas de fofoca e artigos de entretenimento que competem com a cobertura de notícias reais na imprensa. Expõe cada detalhe de sua vida e seus relacionamentos a escrutínio e comentários públicos, incluindo sua breve sentença de prisão na Califórnia. Está sempre imaculadamente arrumada e vestida com elegância, com uma roupa e um penteado diferentes para cada aparição pública. Ela se esforça muito para continuar excepcionalmente bonita, magra, elegante e fotogênica. Paris Hilton ganha uma renda considerável e tem um estilo de vida *jet set* por cobrar taxas por seu comparecimento a festas e eventos sociais pelo mundo, assim como por aparições em programas de TV.

Parece que todas as sociedades precisam de "lendas vivas" e figuras públicas que fornecem material para discussões de costumes sociais e regras de comportamento. Na Grécia Antiga, as atividades e assuntos de uma grande quantidade de deuses eram a base para incontáveis histórias, normalmente com alguma mensagem moral implícita. Por toda a Índia e Indonésia, os contos do Ramayana e outras lendas continuam a entreter audiências em espetáculos de dança e teatro de sombras. Em alguns períodos, os romances e feitos dos reis e de suas famílias forneciam a base para discussões populares sobre comportamento adequado e para novas ideias. No século XX, as estrelas de cinema assumiram esse papel — ou este lhes foi imposto por não conseguirem escapar à visibilidade e à opinião pública sobre suas vidas e romances. Os casamentos de Elizabeth Taylor e Richard Burton, e os casos amorosos e a morte de Marilyn Monroe são apenas dois exemplos.

No século XXI, as celebridades se tornaram as figuras públicas que fornecem o material para discussões sobre questões sociais e morais. Elas também personificam as fantasias sobre as possibilidades e restrições da vida, especialmente para os jovens. Celebridades podem ser estrelas de cinema, cantores populares, astros do esporte e, ocasionalmente, modelos ou políticos — como demonstram Scarlett Johanssen, Madonna, Tiger Woods, Naomi Campbell, Kate Moss e o ex-presidente Bill Clinton. A maioria das celebridades obtém seu status por meio de uma grande realização em alguma área, juntamente com o fato de serem fisicamente atraentes, fotogênicas, enérgicas, de estar em forma e possuir habilidades sociais suficientes para enfrentar entrevistas na mídia. De maneira similar, os deuses das lendas antigas são quase sempre bonitos. O capital erótico dos monarcas e chefes de Estado é menos garantido, mas eles podem compensar com glamour, pompa, exposição pública e retratos que os favoreçam. Alto capital erótico parece ser um requerimento de rotina para as celebridades modernas, além de realizações específicas. Paris Hilton prova que o status de celebridade pode ser mantido puramente com base no alto capital erótico e nada mais. A tecnologia moderna exige que as celebridades estejam sempre com boa aparência nas infindáveis aparições públicas, sessões de fotos e imagens de paparazzi que elas ornamentam na imprensa popular. Para alguns, o trabalho principal das celebridades é simplesmente serem vistas, aparecer, fazer presença.[67] Em meu ponto de vista, seu papel é fornecer material para fofoca, provocar debates morais sobre comportamento apropriado. Alto capital erótico garante que nós notemos e gostemos desses personagens o suficiente para seguirmos, com interesse, seus feitos e histórias. As vidas das celebridades modernas se tornam um espetáculo público da mesma maneira que a dos deuses nas histórias do Ramayana.

O status de celebridade aumenta muito o valor social e econômico e a conversibilidade do capital erótico, permitindo que este seja empregado em diversas áreas de atividade — não apenas ao posar para fotografias como modelos. A transferência mais interessante do status e do capital erótico das celebridades é entre os mundos do entretenimento, esportes e política. George Clooney se tornou mundialmente famoso e rico como ator, depois ganhou ainda mais dinheiro promovendo uma cafeteira. Atrizes famosas do cinema e cantores populares empregam seu capital erótico aparecendo em anúncios de perfumes, roupas de grife, acessórios, cosméticos e produtos para cabelo.

Na América do Sul, a ex-miss Bolívia, Jessica Ann Jordan Burton, foi nomeada diretora para o Desenvolvimento de Zonas de Fronteira e Macrorregiões. Na Índia, muitas estrelas de cinema concorrem a cargos públicos e ao parlamento nacional. O belo Imran Khan transferiu sua fama de esportista internacional como capitão paquistanês de críquete para o capital político uma nova carreira, com o intento de chegar à presidência. Na Itália, a linda Mara Carfagna, que primeiro ganhou visibilidade como *velina* (vedete) em um dos canais de TV de Silvio Berlusconi,[68] mas possui um diploma em direito e foi nomeada ministra para a Igualdade de Oportunidades naquele governo. Nos Estados Unidos, Ronald Reagan ficou conhecido, a princípio, como um belo ator de cinema, transferiu-se para a política ao ser eleito governador da Califórnia, um dos maiores e mais ricos estados do país, depois foi presidente duas vezes (1981-9). Outra conversão espetacular do status de celebridade e do capital erótico entre campos é ilustrada pela carreira de Arnold Schwarzenegger. Ele alcançou a fama como fisiculturista, converteu-a em uma bem-sucedida carreira em Hollywood, depois transferiu esse status para a esfera política, vencendo as eleições para governador da Califórnia. É notável que as mulheres que usam o capital erótico e o status de celebridade para ingressar na política sejam objeto de críticas e humilhações muito mais severas do que os muitos homens que fazem o mesmo. Esse é outro exemplo da discriminação sexual que ronda o capital erótico.

É pouco provável que o capital erótico um dia se torne um bem tão útil quando o dinheiro. Mas o status de celebridade aumenta muito seu retorno econômico em todas as esferas da vida pública. É compreensível que as celebridades invistam mais nele, aprimorando e mantendo seu capital erótico do que qualquer outro grupo. Empregar capital erótico pode se tornar uma profissão em si.

Economias de "o vencedor leva tudo"

Astros do esporte e políticos entendem uma característica cruel da sociedade moderna e da economia global que, às vezes, é negligenciada pelos empregados comuns. Em muitas competições, só há um vencedor, e o vencedor leva TODO o prêmio — seja em dinheiro, fama ou poder.

Para vencer a disputa pode ser necessária apenas uma pequena, até mesmo trivial, vantagem — velocidade extra por uma fração de segundo, um punhado de votos entre milhões de eleitores ou uma aparência impecavelmente boa e um sorriso em cada evento público. Em algumas disputas, pequenas margens podem fazer uma imensa diferença. Todas as candidatas de um concurso de beleza são tão atraentes quanto a que acaba ganhando, mas há apenas uma vencedora, que recebe o prêmio do título de Miss Universo com todos os benefícios.

Os acadêmicos Robert Frank e Philip Cook chamam isso de sociedade "o vencedor leva tudo".[69] Eles afrontam essa evolução, alegando que se assemelha a uma loteria (o que não é verdade e, de qualquer maneira, loterias também têm seu valor), e demonstram as consequências da desigualdade de renda. Eles acreditam que essa forma extrema de competição ganha cada vez mais importância, sendo uma das causas da desigualdade crescente nas economias modernas.

À primeira vista, parece que isso não afeta a vida das pessoas comuns, que têm empregos comuns. Pelo contrário. Embora nossas próprias competições possam nunca ser tão empolgantes quando ganhar um Grand Prix de motociclismo, a presidência dos Estados Unidos ou um concurso de Miss Universo, ainda têm consequências muito importantes para cada um de nós individualmente.

Ao longo de nossas vidas, enfrentamos diversas competições — por vagas na universidade, empregos, promoções, contratos, boas transferências. Em alguns casos, existe apenas um vencedor. Em outros, existem vários — mas sempre há muito mais perdedores. Alguns dos prêmios (empregos ou promoções) são mais atraentes do que outros. Os benefícios cumulativos de uma pequena vantagem em cada um dos estágios são imensos a longo prazo. Pequenas diferenças nas primeiras escolhas e sucessos podem levar a grandes diferenças nos resultados finais. Apenas uma pessoa se torna presidente de um país, CEO de um banco global, como o HSBC, ou campeão mundial em algum esporte.

O capital erótico normalmente fornece uma pequena vantagem para os trabalhadores que buscam empregos, promoções ou aumentos de salário. Entretanto, o benefício cumulativo de qualquer pequena vantagem em cada um dos estágios de uma carreira pode ser bastante substancial após várias décadas no mercado de trabalho. Os retornos de longo prazo para a atratividade são muito mais altos do que os ganhos de curto prazo, nos quais a recompensa pode ser a obtenção de um emprego específico e as oportunidades que isso representa.[70]

Qualidades pouco perceptíveis podem significar a diferença entre sucesso e fracasso. Um alto capital erótico pode oferecer essa pequena vantagem na força de trabalho e na vida pública em geral.

8. O poder do capital erótico

Algumas pessoas parecem levar uma vida encantada. São atraentes e também possuem personalidades positivas. São alegres, amistosas, tranquilas, confiantes, companhias agradáveis e, até mesmo, carismáticas. Portas se abrem para elas. Os outros as ajudam. Elas parecem ter menos problemas do que o resto de nós, ou seus problemas são resolvidos mais rapidamente. A sorte desempenha um papel maior na vida do que as pessoas admitem nas culturas racionais das sociedades ocidentais.[1] O capital erótico é outro atributo não reconhecido que desempenha um papel em todas as interações sociais.

O capital erótico é uma combinação de atratividade física e social. Os dois, normalmente, caminham juntos, apoiam-se mutuamente. Isso começa no berço. Bebês bonitos atraem mais atenção, sorrisos e assistência. As crianças percebem desde cedo que são amadas e queridas, e respondem de maneira positiva. Crianças atraentes são bem acolhidas por qualquer um, em qualquer lugar, não apenas por seus pais amorosos e não discriminadores. O mundo sorri para elas, e elas aprendem a retribuir o sorriso para pedir favores e negociar pelo que querem. O círculo virtuoso não tem fim, e concede uma vida de benefícios — no âmbito pessoal, no trabalho, em todas as atividades da esfera pública.

Crianças bonitas desenvolvem boas habilidades sociais mais cedo e de maneira mais veloz. Os outros presumem que elas são mais inteligentes, espertas, até mesmo boas — e normalmente são. Como parte da inteligência nas sociedades modernas é social e emocional, elas realmente se desenvolvem mais rápido intelectualmente, tornam-se mais capazes em menor tempo, uma vantagem que é especialmente visível na juventude, na estufa intelectual do sistema educacional. Outras pessoas as alcançam mais tarde, na estimulante competição do ambiente de trabalho na vida adulta, em que talentos diferentes são expostos e recompensados.

O capital erótico é o quarto atributo pessoal, juntamente com o capital econômico (a voz do dinheiro), capital humano (o que conhecemos) e o capital social (quem conhecemos). Ao contrário dos outros, ele começa no berço, de forma que tem um profundo, ainda que menos visível, impacto em todos os estágios da vida.

Também é o atributo pessoal mais complexo, com diversas facetas: beleza; *sex appeal*; habilidades sociais, charme e carisma; habilidades de apresentação pessoal em roupas e aparência; boa forma e dinamismo; e (para a vida íntima de adultos) performance sexual, e talvez também fertilidade.

Pessoas atraentes cativam os outros, como amigos, amantes, colegas, fregueses, clientes, fãs, seguidores, partidários e patrocinadores. Isso funciona tanto para homens quanto para mulheres. De fato, o "adicional por beleza" parece ser maior para os homens do que para as mulheres na vida pública, sobretudo na força de trabalho, em que pode adicionar de 10% a 20% aos salários. Obviamente, existe alguma discriminação contra mulheres bonitas e carismáticas — o que requer uma explicação.

Parte da resposta está em um segundo fator, o déficit sexual masculino universal. Os homens geralmente querem muito mais sexo do que conseguem, em todas as idades. Então, passam muito tempo de suas vidas sexualmente frustrados em algum grau — mesmo depois da revolução sexual e mesmo quando se casam. A revolução sexual dos anos 1960 provavelmente só piorou as coisas. A desculpa tradicional das mulheres para evitar a intimidade sexual era o medo de engravidar. Agora que a eficiente contracepção moderna elimina esse problema, o menor interesse das mulheres em sexo é exposto de maneira ainda mais clara. "Ela não pode se arriscar" foi substituído por "Ela não deseja você".

O déficit sexual masculino pode ser opressivamente evidente para jovens atraentes. Mãos que tateiam em ônibus cheios, olhares fixos e maliciosos de homens de todas as idades, constantes convites sexuais — tais experiências podem moldar a compreensão dos jovens sobre seu capital erótico, seu valor positivo e também o valor negativo. Em outros aspectos, o déficit sexual masculino é menos óbvio entre pessoas mais jovens. Nessa idade, há um borbulhar de desejo e atração sexual que influenciam todos os encontros sociais, sejam nas instituições de ensino ou na vida pessoal.

O desejo sexual masculino só diminui lentamente com a idade — quando diminui. O desejo feminino normalmente decai rapidamente depois dos 30 anos, em geral por causa da maternidade. O déficit sexual masculino cresce de maneira estável ao longo da vida. Para homens casados que continuam a desempenhar seu papel como provedores principais, a relutância da esposa em ser igualmente generosa com a intimidade sexual e o afeto pode ser uma fonte de raiva contra um egoísmo irracional e uma rejeição injusta.

As mulheres são mais atraentes que os homens e têm mais capital erótico, em parte porque eles são mais suscetíveis aos estímulos visuais. A causa fundamental para o ódio masculino contra as mulheres é seu semipermanente estado de desejo e frustração sexual. Os homens gostam, mas também se ressentem do *sex appeal* e da atratividade das mulheres por estimularem seu desejo, embora elas não respondam da mesma forma. Homens detestam ser relegados ao papel de suplicantes. Quanto mais repleto de testosterona é o homem, maior seu ressentimento, que pode explodir em violência, incluindo estupro. A pornografia retrata uma utopia masculina na qual as mulheres possuem o mesmo nível de desejo sexual, são atraentes e estão sempre disponíveis. O desejo suprimido e não realizado permeia todas as interações masculinas com as mulheres, em algum grau.

As leis da oferta e da procura determinam o valor de tudo, na sexualidade e em outras áreas. A sexualidade masculina não tem valor por causa do excesso de oferta a custo zero. O poder erótico masculino tem um valor mais baixo do que o capital erótico feminino, porque a maioria das mulheres não é movida a desejo sexual, mesmo hoje em dia. Revistas eróticas femininas não vendem da mesma maneira que as masculinas. O princípio do menor interesse concede às mulheres a vantagem na barganha sexual e nos relacionamentos íntimos. A barganha continua muito tempo após o casamento, ainda que a maioria dos homens pense que o matrimônio oferecerá uma solução permanente e completa para seu déficit sexual.

A indústria do sexo comercial oferece a única solução para o permanente desequilíbrio entre o desejo e o interesse sexual de homens e mulheres. As mulheres que preenchem a lacuna, ou oferecem serviços especializados, podem cobrar preços de mercado por um bem escasso. Quanto maior o capital erótico da mulher, mais alto o preço. As mulheres que oferecem serviços sexuais podem ganhar algo entre duas a cinquenta vezes o que ganhariam em empregos comuns, especialmente empregos de um nível educacional similar. Isso é algo que os homens prefeririam que elas não soubessem, e é a principal razão para o fornecimento de serviços sexuais ser estigmatizado, sendo que esse preconceito é muito mais imposto às mulheres de que aos homens, de forma a garantir que elas nunca descubram essa verdade.

Os homens sempre tiveram de pagar por sexo — em dinheiro, casamento, respeito, comprometimento duradouro ou disposição para ajudar a criar os filhos. No passado, eles aceitavam que tinham de pagar o preço. Atualmente, a revolução sexual na liberdade em relação à sexualidade leva muitos homens jovens a presumir que deveriam ganhar total satisfação sexual, livre de cobranças, o tempo todo, e que as mulheres que dizem "não" estão apenas sendo perversas. O mito feminista da igualdade de interesse sexual aumentou o ressentimento e a raiva contra as mulheres que recusam fazer sexo, aparentemente de maneira injusta e maligna. A troca diária de favores sexuais por dinheiro e outros benefícios semelhantes é ofuscada pelos mitos feministas radicais de igualdade em tudo.

Em todos os lugares, as mulheres possuem um capital erótico maior do que o dos homens, em parte porque se esforçam mais. Os artistas sempre souberam disso, e nus femininos são muito mais comuns e populares do que os masculinos. O déficit sexual masculino permite às mulheres alavancar o valor de seu capital erótico para um nível mais alto. Isso é visto mais claramente na propaganda, no entretenimento e nas indústrias do sexo comercial, em que mulheres jovens e atraentes podem ganhar salários muito maiores se comparados aos de empregos comuns em escritórios, lojas e fábricas.

Homens patriarcais sempre consideraram como uma questão de interesse geral masculino o controle dos mercados de sexo e de casamento, e diminuir o preço do sexo e de entretenimentos eróticos, reduzindo o valor do capital erótico feminino ("a beleza é superficial, portanto, não tem valor"), e comprimindo o custo do entretenimento sexual ("apenas mulheres depravadas desceriam tanto"). Os sistemas de controle masculino são principalmente ideológicos. Infelizmente, as feministas radicais não foram capazes de extirpar de si próprias esses valores patriarcais tradicionais que diminuem o capital erótico das mulheres e denigrem aquelas que estão na indústria do sexo comercial. Uma aliança profana entre patriarcado e feminismo radical restringe a liberdade feminina de explorar o capital erótico, com ou sem a vantagem adicional oferecida pelo déficit sexual masculino.

A guerra dos sexos sempre se baseou parcialmente em sexo e dinheiro, as duas fontes principais de atrito em relacionamentos longos.[2] Nos dias de hoje, homens patriarcais pensam que têm o poder unilateral de compor as regras do jogo. Isso precisa mudar. Nos relacionamentos pessoais, as mulheres têm de ter plena consciência do alto valor do capital erótico e o valor adicional da intimidade sexual, lado a lado com o peso já concedido à riqueza financeira e ao capital humano (com seu potencial de renda). O feminismo radical ocidental precisa sair do beco sem saída elitista que denigre todos os que não possuem educação superior (a maioria).

Atualmente, os preconceitos patriarcais e feministas radicais contra o capital erótico impedem a valorização total desse atributo na vida pública. No ambiente de trabalho, na política, na mídia, no esporte e nas artes deveria haver maior reconhecimento do aumento de produtividade oferecido por homens e mulheres com alto capital erótico. Em ocupações nas quais o contato cara a cara com clientes e fregueses é comum, e que o dinamismo, as habilidades sociais, o carisma e a apresentação pessoal são importantes, o alto capital erótico oferece uma contribuição genuína para os resultados do trabalho e a satisfação do cliente, e deveria ser recompensado de acordo. Os preconceitos do patriarcado ocidental contra a atratividade como um atributo na força de trabalho não são empregados de forma satisfatória. As feministas modernas deveriam estar desafiando a ideia de que o "preconceito da beleza" é injusto, não apoiando seu *status quo*.

A indústria do entretenimento (que inclui a indústria do sexo comercial) reconhece e recompensa o capital erótico mais do que qualquer outra. Entretanto, também demonstra um preconceito injusto contra as mulheres, que leva a recompensas mais baixas para níveis mais altos de capital erótico do que observamos para os homens. Em Hollywood, os homens ganham mais do que as mulheres, mesmo que elas façam o mesmo trabalho, mas "de costas e usando salto alto".[3] Mesmo aqui, as mulheres confrontam uma situação do tipo Ardil-22: são criticadas por não conseguirem desenvolver seu capital erótico a um nível adequado, mas não são recompensadas quando o fazem.[4] Os valores patriarcais insistem que a atratividade das mulheres pode ser considerada garantida, parte natural do mundo pela qual os homens não precisam pagar. Os valores patriarcais que dominam os relacionamentos pessoais heterossexuais extrapolam para as trocas comerciais na economia de mercado. Existe uma consistência de valores entre as duas áreas, apesar de suas diferenças. Ou será que não existem diferenças?

Se as mulheres vão desafiar essas convenções, devem aprender a exigir um acordo mais justo — na vida pessoal e também na pública. Mas precisam começar reconhecendo e validando seu capital erótico, e criando disposição para explorar o fato social do déficit sexual masculino, assim como os homens exploram todas as suas vantagens. A política do poder da atração e do desejo precisa ser afastada das ideias patriarcais sobre como funcionam as relações sociais e sobre o que é justo — afastada do controle ideológico patriarcal da vida e das aspirações femininas.

O capital erótico está se tornando cada vez mais importante nas sociedades modernas abastadas. Homens e mulheres o classificam como um fator cada vez mais importante em sua escolha de parceiro ou cônjuge. Em economias do conhecimento com um grande setor de serviços, ele se tornou um fator de produção indispensável. A habilidade de atrair atenção, de persuadir, de criar uma atmosfera de colaboração e solidariedade é apreciada em muitas ocupações. Compreensivelmente, pessoas com alto capital erótico ganham mais, pelas mesmas razões que pessoas altas ganham mais. A elevação da renda pode igualar os benefícios de boas qualificações educacionais.

Nesse momento, o capital erótico deve ser reconhecido como um importante quarto atributo pessoal. É igualmente valioso para homens e mulheres, de diferentes maneiras. O capital erótico elucida o caráter inconstante dos relacionamentos íntimos e das negociações entre parceiros — heterossexuais e homossexuais. Acima de tudo, explica por que alguns jovens podem ser tornar milionários, apesar da falta de qualificações formais, priorizadas nas meritocracias modernas.

Sexonomia

Economistas explicam que uma troca benéfica é possível sempre que existam percepções diferentes sobre o valor do mesmo objeto ou atividade. Atividade sexual e entretenimento erótico de todos os tipos são de maior interesse e valor para os homens do que para a maioria das mulheres. Algumas delas gostam de homens e sexo o suficiente para oferecer esses serviços em troca de dinheiro, presentes e outros benefícios. Como as *bar girls* de Jacarta dizem, com resignação, "sem dinheiro, nada feito". Em algumas culturas, é esse o padrão. O mundo cristão ocidental passou dois milênios construindo ideologias, teorias e normas culturais para estigmatizar essa troca, e até mesmo tornar ilegal a indústria do sexo. Como resultado, os homens pensam que deveriam obter de graça o que desejam das mulheres. Ideias e valores patriarcais são reforçados em vez de desafiados pela retórica radical feminista de "igualdade de gêneros". O que eles têm em comum é uma hostilidade cultural profundamente enraizada contra a independência sexual, o poder erótico e mesmo a própria sexualidade das mulheres.[5]

Sexualidade e dinheiro não são mais indissociáveis que dinheiro e amor.[6] A vida normal envolve combinações desses elementos. As culturas puritanas anglo-saxãs nunca sentiram-se confortáveis em relação a sexualidade e dinheiro, e os dois juntos criam uma inaceitável névoa de *mauvaise foi* e duplipensamento.[7] Por exemplo, as pessoas normalmente são contra acordos pré-nupciais, considerando-os algo inapropriado, e não os veem como uma necessidade prática. Os franceses são tão românticos quanto o resto do mundo, mas a lei francesa exige que todos os casais decidam antes do casamento se vão unir seus bens preexistentes ou não, e que especifiquem seu contrato econômico.[8]

A economia sexual ou, como eu a chamo, a "sexonomia", reconhece que a sexualidade é um recurso essencialmente feminino devido ao déficit sexual masculino.[9] O fato de que as mulheres geralmente têm maior capital erótico do que os homens aumenta ainda mais o valor da sexualidade feminina. Os encontros sexuais são normalmente decididos pelas mulheres e são sempre uma troca: os homens dão a elas presentes materiais, respeito e consideração, comprometimento com um relacionamento, entretenimento ou outros serviços em troca de acesso sexual. O princípio do menor interesse[10] geralmente concede às mulheres a vantagem na barganha sexual.[11] Mesmo quando elas querem fazer sexo, especialmente na juventude, os homens ainda querem muito mais. Mesmo em situações em que um grupo de homens e mulheres têm níveis idênticos de capital erótico, o déficit sexual masculino garante que o das mulheres tenha mais valor. O capital erótico é um "bem superior" e um "bem de Giffen" — conforme as sociedades se tornam mais ricas, elas querem mais desse bem, e pessoas pagam mais para obtê-lo.

Em algumas sociedades não ocidentais, as mulheres têm completa liberdade sexual, e todas as crianças são recebidas como um bem público. Em sociedades patriarcais, a exploração feminina da própria sexualidade, do capital erótico e da fertilidade é severamente reprimida pelos costumes, valores e leis da sociedade. A monogamia impõe um elemento de democracia sexual, garantindo que todos os homens tenham uma chance razoável de atrair, ao menos, uma parceira. Entretanto, isso depende da proporção sexual em um lugar específico, da expectativa de algum desequilíbrio duradouro entre o número de homens e mulheres, do acesso das mulheres a empregos e renda, e, claro, da cultura local.[12] Na China, um grande desequilíbrio na proporção sexual surgiu como resultado da política do filho único — cerca de 120 meninos nasciam para cada 100 meninas. Isso causou a expansão da indústria do sexo, uma nova prática de sequestro de noivas, o aumento nos serviços de casamenteiras e nas taxas de divórcio, e a melhora do status de garotas e mulheres. Pela primeira vez na história chinesa, alguns casais esperaram que a única criança que teriam fosse menina, não menino.[13] Entretanto, a proporção sexual agora favorece os homens nos campi de universidades norte-americanas, com apenas 80 homens para cada 100 mulheres entre os grupos de estudantes, dando a eles o valor que vem da escassez. Esse parece ser o fator principal por trás de uma inclinação para sexo casual e ficadas em vez de encontros convencionais e namoro.[14] De fato, as jovens veem seu valor reduzido quando estão procurando um marido. Tais experiências precoces podem afetar as estratégias de longo prazo e a confiança.[15]

Mesmo em sociedades monógamas, existem diversos mercados sexuais com características bastante diferentes, e não apenas um.[16] A divisão principal é entre o mercado de parcerias de longo prazo, o que podemos chamar de "mercado de casamento" para simplificar, e o "mercado *spot*" (ou mercado à vista) para relações passageiras.[17] O mercado *spot* inclui encontros, ficadas e sexo casual antes de um namoro; aventuras passageiras e casos mais longos depois do casamento; encontros na indústria do sexo comercial; e possíveis clientes para entretenimentos eróticos, como sexo por telefone, shows burlescos, striptease, pornografia e similares, em que o sexo é tudo o que se tem em mente.

Para pessoas que se sentem desconfortáveis usando o termo "mercado" em relação a relacionamentos,[18] a divisão principal está entre relacionamentos duradouros e efêmeros, com caráter erótico ou sexual.

Normalmente, relacionamentos longos incluem sexo, mas nem sempre. Um erro cometido por muitos analistas é presumir que ter um cônjuge ou um parceiro de longa data garante sexo à vontade e permanentemente.[19] Esse tem sido o argumento principal para ignorar a sexualidade em estudos de barganha e tomada de decisões em casal. Espero sinceramente que minha análise dos resultados de pesquisas sobre sexo pelo mundo no Capítulo 2 tenha destruído esse mito para sempre. Casamentos celibatários ou com escassez de sexo são muito mais comuns nas sociedades ocidentais modernas do que já foi reconhecido. Mesmo em casamentos sexualmente ativos, existem evidências de um déficit sexual masculino que aumenta com a idade, conforme muitas esposas perdem o interesse por sexo depois dos 30. Como resultado, há apenas uma frágil linha divisória separando as pessoas em relacionamentos longos e efêmeros, entre o mercado de casamento e o mercado *spot*. Mesmo homens que têm companheiras de longa data podem ser muito ativos na procura de parceiras no mercado *spot*.[20] Entre os gays, é frequentemente aceito que existe uma necessidade de suplementar com relações efêmeras a vida sexual insossa ou parada de uma parceria duradoura e estável. As culturas sexuais variam muito em também considerar isso aceitável ou não em parcerias heterossexuais. A poligamia permite alguma variedade para homens e mulheres, às vezes para ambos. Casos discretos são aceitos na França e na Itália, por exemplo, enquanto podem motivar divórcios (e monogamia em série) nos Estados Unidos e na Grã-Bretanha.[21] Entretanto, a linha divisória entre os dois mercados é suficientemente importante para que haja pouca (ou nenhuma) competição entre as mulheres dos dois mercados.[22]

Mercados *spot* e relacionamentos efêmeros são os únicos cenários que expõem totalmente o valor da sexualidade e do capital erótico das mulheres. Parcerias duradouras são acordos mais complexos. Normalmente incluem gratificação posterior; investimentos de longo prazo em filhos e propriedades; interesses comuns em religião, políticas, viagens, esportes ou artes; amigos em comum e uma vida social compartilhada; conexões familiares; e outras atividades conjuntas que consolidam o relacionamento. Esse tipo de ligação é basicamente ausente em relacionamentos efêmeros, de forma que a classificação erótica e a performance sexual tornam-se os fatores principais — ou não, se não existirem. Mercados *spot* são mercados nos quais bens são trocados por dinheiro e entregues imediatamente (em contraste com mercados futuros). Qualquer desequilíbrio no capital erótico deve ser compensado imediatamente com benefícios. O valor total do capital erótico acaba sendo muito alto. Como demonstrado no Capítulo 6, os ganhos das mulheres no comércio sexual de hoje costumam ser entre duas a cinquenta vezes maiores do que os salários que elas poderiam obter no mercado de trabalho convencional. Ganhos em atividades periféricas como striptease e sexo por telefone também são pelo menos duas a três vezes mais altos que os de empregos normais. Existem boas evidências de que os preços eram ainda mais altos no passado.

Fora da indústria do sexo, um parceiro com baixo capital erótico — alguém fora de forma ou gordo, socialmente desajeitado, com roupas feias, um homem de meia-idade ficando careca ou uma mulher mais velha desleixada — tem de oferecer benefícios compensatórios substanciais. Isso é percebido em todos os contextos nos quais haja um mercado razoavelmente aberto a relações passageiras. Dentro dos mercados *spot* heterossexuais, uma jovem atraente com o estilo, a roupa e as maneiras ideais pode escolher parceiros com capital econômico, cultural ou social muito mais altos em termos de paridade cambial. O exemplo óbvio é o caso entre uma estudante bonita, inteligente e sem dinheiro com um homem mais velho, rico e bem-sucedido, normalmente casado, que tem boa aparência, mas não é fisicamente atraente — ou a "esposa-troféu" e o "padrinho" da América do Norte e da Europa. Existem muitos outros exemplos e equivalentes pelo mundo — o *velho que ajuda* e os *programas* do Brasil,[23] o *jineterismo* de Cuba,[24] o as amantes-estudantes do "sem renda, sem romance" da Nigéria,[25] a convenção "sem dinheiro, nada feito" dos encontros sexuais em Jacarta[26] e as caríssimas namoradas de turistas estrangeiros no Vietnã.[27] Existem relacionamentos equivalentes na comunidade gay, mas raramente na comunidade lésbica.

Hoje em dia, a escassez de mulheres jovens nas cidades chinesas e os custos substanciais de uma educação universitária levaram a um novo fenômeno de "concubinas estudantes" em Xangai, Pequim e outras cidades. As jovens do Jiayuan, o maior site de namoros da China, dizem explicitamente que estão procurando um homem rico e mais velho para sustentar seus estudos e pagar por um estilo de vida agradável. Mulheres jovens declaram abertamente que buscam homens que têm o que os chineses chamam de *si you* ou "quatro posses": casa, carro, salário alto e um emprego ou negócio de prestígio — alguém que é capaz de sustentar uma amante ou esposa com algum conforto. Homens jovens também anunciam sua disposição em trocar juventude e beleza por riqueza e oportunidades profissionais entrando para uma família rica através do casamento.[28]

Em culturas não europeias, o capital erótico e a sexualidade das mulheres são valorizadas pelos homens, que reconhecem seu valor de troca. Seja devido aos valores patriarcais ou à ideologia puritana anglo-saxã, a exploração da sexualidade, do capital erótico e da fertilidade das mulheres é declarada ilegítima, injusta ou ilegal em muitos países da Europa ocidental e nos Estados Unidos. O estigma vinculado à troca aberta de dinheiro ou status por capital erótico ou sexualidade pode se estender para acadêmicos que estudam esses tópicos.[29] Garotas bonitas que galgam a hierarquia social através do casamento são taxadas de "oportunistas", como se não tivessem contribuído com nada de valor. Acadêmicos que estudaram essas questões podem insistir que as mulheres não deveriam explorar a dependência dos homens, que resulta do déficit sexual masculino.[30] Entretanto, homens com grande *sex appeal* indubitavelmente exploram sua vantagem nos mercados sexuais gays.[31] Parece que a verdadeira objeção ocorre quando as *mulheres* exploram seu capital erótico, ou qualquer vantagem, a custa dos homens.

Duplipensamento sobre amor e dinheiro

As pessoas do mundo ocidental parecem ser incapazes de pensar de forma clara e racional sobre trocas na vida íntima e familiar, nas quais amor, cuidado, afeição, dinheiro, tempo e esforço são interligados. O duplipensamento é comum.[32]

Por um lado, argumenta-se que relacionamentos de doação são invariavelmente superiores a trocas comerciais. A prova clássica disso é o muito citado livro de Richard Titmuss *The Gift Relationship: From Human Blood to Social Policy*. Titmuss demonstrou que o sistema britânico de doação de sangue (normalmente organizado através dos empregadores) proporcionava sangue em maior quantidade e menos contaminado para transfusões em hospitais do que o sistema comercial norte-americano, que pagava aos doadores. Frequentemente, esse estudo é citado como prova de que os mercados comerciais fornecem bens e serviços de menor qualidade do que trocas familiares e de caridade. Os doadores de sangue britânicos não ganham nada. Sua recompensa é sentir-se bem por ajudar os outros — ainda que de maneira anônima.

Quando o assunto é cuidado infantil, por outro lado, os experts europeus em política social fazem uma rápida guinada para defender as trocas comerciais. Eles alegam que bebês e crianças pequenas deixados em creches e escolas comerciais e as financiadas pelo Estado recebem cuidados tão bons quando os fornecidos em família por pais e avós amorosos. Os países nórdicos insistem que as crianças recebem cuidados *melhores* em creches coletivas comerciais do que em casa, onde o cuidado é fornecido de graça, voluntariamente, em vez de vendido por estranhos.

Da mesma forma, os argumentos sobre serviços sexuais comerciais normalmente se baseiam em comparações com relacionamentos sexuais privados. Alguns alegam que a doação deve necessariamente ser de melhor qualidade, porque existe afeição envolvida (pelo menos, às vezes). Outros clamam que os serviços de sexo comercial são invariavelmente superiores, porque envolvem profissionalismo e especialização. Como poucas pessoas têm muita experiência em primeira mão ou outras evidências sobre ambos os cenários, comparações verdadeiras raramente são possíveis. Eu diria que, de qualquer forma, elas não têm sentido. Relacionamentos longos são qualitativamente diferentes das trocas de mercados *spot*, então não estamos comparando coisas semelhantes, mas duas atividades completamente diferentes. Além disso, esses debates negligenciam a realidade da vida sexual dos jovens, nas quais ficadas semianônimas e casos de uma noite não são incomuns. A afeição não é o fator principal para ficadas entre jovens, e competência sexual é exigida — às vezes, até com padrão profissional. A linha divisória entre encontros sexuais amadores e profissionais desaparece.

A obsessão ocidental pelo amor não é universal.[33] Os preconceitos e tendências ocidentais em relação ao amor e à sexualidade são particulares. De qualquer forma, o "duplipensamento" também se aplica a esse caso. A ideia de amor para legitimar a atividade sexual é usada de maneira diferente por homens e mulheres. Uma mulher diz: "Eu o amo tanto que farei tudo o que puder para deixá-lo feliz, inclusive sexo." Um homem diz: "Estou perdidamente apaixonado por você, então você deve me dar tudo o que quero, incluindo sexo." Há um desequilíbrio aqui, que algumas pessoas escolhem ignorar.

Um novo manifesto para as mulheres

O foco unificador inicial do movimento feminista dos anos 1950 e 1960 era o controle das mulheres sobre seus próprios corpos e fertilidade, mais especificamente o direito feminino de fazer abortos. Então, a pílula e outras formas modernas de contracepção confiável rapidamente substituíram a necessidade de confiar em abortos para o controle de natalidade e anunciaram uma nova era para as mulheres.[34]

O segundo foco da ação militante eram os baixos salários femininos, sobretudo a grande lacuna entre a média de pagamento de homens e mulheres. Até o século XIX, os homens normalmente ganhavam duas vezes mais do que as mulheres, mesmo desempenhando exatamente o mesmo trabalho. Esse continuou sendo o quadro geral na Grã-Bretanha até os anos 1970.[35] Nos Estados Unidos, os empregadores pagavam às mulheres menos da metade, às vezes apenas um terço ou um quarto do que pagavam aos homens.[36] Os patrões eram coniventes com os sindicatos dominados por homens para manter as taxas de pagamento femininas a níveis simetricamente mais baixos do que as masculinas.[37]

As leis de salários e oportunidades iguais tiveram um impacto dramático onde quer que tenham sido totalmente implementadas. Na Grã-Bretanha, a diferença salarial entre homens e mulheres caiu 10 pontos percentuais em apenas seis anos, e então declinou lentamente até 1993. Desde esse momento, na Grã-Bretanha, na Europa como um todo e em todas as outras economias industriais modernas não houve praticamente qualquer mudança na diferença salarial, que é de aproximadamente 17% na União Europeia, mesmo entre os países escandinavos, mas é superior a 25% nos Estados Unidos.[38] Há anos, pesquisadores e analistas políticos vêm tentando explicar essa interrupção nas mudanças.

Alguns concluem que as leis de oportunidades e salários iguais já cumpriram seu papel, e que a diferença salarial restante é devida às escolhas profissionais e padrões de emprego femininos, que são bastante diferentes dos masculinos.[39] Outros continuam a buscar os exatos mecanismos e escolhas de estilo de vida que resultam no fato de as mulheres terem ganhos levemente mais baixos (em média, em todas as nações), mesmo que agora tenham acesso a educação superior e profissões liberais.[40]

No entanto, um dos "mecanismos" principais é uma simples verdade irrefutável. *Mulheres não pedem* salários mais altos ou promoções com a mesma frequência que os homens. Às vezes, elas rejeitam promoções quando lhe são oferecidas. Mesmo quando acabaram de se formar no mesmo curso e na mesma universidade, a média do pagamento inicial do primeiro emprego de mulheres jovens é menor que a dos colegas homens. Imediatamente após a formatura, homens jovens normalmente negociam um pagamento inicial mais alto do que o salário oferecido a princípio. Eles continuam pedindo aumentos e promoções ao longo da carreira, e frequentemente mudam de emprego para conseguir salários mais altos. Já mulheres jovens aceitam, na maioria das vezes, o que lhes oferecem e continuam a fazê-lo, esperando pacientemente que promoções e aumentos sejam oferecidos, e raramente mudam de emprego para ganhar mais em outro lugar.[41]

Tudo isso pode parecer totalmente irrelevante aqui. Mas não é. O fracasso das mulheres em pedir aumento no ambiente de trabalho é um fato visível, documentado por muitos estudos. Porém, é uma extensão do fracasso feminino em pedir, e negociar, também na vida pessoal o que é muito mais difícil de estudar e documentar. A questão aqui é que mulheres não pedem! Nunca obtemos o que não pedimos. Se pedimos alguma coisa, o simples acaso sugere que podemos conseguir em 50% das vezes, o que é muito melhor que não conseguir nunca. Vencer de vez em quando é melhor do que não vencer nunca.

As mulheres fracassam em pedir uma proposta melhor no ambiente de trabalho, e na vida pública em geral, porque raramente aprendem a exigir um acordo justo, ou melhor, na vida pessoal. Os homens pedem mais a seus empregadores porque estão acostumados a conseguir o que querem no dia a dia da vida cotidiana, em negociações com mães, namoradas, amantes, esposas e filhas.

Em 2010, o escândalo da L'Oréal estourou na mídia francesa. Descobriu-se que a herdeira da L'Oréal, Liliane Bettencourt, de 87 anos, estava dando enormes somas em dinheiros, pinturas e outros bens a um amigo de longa data, François-Marie Banier, de 63 anos, escritor, artista e fotógrafo talentoso e bem-sucedido que ela e seu marido tinham apoiado e patrocinado por muitos anos. A distante filha da herdeira, Françoise Bettencourt-Meyers, acusou o Sr. Banier de tirar vantagem do frágil estado mental de sua mãe para obter uma fortuna em presentes, e tomou ações legais por "abuso de incapaz" contra o Sr. Banier. Em uma rara entrevista à imprensa, a normalmente reclusa Liliane Bettencourt admitiu que dera ao Sr. Banier pinturas, apólices de seguro e dinheiro em um total de aproximadamente 1 bilhão de euros ou mais. Ao ser perguntada sobre o porquê de ter feito isso, a mulher mais rica da França declarou: "Porque ele pediu."[42] É difícil imaginar uma mulher conseguindo o mesmo de um companheiro ou amigo.

Um elemento central do chauvinismo masculino nos relacionamentos cotidianos deriva-se da ideia de que dinheiro e status "importam", enquanto os talentos e qualidades femininos, incluindo o capital erótico, são simplesmente parte natural do mundo, sem valor algum.[43]

As mulheres precisam aprender a barganhar e negociar com os homens por um acordo melhor e por maior reconhecimento de sua contribuição para a vida pessoal, antes que consigam fazê-lo de maneira bem-sucedida em relação a gerentes, colegas e empregadores. Se as mulheres não conseguem obter sucesso na negociação com um homem que diz desejá-las, amá-las e respeitá-las, têm poucas chances de desenvolver as habilidades necessárias para lidar com homens que são seus colegas de trabalho, amigos ou estranhos como o homem que entrega pizzas, prestadores de serviços e a miríade de pessoas com as quais todos temos de lidar na vida cotidiana. Confiança e habilidades de barganha começam em casa, como muitas outras coisas.

Na vida pessoal, o trunfo feminino normalmente é o capital erótico, não dinheiro ou ganhos, que muitos homens já possuem. O capital erótico também pode ser um atributo pessoal para a maioria dos homens bonitos, se tiverem habilidades sociais para complementá-lo, e, assim, casarem bem. Apenas uma pequena minoria de mulheres consegue empregos liberais e de gestão de alta rentabilidade, e elas também se beneficiam do capital erótico. As mulheres tendem a não ter consciência de que o capital erótico é um atributo, porque os homens patriarcais e muitas feministas o desconsideram e denigrem. É claro que a beleza é superficial. Ela não precisa ser profunda. A inteligência é profunda. O dinheiro é superficial, mas ainda assim tem valor. O capital erótico é quase tão versátil quando o dinheiro em seu valor e transportabilidade universais. Dizem que a beleza vale tanto quanto um cartão American Express.[44] Aristóteles tinha uma ideia similar: a beleza é a melhor carta de recomendações e pode subjugar as distinções de classe.

Com frequência, os homens presumem que têm o direito de definir a realidade e ditar as regras dos relacionamentos. "Minhas demandas e expectativas são razoáveis; as suas, não." Os homens pensam que têm o direito de conduzir os relacionamentos. Eles querem declarar qual comportamento é aceitável e apropriado e qual não é.[45] Onde os homens arranjam essa arrogância? De suas amorosas mães? Espelhando-se no pai? Mais importante: por que as mulheres deixam que eles ajam assim?

Mesmo no século XXI, as mulheres ainda são cúmplices ativas ao tratar os homens como cidadãos de primeira classe, que são "mais capazes" que o sexo feminino.[46] Uma pesquisa feita em 2010 com 2.500 mães pelo site de cuidados maternos Netmums revela que nove entre dez mães na Grã-Bretanha admitem que ainda tratam seus filhos melhor do que suas filhas, mesmo sabendo que é errado fazê-lo. Meninos têm mais probabilidade de serem elogiados pelas mães; filhas têm duas vezes mais chances de serem criticadas. Os filhos recebem mais liberdade para fazer o que quiserem. O mau comportamento dos garotos é aceito como "brincalhão", "atrevido" ou "engraçado", enquanto as garotas são rotuladas como "teimosas" ou "respondonas". A subordinação das mulheres e o egoísmo arrogante de muitos homens começam bem cedo. Isso pode explicar por que, quando adultas, muitas mulheres deixam os homens tratá-las mal, quando não precisam fazê-lo. Com muita frequência, as mulheres jogam fora seus atributos mais universais, acesso sexual e capital erótico, porque sofreram uma lavagem cerebral para acreditar que apenas dinheiro e qualificações têm valor. O reconhecimento do valor do capital erótico e da fertilidade feminina fornece a base para um manifesto verdadeiramente feminista.

No mercado de trabalho, elas competem com os homens em capital humano e, talvez, em capital social. Tornam-se trabalhadoras substitutas, outro tipo de homem. O afluxo de um grande número de mulheres para o mercado de trabalho leva necessariamente à maior competição e ao menor preço do trabalho, no geral.[47] Isso ajuda a explicar o grande aumento do número de pessoas que ingressou no ensino superior nos últimos anos e a resultante "inflação de qualificações". Empregos que anteriormente exigiam apenas o ensino médio agora podem exigir um diploma universitário. A competição é mais intensa para todos, sejam homens ou mulheres. Nesse contexto, ter qualidades e talentos adicionais de qualquer tipo pode ser crucial — línguas, conhecimento de culturas estrangeiras, trabalho voluntário relevante ou *hobbies*. O capital social e o erótico também podem fornecer uma "vantagem" que faz toda a diferença entre sucesso e fracasso em algumas ocupações, especialmente naquelas em que há grande visibilidade pública e exposição social.

Para os que falharam no sistema educacional, ou que simplesmente o abandonaram por tédio, as qualificações educacionais podem ser mínimas, de forma que o capital erótico continua sendo potencialmente seu atributo pessoal mais forte, tanto na vida pessoal quanto no mercado de trabalho. A modelo Kate Moss tornou-se uma milionária por esforço próprio, apesar de ter deixado a escola cedo, e também é bem-sucedida na vida pessoal, com uma longa lista de parceiros. De maneira similar, a modelo erótica Katie Price, também conhecida como Jordan, é uma multimilionária que venceu sozinha através de seus vários negócios, apesar de ter saído da escola sem qualificações formais. Essas mulheres e suas vidas glamourosas podem fornecer exemplos para jovens que não percebem em si mesmas interesses acadêmicos que as levariam a uma educação superior e a entediantes empregos burocráticos.[48]

Alguns estudiosos analisam relacionamentos íntimos e sexuais através de *scripts* aplicados,[49] negligenciando completamente a questão de quem os inventa e controla. A maioria foi escrita por homens patriarcais. As mulheres precisam reescrevê-los, levando em conta dois novos fatos sociais estabelecidos neste livro. Primeiro, elas geralmente têm maior capital erótico que os homens, pois se esforçam mais para isso. (A exceção são os homens gays, que também se esforçam para manter seu *sex appeal*.) Segundo, mesmo que homens e mulheres tivessem níveis idênticos de capital erótico, o déficit sexual masculino automaticamente daria a elas a vantagem nos relacionamentos privados. De forma similar, em relacionamentos entre gays, a tendência é que seja o homem mais jovem e atraente a ter o maior poder, a não ser que o outro parceiro ofereça benefícios compensatórios.

Um erro intelectual fundamental cometido pela maioria das escritoras feministas é confundir análise dos níveis macro e micro.[50] Em nível nacional, os homens têm mais poder coletivo que as mulheres — controlam governos, organizações internacionais, as maiores corporações e os sindicatos. Entretanto, isso *não* significa que tenham automaticamente mais poder no nível pessoal, dentro de relacionamentos íntimos e suas casas. Nesse nível, o capital erótico e a sexualidade são tão importantes quanto educação, ganhos e contatos sociais. Se a fertilidade é incluída, aumenta ainda mais o poder das mulheres (desde que o casal queira filhos). Mesmo em sociedades nas quais os homens detêm o poder em nível nacional, é inteiramente possível para as mulheres ter maior poder e ditar as regras dos relacionamentos pessoais. A inversão de poder é exposta claramente em entretenimentos eróticos comerciais. Neles, os homens podem ditar as regras e escolher a performance, mas são obrigados a pagar generosamente pelo privilégio.

De certa forma, o maior erro do movimento feminista foi dizer às mulheres que elas não têm poder, que são as vítimas da dominação masculina inevitável e perpetuamente. Isso rapidamente se torna uma profecia autorrealizável, encorajando as jovens a pensar que não há por que jogar, pois não há possibilidade de ganhar o jogo. O feminismo se tornou parte da razão pela qual as mulheres não conseguem pedir o que querem, e não conseguem obter o que acham justo, especialmente nos relacionamentos pessoais.

Implicações da política social

O reconhecimento do capital erótico como o quarto atributo pessoal — juntamente com os capitais cultural ou humano, social e econômico — tem implicações para a política social. Não é de forma alguma ilegítimo para mulheres e homens atraentes explorar seu capital erótico na indústria do sexo comercial, em entretenimentos eróticos, no ambiente de trabalho e na vida social em geral. Assim como o rótulo do "capital social" parece legitimar a exploração de bons contatos, o nepotismo e até mesmo a corrupção, fornecer um novo rótulo para a atratividade social e física concede a esse atributo legitimidade e status intelectual. Isso detém a reação ocidental tradicional de desdém — que quase invariavelmente vem de pessoas extraordinariamente pouco atraentes e socialmente desajeitadas. O capital erótico "agrega valor" a atividades no mercado de trabalho, mesmo em ocupações nas quais inicialmente poderia parecer irrelevante, como direito e gestão. Da mesma forma, o termo "capital humano" torna-se uma ideologia que justifica o pagamento de salários mais altos àqueles com melhores qualificações e mais experiência profissional. O argumento é que, quem tem mais capital humano apresenta maior produtividade, mas isso tem sido difícil de provar em muitas profissões, como gestão.[51]

Homens atraentes recebem um "adicional por beleza" maior do que o das mulheres. É uma clara evidência de discriminação sexual, especialmente quando todos os estudos mostram a pontuação das mulheres (mais alta) do que dos homens nas escalas de atratividade. Obviamente, elas deveriam estar exigindo as mesmas recompensas financeiras para a contribuição adicional de desempenho e eficiência no local de trabalho. Parece provável que alguma parte da não explicada diferença salarial entre homens e mulheres seja devida ao fracasso em recompensar o capital erótico das mulheres no mesmo nível que o dos homens.

Minhas conclusões contradizem diretamente os advogados e estudiosos "feministas" que querem tornar ilegal qualquer reconhecimento ou remuneração da atratividade.[52] Como os homens já estão sendo recompensados por esse atributo, é a *falta* de compensação equivalente para as mulheres que é injusta.

A descriminalização e a desestigmatização do comércio sexual e de todos os entretenimentos eróticos é outra consequência lógica.[53] Obviamente, a legalização tornaria a vida muito mais fácil para os homens e as mulheres que trabalham na indústria. Entretanto, sempre foram elas que sofreram mais diretamente com a criminalização, com prisões e perseguição policial, especialmente as prostitutas de rua, o elemento visível do comércio sexual. A história mostra que a descriminalização e a legalização também teriam o efeito de facilitar o caminho para as mulheres saírem da indústria, além de limitar seu envolvimento para trabalhos de meio período ou ocasionais, o que em si facilitariam a saída imediata quando a rotina se tornasse cansativa, os ganhos começassem a cair ou oportunidades alternativas de emprego se apresentassem.[54] Atualmente, a Holanda e a Nova Zelândia são os melhores exemplos de normalização do comércio sexual, seguidos de perto pela Alemanha e, talvez, pela França. A Suécia e a Grã-Bretanha aplicam uma correção desajustada, disfarçada de política de "igualdade de gênero".

Seguindo a mesma lógica, as leis que controlam barrigas de aluguel e contratos relacionados precisam ser completamente reescritas. O juiz norte-americano e estudioso da lei Richard Posner já explicou por que não existe motivo racional para os contratos de gravidez de aluguel não serem aplicados, mesmo que a mulher que dá à luz dessa forma relute em entregar a criança que gerou.[55] As mulheres que fazem esse trabalho deveriam ter liberdade para cobrar quaisquer taxas que o mercado comportasse para serviços de fertilidade — doação de óvulos, barriga de aluguel e a tradicional tarefa de ama de leite. Atualmente, na Grã-Bretanha, por exemplo, mães de aluguel são legalmente impedidas de cobrar mais do que "custos razoáveis".[56] Essa é uma lei patriarcal que insiste, outra vez, que o trabalho das mulheres deve sempre ser fornecido gratuitamente, feito por "amor", e nunca por dinheiro. Os homens têm permissão de serem instrumentais e mercenários, como ilustrado pelos bônus substanciais para as práticas lucrativas, mas duvidosas, de banqueiros. As mulheres não têm permissão de serem mercenárias nem mesmo em economias capitalistas.

Na Índia, onde o trabalho de barriga de aluguel não é proibido, mulheres pobres conseguem ganhar o equivalente a dez anos de trabalho por gerar uma criança, tornando-se as principais provedoras da família.[57] Para muitas, um bônus adicional são os nove meses de descanso e lazer pagos, pois vivem em acomodações próximas à clínica, de forma que a gravidez possa ser monitorada, com acesso a TV e outros luxos que não são disponíveis em suas casas. Tal trabalho dá às mulheres uma renda significativa, eleva seu status e lhes permite comprar uma casa ou uma boa educação para suas filhas.

Em resumo, chegou a hora de descartar a "moralidade" puritana patriarcal que fundamenta leis e políticas sociais que parecem sempre inibir as atividades femininas, enquanto deixam os homens livres para maximizar seus benefícios e promover seus interesses. As mulheres precisam aprender a exigir um acordo melhor, tanto na vida pessoal, quanto na pública. O reconhecimento do valor social e econômico do capital erótico pode desempenhar um grande papel em tais renegociações.

APÊNDICE A
Medidas do capital erótico

O capital erótico, como o defino, ainda é um conceito novo e nunca foi medido como um todo em lugar algum, em homens ou mulheres, ainda que muitos estudos tenham avaliado um ou mais de seus elementos. Primeiro, devo examinar os métodos parciais criados até agora para aferi-lo. Depois, devo considerar as perspectivas para uma medição mais completa do conceito como um todo para pesquisas futuras.

Os métodos atualmente encaixam-se em cinco grupos:

— Evidências fotográficas analisadas por um painel de juízes.
— Avaliações feitas por um informante que vê a pessoa ou já a conhece.
— Autoavaliação através de questionários em pesquisas.
— Concursos de rainha ou rei da beleza.
— Testes de habilidades de interação em experimentos em laboratório.

Todos esses métodos podem ser usados em estudos nacionais, assim como em estudos de grupos particulares em lugares específicos. Esse exame foca em estudos abrangendo grupos de pessoas suficientemente grandes para produzir uma distribuição de taxas de atratividade que possam ser consideradas razoavelmente representativas. A pesquisa experimental e os estudos em laboratório não tentam produzir classificações gerais, e os participantes podem ser escolhidos para representar indivíduos especialmente atraentes ou não atraentes, de maneira a testar as reações a eles. Entretanto, métodos similares são frequentemente usados aqui também.[1]

Fotos, vídeos e imagens de computador

Os pesquisadores dos Estados Unidos têm a grande vantagem da tradição dos anuários do ensino médio e da universidade, que trazem fotos de cada estudante, às vezes com um breve perfil. As fotos são posadas, mostrando os estudantes em seu melhor, e são tiradas em uma idade que já indica a aparência adulta. As fotos do anuário são classificadas por um painel de três ou mais pessoas que avaliam sua atratividade em uma escala determinada, normalmente tentando ignorar o impacto de estilos antiquados de cabelo ou roupas. Esse método tem sido aplicado em estudos com graduados do ensino médio, faculdades e universidades, que são examinados muitos anos (ou décadas) depois, geralmente pela própria instituição educacional, para avaliar os resultados da vida adulta. Por exemplo, um estudo norte-americano usou fotos do anuário do ensino médio para demonstrar que a maioria das garotas atraentes tinha mais chances de se casar, casava-se mais rápido e mais jovem, atraía maridos com maior status e renda mais alta, e tinha renda familiar mais alta 15 anos depois (independentemente de trabalhar ou não).[2]

Em outros casos, as instituições publicam retratos de matriculandos em cada turma iniciante, que normalmente são menos posadas. Jeff Biddle e Daniel Hamermesh usaram esses dados em seu estudo sobre graduados em uma faculdade de direito extremamente seletiva nos Estados Unidos, para medir o impacto da atratividade física nos resultados e ganhos profissionais. Eles descobriram que a classificação média para as mulheres era muito mais alta do que a dos homens, usando a mesma escala de cinco pontos, como na Tabela 1. A diferença nas classificações médias de beleza não tinha relação com o sexo do avaliador.[3]

Alguns dos estudos mais criativos usam outras fontes existentes. Um professor universitário americano pediu a seus alunos para levar fotos de corpo inteiro de seus pais em roupas de banho quando eram jovens, quando estavam na meia-idade e quando mais velhos, para estudar o grau de continuidade e estabilidade nas classificações de atratividades ao longo dos anos.[4] As classificações demonstraram ser bastante estáveis durante a vida, sugerindo que a aparência dos jovens adultos é um bom indicador da aparência futura.

Evidências fotográficas categorizadas por um painel de juízes são, às vezes, usadas em estudos de psicologia experimental e em estudos menores sobre os efeitos da atratividade física. Nos estudos computadorizados, o grau e o tipo de atratividade podem ser manipulados de forma bastante precisa para medir os efeitos da simetria facial e até mesmo do tom de pele ou de proporções faciais ou corporais específicas.

A introdução da fotografia digital e de softwares para manipular essas imagens acelerou muito a pesquisa sobre atratividade facial. Estudos demonstram que a convencionalidade é geralmente o fator principal da beleza. Se as fotos de quatro pessoas são combinadas, a média resultante de quatro rostos é o mais atraente. O rosto obtido combinando oito ou 16 rostos diferentes é progressivamente mais atraente. O rosto resultante da média de 32 rostos diferentes em uma única combinação é o mais atraentes de todos. Rostos comuns têm um tom de pele mais homogêneo, simetria e aparência convencional. O processo funciona da mesma maneira para todos os grupos étnicos e culturais. Combinações de rostos atraentes produzem uma média ainda mais atraente do que combinações de uma ampla gama de rostos.[5]

As pessoas geralmente preferem rostos que façam parte de seu grupo cultural, mas, ainda assim, podem julgar a atratividade de outros rostos. Variações de gosto pessoal não impedem avaliações objetivas de beleza facial.

Procedimentos similares são empregados para obter julgamentos da atratividade de formatos corporais de homens e mulheres, com fotos manipuladas para mostrar diferentes relações cintura-quadril (RCQ), altura e massa corporal (IMC). Animações computadorizadas são usadas para estudar a atratividade de corpos em movimento. Estudos feitos na compilação de 2007 de Swami e Furnham demonstram que existe uma concordância intercultural bastante alta sobre o que torna um corpo atraente; que a obesidade é a fonte mais comum de avaliações negativas; que o IMC é mais poderoso que a RCQ como prognóstico da atratividade feminina; e que peso (ou IMC) é visto como um indicador de saúde praticamente universal. Uma extensão desse método utiliza vídeos curtos de pessoas reais falando, ou se movimentando, e não fotos estáticas ou imagens computadorizadas abstratas. Isso é possível em estudos computadorizados.

Obviamente, os métodos fotográficos são eficientes para capturar beleza facial, formatos corporais atraentes e também *sex appeal*, cuidados pessoais e habilidades de apresentação pessoal. Não são úteis, entretanto, para avaliar habilidades sociais interpessoais ou vivacidade, para as quais algum tipo de interação cara a cara é necessário, seja com pessoas "reais" ou atores.

Informantes

Avaliações de informantes sobre a atratividade de entrevistados são ocasionalmente coletadas em pesquisas nacionais de entrevistas. O estudo de referência desse tipo, realizado por Daniel Hamermesh e Jeff Biddle, é discutido no Capítulo 7. Eles analisaram duas pesquisas norte-americanas e uma canadense realizadas nos anos 1970, que pediram a todos os entrevistadores para classificar a aparência física dos entrevistados em uma escala de cinco pontos: extremamente bonito, acima da média (bonito), na média para a idade, abaixo da média (pouco atraente), e feio. Os resultados são demonstrados na Tabela 1. A maioria das pessoas é classificada no grupo "na média"; de um quarto a um terço são alocadas nas categorias acima da média; cerca de uma em cada dez é julgada como abaixo da média em aparência. Há maior dispersão nos julgamentos de mulheres do que de homens. Nos Estados Unidos, as mulheres têm mais chances do que os homens de serem avaliadas como bonitas ou lindas, provavelmente porque se esforçam mais.

Os resultados notavelmente consistentes mostrados na Tabela 1 foram obtidos apesar do fato de que um grande número de entrevistadores era empregado em cada pesquisa. O estudo Canadian Quality of Life foi conduzido durante três anos (1977, 1979 e 1981), com diferentes entrevistadores em cada ano. Esse estudo incluiu um elemento de painel, com as mesmas pessoas entrevistadas novamente em cada pesquisa, fornecendo assim dados para dois ou três anos sobre esse subgrupo. Isso demonstrou que 35% da amostra foi classificada de maneira idêntica nos três anos, e 93% foram classificados de maneira idêntica em pelo menos dois anos.[6] Outros estudos também descobriram que classificações de atratividade física são bastante constantes em diferentes estágios da vida adulta, como notado anteriormente.

Alguns dos estudos de grupo britânicos coletaram medidas de atratividade baseadas em informantes em inspeções distintas. Por exemplo, o NCDS (National Child Development Study) é um estudo continuado longitudinal de um grupo de pessoas nascidas em uma determinada semana de março de 1958 e habitantes da Grã-Bretanha. Em 2010, o grupo estava com 52 anos. Em cada inspeção, o NCDS coleta informações sobre a altura e o peso dos entrevistados, o que permite que seu IMC seja monitorado ao longo da vida. Informações sobre sua atratividade foram coletadas nas idades de 7 e 11 anos, quando pediu-se ao professor da criança que preenchesse um questionário sobre seu comportamento e sua personalidade na escola. Também foi pedido aos professores que avaliassem a aparência da criança nas seguintes categorias: "atraente", "não tão atraente quanto a maioria", "parece bastante subnutrido", "possui algum traço anormal", "nada perceptível". Na prática, as últimas três categorias praticamente não foram usadas.

Barry Harper analisou esses dados para replicar estudos norte-americanos com amostragem britânica, e para explorar outros tópicos.[7] Nesse caso, o professor que avaliou a criança a conhecia bem e a via diariamente na escola. Harper considerou que esses fatores enfraqueciam suas avaliações, que podiam ir além de simples beleza facial para incluir sociabilidade e personalidade.[8] Como meu conceito de capital erótico é bastante amplo, essas avaliações oferecem uma classificação mais exata do capital erótico, incluindo elementos como vivacidade e charme, sociabilidade e habilidades sociais. Por outro lado, avaliações de atratividade física e social nas idades de 7 e 11 anos tendem a ser prognósticos fracos do capital erótico na vida adulta, pois as crianças podem mudar muito durante a adolescência. Dada a natureza peculiar da escala usada no exame do NCDS, a distribuição de classificações é muito desigual, com a maioria das crianças posicionada na categoria atraente (Tabela 2). Entretanto, mais uma vez, as garotas são sempre classificadas como mais atraentes que os meninos. Novamente, existe uma grande consistência de classificações aos 7 e aos 11 anos, apesar das mudanças dos professores que avaliaram. De fato, os estudos invariavelmente descobrem grande consistência em classificações de atratividade, mesmo entre grupos étnicos e culturais.[9]

Classificações de atratividade providas por informantes também são usadas em estudos e experimentos menores. Por exemplo, Hatfield e Sprecher realizaram um estudo com calouros universitários norte-americanos, convidados para o "baile do computador" nos anos 1960, uma noite na qual tinham a garantia de serem combinados com um parceiro adequado. Os estudantes que ficaram com a tarefa de vender os ingressos e coletar as informações de perfil usadas ostensivamente na combinação computadorizada também classificaram cada pessoa muito rapidamente em uma escala de atratividade física. Na verdade, os casais eram formados de forma aleatória para o baile, e os questionários coletaram ponderações e níveis de satisfação. O único fator relacionado à satisfação era a atratividade do parceiro. Para choque dos pesquisadores, nada mais importou, absolutamente nada.[10]

Autoavaliação

O principal problema com a autoavaliação do capital erótico é que os homens geralmente superestimam muito sua atratividade, enquanto as mulheres são mais realistas. Esse parece ser um padrão geral em autoavaliações femininas e masculinas. Parece que as mulheres determinam padrões mais altos para si mesmas, e são críticas se falham em atingir seus ideais. Como elas se esforçam mais na apresentação pessoal, são conscientes de quão distantes estão de suas aspirações. Essa diferença sexual em padrões de resposta causa problemas para pesquisadores que utilizam dados de autoavaliação.

A primeira pesquisa nacional europeia sobre sexo foi realizada por Hans Zetterberg, em 1967, na Suécia, bem antes que o medo da

Aids transformasse esse tipo de levantamento em estudo de saúde. Inspirado por seus conceitos de estratificação erótica e ranking erótico,[11] ele inseriu duas questões[12] na pesquisa sobre sexo sueca:

— Você diria que é fácil fazer os outros se apaixonarem por você?
— Considerando os últimos 12 meses, quantas pessoas você diria que realmente se apaixonaram por você nesse período?

Infelizmente, os resultados nunca foram relatados, sugerindo que as questões não funcionaram exatamente como ele pretendia ou esperava.

Com início em 1971, as pesquisas finlandesas sobre sexo foram inspiradas pelo trabalho pioneiro de Zetterberg, e também foram direcionadas a comparar os resultados dos dois países. A pesquisa finlandesa sobre sexo de 1992 substituiu as questões suecas ao medir a "autoestima sexual" como a seguir:

Qual é sua opinião sobre as declarações a seguir em relação a sua vida sexual e sua capacidade sexual:

— Eu tenho ótimas habilidades sexuais.
— Sou sexualmente ativo.
— Sou sexualmente atraente.

As pessoas tinham que classificar a si mesmas em cada um dos três itens por uma escala de cinco pontos: "concordo totalmente", "concordo em parte", "sou indiferente", "discordo em parte", "discordo totalmente". Essa questão também foi incluída em pesquisas similares sobre sexo realizadas na Estônia e em São Petersburgo, na Rússia, possibilitando comparações entre os três países.[13] Ela permite um total de pontos cumulativo entre 3 e 15 pontos, assim como uma análise de cada item separadamente.

O item sobre atividade sexual é uma medida indireta de capital erótico, pois afere o resultado em termos de atração de parceiros. O primeiro e o último itens da questão claramente medem a performance e o *sex appeal* de forma muito direta. Como de costume, os homens concedem a si mesmos uma classificação alta ao longo da vida, especialmente em performance sexual. Na cultura mais patriarcal de São Petersburgo, os homens qualificam a si próprios muito melhor em termos de performance sexual do que os homens na Finlândia ou na Estônia.[14]

As diferenças sexuais em pontuação são analisadas em relatórios das pesquisas finlandesas, e em análises comparativas de quatro países bálticos.[15] Os resultados demonstram que as mulheres sabem que têm capital erótico mais alto que os homens, especialmente quando são jovens, mas acreditam que ele declina rapidamente com a idade, enquanto os homens acreditam que seu *sex appeal* mantém-se em um nível constante em todas as idades. Aparentemente, os homens relatam e acreditam que são atraentes em todas as idades, independentemente de mudanças em sua aparência e forma física. As pesquisas finlandesas descobriram que a atratividade autoavaliada era mais ligada à atividade sexual em todas as idades entre as mulheres, enquanto não havia qualquer ligação entre os homens, em todas as idades.[16] Isso pode se dever ao fato de que os homens superestimam sua atratividade sistematicamente e/ou porque usam outros recursos para compensar sua falta de capital erótico.

Pesquisas sobre sexo contêm outras questões que medem o capital erótico indiretamente — por exemplo, perguntas sobre o número de parceiros sexuais no último ano, nos últimos cinco anos ou durante toda a vida. Mas algumas pessoas excepcionalmente atraentes escolhem manter-se fiéis a apenas um parceiro, às vezes pela vida toda, de forma que o número de parceiros sexuais é uma medida pouco representativa do capital erótico. Um exemplo é Paul Newman, um dos mais belos atores do século XX, que permaneceu fiel a sua mulher apesar das muitas alternativas oferecidas. Os homens tendem a ter mais pares sexuais do que as mulheres, o que pode levá-los a considerar a si mesmos sexualmente atraentes, e não promíscuos. Por outro lado, o desejo de retratar a si próprios como detentores de grande *sex appeal* pode explicar por que eles invariavelmente relatam um número mais alto de pares sexuais que as mulheres.

Concursos de beleza

Finalmente, a avaliação mais holística do capital erótico acontece em concursos de beleza, nos quais um quadro de jurados classifica as concorrentes como um todo, não apenas pela beleza facial. As candidatas normalmente desfilam em roupas de banho para exibir as formas e o *sex appeal*, assim como em vestidos de noite e outras roupas para exibir suas habilidades de apresentação pessoal e estilo. Normalmente, há algum tipo de entrevista ou apresentação que possibilita às candidatas demonstrar habilidades sociais e charme, ao menos minimamente, e exibir personalidade e dinamismo até certo ponto. No geral, concursos de beleza fornecem as classificações mais completas de capital erótico já vistas, o que provavelmente explica sua grande popularidade em eventos locais ou na televisão.[17]

Concursos e desfiles de beleza parecem ser uma atividade universal, às vezes, envolvendo também homens, além de mulheres. Normalmente, a coroação de uma rainha era parte dos festivais religiosos e tradicionais (como o da Rainha de Maio), provavelmente com origem em ritos de fertilidade. Os concursos Miss Mundo e Miss Universo são adições bastante recentes a essa tradição. A maioria deles celebra a atratividade física, o charme e a personalidade, assim como julga e classifica as participantes.

A Tailândia e outros países do sudeste asiático têm uma tradição muito longa de desfiles e concursos de beleza. Mesmo políticos são julgados e admirados por sua beleza, que é considerada como fonte de poder. No Sudeste Asiático, a voz, as maneiras, o estilo e o comportamento de alguém são considerados tão importantes quando a aparência física.[18] Dessa forma, a atratividade social pode pesar mais que a física em alguns contextos.

No Caribe, concursos de Mister Personalidade começam com homens desfilando de maneira sedutora em roupas de banho, para exibir ao máximo seu físico e seu *sex appeal*. Depois eles passam a desfilar na roupa escolhida. Nas Filipinas, concursos de beleza para homens gays *bantut* são muito populares e frequentes, e toda a comunidade comparece e participa. Os homens desfilam em vestidos coquetel, roupa de noite, roupa de banho, vestidos de verão, trajes esportivos e roupas "nacionais". Os concursos, às vezes, têm diversos prêmios para diferentes aspectos ou habilidades: melhor vestido, melhor modelo de passarela, melhor pele, melhor cabelo etc.[19]

Em Bogotá, na Colômbia, internas de uma penitenciária feminina participaram de um concurso de beleza em vestidos de noite que elas mesmas tinham confeccionado. Em muitos concursos, o estilo de apresentação pessoal dos participantes e a habilidade de desenhar e produzir as próprias roupas é um elemento-chave — tanto para homens quanto para mulheres.

O que exatamente é exibido e julgado em concursos de beleza varia entre as culturas. Concursos para homens, gays e travestis têm formatos similares aos femininos, indicando que os mesmos atributos e habilidades estão sendo julgados. No geral, os concorrentes estão exibindo seu capital erótico, com algumas variações no peso dado aos seis elementos em cada cultura. Esses concursos são, obviamente, muito mais divertidos que os estudos de ciências sociais, que são controlados de maneira rigorosa.

Um equivalente próximo aos concursos de beleza podem ser os vídeos criados para promover músicas de cantores populares, e seus shows ao vivo, que se tornam cada vez mais complexos e espetaculares, mas sempre exibem o cantor em diversos trajes e coreografias. A indústria do entretenimento lucra com o capital erótico dos artistas e exibe o talento deles em seu melhor, como ilustrado pela MTV, o canal de televisão internacional dedicado a mostrar clipes de músicas recentes.

Habilidade sociais

Os estudos realizados por psicólogos sociais abrangem as habilidades negligenciadas em pesquisas que focam apenas a atratividade física. Esses estudos avaliam o conforto e a competência das pessoas em situações sociais, empatia, influência, quantidade de sorrisos, efetividade persuasiva, expressividade facial, ausência de ansiedade social e (falta de) reticência.[20] Uma técnica frequentemente usada é colocar os participantes de um estudo em laboratório em uma situação de contato com alguém do sexo oposto, encontrando essa pessoa e conversando por trinta minutos. A interação é filmada, e então um painel de juízes classifica cada pessoa em grau de competência social demonstrada na situação de conversa com um estranho.[21]

A maioria desses estudos é realizada em uma escala pequena demais para permitir a construção de classificações nacionais para homens e mulheres.[22] De acordo com o senso-comum, as mulheres tendem a ter melhores habilidades sociais que os homens, porque se esforçam mais para estabelecer conexões e entendimento. Em uma conversa, por exemplo, elas fazem mais elogios (para homens e mulheres), desculpam-se com mais frequência, interrompem menos e são mais educadas e menos agressivas com os outros do que os homens.[23] As mulheres têm uma pontuação consistentemente superior à dos homens em grau de conformidade.[24]

Psicólogos sociais tentaram, até agora sem sucesso, desenvolver medidas de inteligência social e habilidades sociais interpessoais dissociadas das medidas de inteligência geral. Eles tiveram mais sucesso medindo a inteligência emocional, que se sobrepõe à inteligência social e às habilidades sociais.[25]

Desenvolvimentos futuros

Olhando para o futuro, os desenvolvimentos recentes dos métodos de coleta de dados tornam muito mais fácil apreender o capital erótico em estudos vindouros. Por exemplo, a introdução dos sistemas de software CAPI (Computer-Aided Personal Interview) nos laptops carregados pelos entrevistadores torna possível obter uma ou mais fotos, além dos dados coletados durante a entrevista. Seria possível fazer um vídeo curto de três a cinco minutos dos entrevistados respondendo às partes mais banais da pesquisa ou conversando livremente no final. Os custos de armazenamento não limitam mais a quantidade de dados que podem ser colhidos, uma vez que os custos da própria entrevista estejam cobertos. A digitalização de fotos torna ainda mais fácil incluí-las em bancos de dados de pesquisa.

Alguns dos estudos de grupo britânicos organizados e gerenciados pelo Centre for Longitudinal Studies do Institute of Education, em Londres, já coletaram fotos de alguns dos membros adultos de seus grupos.[26] Por exemplo, retratos eram coletados no final dos anos 1960 e começo dos 1970 para a subamostra de crianças identificadas pelos pais como bonitas quando tinham 11 anos. Esses registros foram digitalizados, e poderiam ser classificados por painéis de juízes para designar pontuações de atratividade usando um amplo conceito de capital erótico ou um conceito mais específico de beleza facial. Ainda assim, não existem fotos de nenhum dos membros do grupo na vida adulta.

Os integrantes do British Millennium Cohort Study, um grupo de pessoas nascidas no ano 2000, estão entrando na adolescência. Avaliações de atratividade física realizadas pelos entrevistadores agora e mais tarde, na vida adulta, permitiriam que a estabilidade do capital erótico fosse avaliada nesse estágio crucial da vida. Tais dados, é claro, enriqueceriam todos os bancos de dados de estudos de grupo, possibilitando testes sobre a forma com que o impacto do capital erótico está mudando ao longo do tempo.

A prática norte-americana de publicar anuários escolares está agora se espalhando pela Grã-Bretanha e outros países europeus, de forma que estudos baseados em fotos de anuário podem se tornar uma opção nesse continente.[27] A prática inglesa é que os estudantes forneçam as próprias fotos, com formatos menos padronizados, de forma que se tornam um indicador melhor de capital erótico como um todo.

O Facebook estendeu o sistema de anuário para um banco de dados global na internet, complementado por fotos e detalhes pessoais, e estabeleceu novas convenções sobre como as pessoas se apresentam para as outras, as fotos que fornecem, e níveis de transparência e privacidade. Essas novas tendências devem facilitar futuras pesquisas nesse tópico. Como o Facebook se originou de sites usados para classificar a atratividade de garotas estudantes, tais aplicações não devem parecer ofensivas. Pelo menos um estudo já usou fotos do site para examinar a atratividade de diferentes grupos étnicos.[28]

O capital erótico, seus componentes e seus efeitos podem ser estudados, assim como outros elementos intangíveis das estruturas sociais, culturas e interação social. As bases já existem em pesquisas sobre sexo e sobre os impactos sociais e o valor econômico da atratividade, padrões de uniões afetivas e encontros, estilos de vida sexual e atitudes em relação à fertilidade. A medição do capital erótico já está bem avançada, e existem oportunidades reais de desenvolvimento metodológico nos próximos anos.

Por enquanto, devemos nos contentar com os estudos feitos até agora. A maioria apreende apenas um ou dois aspectos do capital erótico. Logo, estudos que demonstram o impacto da beleza facial, do *sex appeal* ou dos cuidados pessoais e do estilo invariavelmente *sub*estimam e suavizam o impacto total do capital erótico como um todo, como a maioria dos estudiosos admite. Por exemplo, uma recente meta-análise descobriu que os estudos que utilizaram uma medida mais ampla de aparência revelaram maiores impactos da atratividade do que aqueles limitados apenas à atratividade facial.[29] Provavelmente, é correto dizer que o impacto total do capital erótico deve ser duas vezes maior do que os níveis relatados em estudos examinados neste livro, e potencialmente muito maior em casos específicos.

APÊNDICE B
Recentes pesquisas sobre sexo

Um dos efeitos colaterais da epidemia de Aids foi que os governos descobriram uma nova razão legítima para se interessar pelo que as pessoas fazem na privacidade de suas camas à noite. Tornou-se muito mais fácil falar sobre sexualidade, anúncios de preservativos foram expostos em todos os lugares e o assunto saiu do armário. Repentinamente, as pesquisas sobre sexo se tornaram estudos "médicos" e "de saúde pública", de forma que a obtenção de financiamentos passou a ser mais fácil. O lado negativo era que muitas das pesquisas concentravam-se exclusivamente em promiscuidade, encontros sexuais casuais e uso de preservativos, sem antes tentar obter um conhecimento mais amplo sobre desejo sexual, sua expressão e suas restrições sociais. Entretanto, o número total de pesquisas sobre sexo realizadas pelo mundo desde os anos 1990 aumentou muito nosso conhecimento e compreensão da sexualidade humana, e derrubou alguns mitos.

Os Estados Unidos têm uma longa lista de pesquisas sobre sexo de um tipo ou de outro, começando com os estudos científicos pioneiros de Alfred Kinsey sobre a sexualidade masculina e feminina nos anos 1940 e 1950. Os estudos de Shere Hite sobre a sexualidade feminina, nos anos 1970, e o relatório Janus, dos anos 1980, descrevem o cenário sexual no país depois da revolução sexual. Mas a primeira pesquisa de entrevistas a fornecer dados nacionalmente representativos para os Estados Unidos foi feita apenas em 1992.[1] Essa pesquisa abrangeu pessoas entre 18 e 59 anos. Houve também outro estudo compreendendo o grupo mais velho de adultos entre 57 e 85 anos, realizado desde então.[2]

Os levantamentos europeus sobre sexualidade começaram com a pesquisa sueca de 1967, que não foi repetida até 1996, quase trinta anos depois.[3] A primeira pesquisa sueca inspirou outras, sobretudo uma série de estudos nacionais na Finlândia, em 1971, 1992, 1999 e 2007, que foram então copiados na Estônia e em São Petersburgo para fornecer interessantes comparações de culturas sexuais no norte da Europa. Realizado por Elina Haavio-Mannila e Osmo Kontula, o programa de pesquisa finlandês é especialmente valioso porque busca entender o desejo e a expressão sexual como um todo, sem restringir-se demais por questões de saúde pública. As pesquisas nacionais também foram complementadas pela coleta de histórias sexuais pessoais de homens e mulheres de todas as idades, fornecendo um quadro muito mais completo de como a sexualidade se desenvolve ao longo do ciclo da vida e é afetada (ou não) pelo ambiente social local.[4] A série de pesquisas realizada ao longo de quase quatro décadas mostra como a mudança social e a revolução contraceptiva alteraram as atitudes e o comportamento sexual, possibilitando às mulheres, especialmente, ganhar mais experiência sexual. O programa de pesquisa finlandês culminou em uma das melhores análises já escritas sobre as mudanças nas últimas quatro ou cinco décadas; traços importantes da sexualidade moderna; celibato, fidelidade e promiscuidade; autoerotismo; e diferenças entre a sexualidade masculina e feminina.[5]

Pesquisas realizadas em outras partes da Europa, em geral, seguiram o modelo "médico" e tendem a ser menos úteis para a compreensão da maneira como o capital erótico provoca o desejo. Uma das maiores e mais detalhadas pesquisas nacionais sobre sexo já realizadas no mundo foi a primeira pesquisa britânica em 1990, que entrevistou quase 20 mil pessoas sobre suas vidas e atitudes sexuais. Novas pesquisas de menor escala foram realizadas em 2000 e 2010 para monitorar as tendências ao longo do tempo.[6]

A França realizou importantes pesquisas em 1972 e 1992, complementadas por histórias da vida sexual coletadas por Janine Mossuz-Lavau. Os relatórios franceses foram ampliados por comparações sistemáticas de seus resultados com pesquisas sobre sexo em outros

11 países europeus. Esse programa também produziu algumas das análises mais sofisticadas sobre o desejo e a atividade sexual, e a importância relativa da sexualidade para homens e mulheres.[7]

A maioria dos países teve apenas uma pesquisa sobre sexo verdadeiramente nacional abrangendo toda a população. Outros tiveram que basear-se em uma combinação de estudos locais, pesquisas sobre faixas etárias específicas ou grupos de especial interesse (como trabalhadores na indústria do sexo comercial), e pesquisa de atitude social para montar um quadro da cultura sexual nacional.[8]

O maior exercício desse tipo foi a pesquisa sobre sexo chinesa de 1989-90 com 20 mil homens e mulheres, que consistiu em seis estudos distintos sobre três grupos principais: estudantes do ensino médio, estudantes universitários e pessoas casadas, incluindo amostras de áreas urbanas e rurais em cada caso, mais um estudo de pessoas com fichas criminais por transgressões sexuais, como prostituição e estupro.[9]

Uma das últimas adições a essa série é a pesquisa por telefone australiana de 2002, sobre a vida sexual de quase 20 mil pessoas.[10] Algumas das pesquisas menos conhecidas, incluindo a alemã, a norueguesa e a grega, são examinadas e resumidas em um relatório francês.[11] Exames das evidências são oferecidos por diversos estudiosos, normalmente com foco em algum tópico ou questão.[12] Existe, evidentemente, uma extensa literatura sobre sexualidade baseada em pequenas amostras e estudos de caso de grupos e comunidades específicos.

Companhias farmacêuticas e fabricantes de preservativos conduzem periodicamente levantamentos sobre o comportamento sexual ao redor do mundo, normalmente com um interesse particular no uso de preservativos ou no que agora é rotulado como problema de "saúde sexual" como falta de desejo (nas mulheres, especialmente), impotência e dificuldades durante a menopausa. Por exemplo, o Global Study of Sexual Attitudes and Behaviour coletou dados sobre quase 14 mil mulheres entre 40 e 80 anos, em 29 países.[13] O Women's International Study of Health and Sexuality, financiado por uma companhia farmacêutica, abrangeu 952 mulheres nos Estados Unidos e 2.467 na Europa, todas entre 20 e 70 anos.[14] A marca de preservativos Durex encomendou várias pesquisas sobre sua base de consumidores ao longo dos anos. A National Survey of Sexual Health and Behaviour foi financiada pela empresa de preservativos Trojan. Essa pesquisa abrangeu quase 6 mil adultos entre 14 e 94 anos residentes nos Estados Unidos,[15] e foi realizada on-line em vez de com entrevistas cara a cara. Isso provavelmente tornou a honestidade mais fácil, mas também resultou em algumas tendências dos participantes. Parece provável que pessoas com um interesse em sexualidade, e sexualmente ativas, teriam mais inclinação em participar da pesquisa, de forma que o celibato seria automaticamente diminuído nos resultados, por exemplo.

Ninguém jamais tentou reunir os resultados de todos esses estudos realizados pelo mundo de forma a identificar as constantes universais da sexualidade humana, e os traços que mais variam. O número total e a diversidade de pesquisas tornam isso cada vez mais difícil. Os antropólogos sociais gostam de ressaltar todas as práticas excêntricas e extraordinárias que podem ser encontradas em pequenas sociedades rurais e primitivas pelo mundo, e exemplos são frequentemente citados em pesquisas sobre sexo. Meu foco no Capítulo 2 está nas sociedades abastadas, instruídas e modernas depois da revolução contraceptiva e das oportunidades iguais. Relatórios transnacionais comparativos têm a propensão de concentrar-se nas questões "médicas" da sexualidade e não em seu caráter social e tendências recentes. Às vezes, esses fatores se sobrepõem, pois qualquer aumento na promiscuidade é visto como uma ameaça à saúde.[16] Meu interesse está nas diferenças entre a sexualidade masculina e feminina, que acabam sendo quase tão grandes quanto eram no passado.

Notas

Introdução: O capital erótico e a política do desejo

[1] Houve diversas reações à teoria quando esta foi brevemente apresentada em um artigo no periódico da Oxford University Press, *European Sociological Review*, pois ela abala muitas das existentes teorias das ciências sociais. O professor lorde Anthony Giddens, ex-diretor da London School of Economics, e eminente sociólogo, comentou que a tese era "brilhante, muito original e interessante".

[2] SCHICK; STECKEL, 2010.

[3] BAUMEISTER; VOHS, 2004.

1. O que é capital erótico?

[1] DONEGAN, 2009; DAVIES, 2010.

[2] Esse não é o caso em todas as culturas. Em algumas, como a das Ilhas Trobriand e a da tribo Semai, na Malásia, é perfeitamente razoável que um estranho convide uma mulher para fazer sexo, e seria rude da parte dela recusar. STONEHOUSE, 1994, p 187; LEWIN, 2000, p. 16; SHRAGE, 1994.

[3] ROSEWARNE, 2007.

[4] HUNT, 1996.

[5] Ver Apêndices A e B para mais detalhes.

[6] Esse tópico é discutido de forma mais abrangente no Capítulo 2.

[7] BROWN, 2005.

[8] No Japão, o visto e a licença de "artista" aplica-se a todos os que ingressam no país para trabalhar na indústria do lazer, incluindo músicos, artistas, mulheres que trabalham em bares como *hostesses* e na indústria do sexo comercial. No mundo ocidental, a indústria do sexo em suas diversas manifestações também é parte da ampla indústria do entretenimento (FRANK, 2002, pp. 85-95).

[9] EDER et al, 1999.

[10] A série de trabalhos *World Values Survey*, de Ronald Inglehart, demonstra uma clara graduação nas atitudes em relação à fertilidade feminina. Os povos de países mais pobres e menos desenvolvidos, com valores materialistas focados na sobrevivência do grupo, dão grande ênfase à fertilidade. Por exemplo, eles concordam de forma quase universal que as mulheres precisam de filhos para se tornarem completas, e que crianças são parte integrante do casamento. Habitantes de países modernos

e abastados, com valores individualistas pós-materialistas, normalmente não concordam com essas ideias. Ver INGLEHART 1977, 1990, 1997; INGLEHART, NORRIS, 2003, 2004; INGLEHART, WELZEL, 2005; INGLEHART et al, 1998.

[11] MASSON, 1975.

[12] Estatura e cor são normalmente estudadas como fatores bastante distintos, mas também podem contribuir para a atratividade. A maioria das mulheres considera os homens altos mais atraentes que os baixos. Aparentemente, há uma preferência universal por pele clara em homens e mulheres, em todas as culturas, incluindo a Tailândia e a China, onde o colonialismo nunca foi uma questão. Isso ocorre porque a pele clara é associada à juventude e a um padrão social mais alto: pessoas que trabalham ao ar livre têm a pele mais escura do que aquelas que trabalham em locais fechados. Isso parece afetar mais as mulheres que os homens, devido à maior ênfase no capital erótico feminino. Por exemplo, BROOKS, 2010 demonstra que strippers negras em Nova York e São Francisco ganham consideravelmente menos do que as brancas, devido à menor procura.

[13] MARTIN; GEORGE, 2006; GREEN, 2008a; BROOKS, 2010.

[14] Bourdieu criou o conceito de capital cultural em 1973, em sua análise de como o sistema educacional permite às famílias da classe alta ter quase que o monopólio das ocupações profissionais e administrativas de nível superior, conhecidas como *cadres* na França. O trabalho seminal discutindo os três conceitos e sua conversibilidade teve sua primeira publicação em 1983 na Alemanha, provavelmente traduzido do original em francês, depois republicado em uma tradução para o inglês em 1986, e reimpresso em 1997, sempre em livros referentes a educação. Como consequência, às vezes a clássica exposição de Bourdieu sobre os três conceitos é negligenciada, especialmente por estudiosos norte-americanos.

[15] BOURDIEU; WACQUANT, 1992; MOUZELIS, 1995.

[16] BECKER, 1993.

[17] HESS, 1998; GAMBETTA, 1993.

[18] BOURDIEU, 1986. A genialidade do esquema de microcrédito inventado por Yunus em Bangladesh, e que se tornou um movimento mundial, é que converte o limitado capital social das pessoas pobres em dinheiro, por emprestar a pequenos grupos de clientes que se conhecem bem o bastante para afiançar os empréstimos uns dos outros.

[19] A teoria de Robert Putnam de capital social refere-se às bases sociais da democracia e apoia-se em um estudo anterior, *Civic Culture*, dos cientistas políticos Almond e Verba. Ele demonstra que o capital social aumentou nos Estados Unidos até os anos 1970, e então, repentinamente, declinou até o final do século, e considera possíveis explicações para a mudança. O título *Bowling Alone* refere-se ao fato de que mais americanos jogam boliche hoje em dia, mas menos estão envolvidos em ligas e clubes do esporte, que promovem laços sociais e cooperação entre comunidades. Ver PUTNAM, 1995, 2000. ANDERSEN; GRABB; CURTIS, 2006 também acham que o declínio da participação cívica é maior nos Estados Unidos.

[20] Em um artigo de 2010, apresentado meu conceito de capital erótico, examinei os precursores intelectuais: estudiosos que identificaram um ou outro elemento, mas nunca desenvolveram a ideia para uma teoria geral. Essa e outras ideias relacionadas são debatidas ao longo deste livro.

[21] A teoria original de Bourdieu focava-se intensamente em grupos que herdavam seus recursos de pais e parentes. Atualizações modernas (como a minha) concentram-se mais em como as pessoas desenvolvem esses recursos através dos próprios esforços.

[22] BOURDIEU, 1998.

[23] MARTIN; GEORGE, 2006, p. 126. BROOKS, 2010 também trata o capital erótico como um dos elementos do capital cultural. Seu estudo sobre boates de striptease em Nova York e São Francisco descobriu que mulheres que não são caucasianas ganham consideravelmente menos que as brancas. Ela atribui isso a preconceitos raciais e de classe. Outro exemplo é o conceito de "trabalho estético" usado por Warhurst e Nickson, 2007a, para explicar por que lojas e hotéis que visam uma clientela de classe média solicitam que seus empregados vistam-se e falem com estilo de classe média. Esse trabalho é debatido no Capítulo 7, mas refere-se claramente ao capital cultural definido pela classe.

[24] BOURDIEU, 1986, p. 244.

[25] LEWIS, 2010; KNIGHT, 2010. Esse foi um pequeno estudo realizado no País de Gales usando mais de mil fotos tiradas do Facebook. Demonstrou que pessoas mestiças eram consideradas atraentes com mais frequência que pessoas negras e brancas — ao menos na Grã-Bretanha.

[26] Da mesma forma, WEBSTER; DRISKELL, 1983, dizem que beleza confere status, e assim, consequentemente, possui valor.

[27] BOURDIEU, 1986. Adicionei o capital erótico, que se encaixa em sua exposição.

[28] HAKIM, 2000a, pp. 196-201.

[29] Esse processo é acentuado pela maior fertilidade entre as mulheres bonitas que entre as feias. Existem algumas evidências de que mulheres atraentes têm mais filhos que as feias, e também que têm mais meninas que meninos — criando, assim, uma corrente de longo prazo de mulheres mais atraentes, enquanto os homens não melhoraram muito ao longo do tempo — infelizmente. Ver MILLER; KANAZAWA, 2007; LEAKE, 2009a.

[30] Essa é a teoria de Norbert Elias sobre o processo civilizatório, discutido no Capítulo 4.

[31] Na Índia, há a convenção de casar-se com pessoas da mesma casta apenas. Porém, a quebra dessa regra é quase sempre aceita quando uma noiva de beleza excepcional entra para uma família de casta superior.

[32] RHODES; ZEBROWITZ, 2002, pp. 2-3, 244. Há um consenso entre as tribos amazônicas da América do Sul sobre o que constitui a beleza (r=.43). Existe um consenso muito maior entre grupos étnicos e culturais e entre sociedades altamente desenvolvidas (r=.66 e .88 a .94 em diferentes estudos). Entretanto, há muito pouca concordância sobre esse critério entre os grupos primitivos e os avançados (r=.14).

[33] COHEN; WILK; STOELTJE, 1996.

[34] RHODES; ZEBROWITZ, 2002; GEHER; MILLER, 2008.

[35] HAMERMESH; BIDDLE, 1994.

[36] ZETTERBERG, 2002, p. 275.

[37] LANGLOIS et al, 2000, p. 402.

[38] O filme *Beautiful Boxer*, de Ekachai Uekrongtham, 2003, reconta a história da vida de Nong Toom. A obra ganhou dez prêmios internacionais.

[39] BEAUVOIR, 1949/1976, p. 295.

[40] REDDY, 2005.

[41] KULICK ,1998; REDDY, 2005.

[42] BRAND, 2000, p. 148.

[43] A cirurgia plástica tem uma história mais longa do que muitas pessoas imaginam. Por exemplo, tatuagens e piercings são versões atuais de práticas de sociedades pré-modernas. Em sociedades africanas, pintura facial e tatuagens coloridas, cicatrizes faciais e corporais em padrões decorativos, ornamentos nas orelhas e nos lábios eram usados, como ilustrado por BECKWITH; FISHER, 2010. Outras culturas usavam ornamentos nas orelhas, brincos e anéis no pescoço, para alongá-lo. Os antigos maias aplicavam tornos de madeira ao crânio dos bebês para criar as testas altas e o formato pontudo da cabeça considerado bonito, tanto para homens quanto para mulheres.

[44] DAVIS, 1995, p. 70. Nos casos mais extremos de dismorfia corporal, as pessoas ficam de tal forma desequilibradas que insistem precisar de amputação de membros para se sentir "saudáveis e completas".

[45] "Seja uma criatura como nenhuma outra" aconselham FEIN; SCHNEIDER, 2000, demonstrando que o manejo das impressões é tão importante quanto as habilidades concretas. Ver também LOUIS; COPELAND, 1998, 2000.

[46] LANGLOIS et al, 2000, p. 400. KAUPPINEN; ANTTILA, 2005, descobriram que mulheres magras ganhavam 20% a mais em 2003, mas o IMC não tinha impacto nos resultados em 1997.

[47] HATFIELD; SPRECHER, 1986, p. 145.

[48] ETCOFF, 1999, p. 61.

[49] Ronald Inglehart identificou esses dois opostos como as áreas essenciais da mudança de valores mundial. Ver INGLEHART; WELZEL, 2005, pp. 94-114; INGLEHART; NORRIS, 2003, 2004.

[50] RHODES; ZEBROWITZ, 2002, pp. 244-54. Não fica claro nos estudos feitos até aqui se existe uma diferença de gênero nesse padrão.

2. A política do desejo

[1] DRUCKERMAN, 2007, p. 197. Ela ressalta que uma das causas da rápida disseminação da Aids na África do Sul é o alto nível de promiscuidade, especialmente entre os homens, a convenção de relações sexuais ao menos uma vez por noite com as esposas, além da baixa propensão a usar preservativos.

[2] KONTULA; HAAVIO-MANNILA, 1995, pp. 31-5, 217-18. Falam de mulheres ganharem "direitos sexuais iguais", como, por exemplo, o direito de tomar a iniciativa no sexo.

[3] LAUMANN et al, 1994, pp. 170-71, 518-19, 547.

[4] GOLDIN; KATZ, 2002.

[5] HAKIM, 2004, p. 152.

[6] Entretanto, alguns analistas (e a Comissão Europeia) ainda não estão satisfeitos. Eles insistem que todas as diferenças sexuais deveriam ser eliminadas, e a diferença

salarial, reduzida a zero. Parece pouco realista, dado o interesse paralelo das mulheres pela família. BLAU; BRINTON; GRUSKY, 2006; Hakim 2011.

[7] HATFIELD; SPRECHER, 1986, pp. 136-7; CLARK; HATFIELD ,1989.

[8] GURLEY-BROWN, 1962/2003.

[9] MOSCOWITZ, 2008; FARRER, 2010.

[10] HUBERT; BAJOS; SANDFORT, 1998. Eles fornecem o exame e a síntese mais importantes dos resultados de pesquisas em 11 países europeus, porém a pesquisa sueca de 1996 é excluída.

[11] HAKIM, 2000a, 2004, 2006, 2008, 2011.

[12] OLIVER; HYDE, 1993.

[13] LEVITT; DUBNER, 2009.

[14] As memórias de Ingrid Bengis, de 1973, são apenas um exemplo.

[15] Um exemplo um pouco diferente é dado no relato de Lynn Barber, de 2009, sobre o relacionamento de uma estudante inglesa com um homem mais velho. Claramente, a experiência concedeu a ela muitas habilidades sociais úteis e maior confiança, mesmo que, depois, ela tenha se arrependido da ligação ao descobrir que ele já era casado.

[16] ANÔNIMO, 2006.

[17] ANÔNIMO, 2006, pp. 10, 127, 138, 152-3, 157, 216.

[18] LAUMANN et al, 1994, p. 11; BAUMEISTER; VOHS, 2004.

[19] LEVITT; DUBNER, 2009, p. 23.

[20] BAUMEISTER; TWENGE, 2002. Examinaram as evidências e chegaram à conclusão contrária. Argumentam que foram basicamente as mulheres, e não os homens, que reprimiram a sexualidade feminina para criar uma escassez artificial que dá à mulher uma vantagem de barganha mais poderosa com os homens. Em minha opinião, eles confundem causas distais e imediatas, concepção e implementação de diretriz. Em geral, as mulheres tiveram a principal responsabilidade em reforçar as restrições, mas não as inventaram.

[21] As feministas enfatizam a diferença salarial como se esta explicasse tudo, ainda que hoje seja irrelevante em muitos países. A discriminação sexual manifesta em valores de salário *para a mesma função* foi eliminada na Europa e na América do Norte. A dramática diminuição da diferença salarial na Europa (para entre 8% a 23%, com uma média de 17% na União Europeia) é explicada pelas escolhas de ocupação das mulheres, e é pequena demais para ser a causa principal das persistentes diferenças sexuais em comportamento e resultados no mercado de trabalho (HAKIM, 2004, 2011). Na maioria dos países, a diferença salarial geral foi substituída pela diferença entre a média de ganhos entre mães e pais, que não aparece até os 40 anos ou mais. Então, a diferença salarial não pode explicar por que todas as pesquisas sobre sexo, mesmo na sexualmente liberada Escandinávia, determinam que o interesse e a atividade sexual masculinos são muito maiores que os das mulheres, geralmente três vezes maiores, medidos pela masturbação, pelo uso de arte erótica e fantasias sexuais, atividades nas quais os limites econômicos e sociais não são importantes.

[22] Algumas mulheres experimentam um desabrochar sexual após ter filhos, levando a casos extraconjugais nessa época. Ver WOLFE, 1975; HUNTER, 2011.

[23] Essa conclusão é compartilhada por BOZON In: BAJOS et al, 1998; BAUMEISTER; TICE, 2001, pp. 102-7; BAUMEISTER et al, 2001; FENNELL In: ZETTERBERG, 2002 e HUNTER, 2011.

[24] LEWIN, 2000.

[25] LAUMANN et al, 1994.

[26] JOHNSON et al, 1994.

[27] RICHTERS; RISSEL, 2005; ARNDT, 2009, pp. 48, 61.

[28] KONTULA, 2009, pp. 224-7.

[29] MEANA, 2010.

[30] LAUMANN et al, 1994, p. 91; KONTULA; HAAVIO-MANNILA, 1995, p. 75.

[31] O termo "caso" refere-se a relações sexuais e emocionais de alguma duração (nomeadas "relacionamentos paralelos" nos relatórios escandinavos), enquanto o termo "aventuras" se refere a relações sexuais breves e encontros de apenas uma noite, do tipo que acontece durante as viagens, por exemplo. Entretanto, muitas pesquisas não fazem qualquer distinção entre eles. Os termos franceses normalmente são *aventures* e *petites aventures*. A promiscuidade sexual também recebe os tolerantes rótulos de *vagabondage* e *libertinage* por VAILLIANT, 2009.

[32] HUNTER, 2011.

[33] KONTULA e HAAVIO-MANNILA, 1995, pp. 200-203 demonstram fortes elos entre consumir serviços de sexo comercial, ter casos, possuir um vasto número de parceiros sexuais e apresentar elevada autoestima sexual (significando, na prática, capital erótico). Homens finlandeses de todas as idades visitam prostitutas, especialmente depois dos 35 anos. Nos Estados Unidos, o percentual é de 17% dos homens, quando apenas 2% das mulheres pagam por sexo (LAUMANN et al, 1994, pp. 590, 595). Na Suécia, a decisão de criminalizar a indústria do sexo comercial e seus clientes significou apenas que a demanda por tais serviços foi "terceirizada" e exportada para mulheres em outros países. Já em 1996, quatro quintos dos serviços sexuais usados pelos homens suecos aconteciam fora do país (LEWIN, 2000, p. 243).

[34] MALO DE MOLINA, 1992, p. 204.

[35] HUNTER, 2011.

[36] ZETTERBERG, 2002, pp. 114-15; LEWIN, 2000.

[37] VACCARO, 2003.

[38] KONTULA; HAAVIO-MANNILA, 1995, p. 126.

[39] BUUNK, 1980.

[40] As pesquisas sobre sexo suecas relatam o início da masturbação aos 4 anos em alguns casos. Ver LEWIN, 2000, pp. 149-51.

[41] LEWIN, 2000, pp. 127, 201; HUBERT; BAJOS; SANDFORT, 1998, pp. 151-6.

[42] KONTULA; HAAVIO-MANNILA, 1995, pp. 200-203. A ideia de que essas práticas eram alternativas, e não complementares, está embutida nos estudos iniciais de Kinsey.

[43] JONG, 1973.

[44] OLIVER; HYDE, 1993; LAUMANN et al, 1994, pp. 509-40, 547; LAUMANN; MICHAEL, 2001, pp. 109-47, 265-9; BOZON In: BAJOS et al, 1998, pp. 227-32; LEWIN, 2000, pp. 68, 72-3.

[45] KONTULA; HAAVIO-MANNILA, 1995; LEWIN, 2000, p. 76-8, 342-3, 365.

[46] GREEN, 2008b.

[47] WELLINGS et al, 1994. Números calculados a partir da Tabela 3.5. Ver também LEWIN, 2000, pp. 67-74; KONTULA, 2009, pp. 114, 122, 224-7; KONTULA; HAAVIO-MANNILA, 1995, pp. 28, 41, 92; BAJOS et al, 1998, pp. 175-232.

[48] O padrão geral na Grã-Bretanha para homens em ocupações liberais e administrativas superiores é ter começado a vida sexual mais tarde, porém ter mais parceiras no geral, enquanto pessoas em grupos socioeconômicos mais baixos começam mais cedo, entretanto têm menos parceiros no total. WELLINGS et al, 1994.

[49] LEWIN, 2000, pp. 67-74; LAUMANN et al, 1994, pp. 170-71, 518-19, 547.

[50] WELLINGS et al, 1994. Números calculados a partir da Tabela 3.5. Também LEWIN, 2000; KONTULA, 2009; KONTULA; HAAVIO-MANNILA, 1995; BAJOS et al, 1998.

[51] Incluir os superativos cria valores médios para a população como um todo, e não refletem a realidade da grande maioria. Na Suécia, o número aproximado de parceiras é sete para os homens, mas a média é mais que o dobro: 15. Para as mulheres, são aproximadamente cinco parceiros, mas a média é de sete. LEWIN, 2000, pp. 67-73.

[52] GRAHAM FENNELL In: ZETTERBERG, 2002, pp. 1-9 examina memórias sexuais disponíveis, quase todas de homens.

[53] Essa abreviação abrange qualquer combinação de bondage, dominação, sadismo e masoquismo.

[54] BELLE DE JOUR, 2005, 2006; THOMAS, 2006.

[55] Em novembro de 2009, cinco anos após parar de trabalhar como garota de programa, Belle de Jour revelou que era a Dra. Brooke Magnanti, uma especialista em neurotoxicologia do desenvolvimento e epidemiologia de câncer que trabalhava em um hospital universitário de Bristol.

[56] MILLET, 2002.

[57] THOMAS, 2006, pp. 258-61, 293.

[58] KELLY, 2008.

[59] HEFNER, 2010. Em 2011, aos 85, Hefner se casou pela terceira vez. Sua noiva era uma coelhinha da Playboy de 24 anos.

[60] Mick Hucknall, vocalista do Simply Red, admitiu ter feito sexo com três mulheres durante todos os dias por três anos (1985-7), no auge da fama. Ele se desculpou publicamente com as mulheres em dezembro de 2010. FITZPATRICK, 2010. Bill Wyman, um dos guitarristas do Rolling Stones, também tem a reputação de ter feito sexo com mais de mil mulheres, apesar de ter tido uma sucessão de esposas e parceiras ao longo da carreira musical. Em 1989, aos 53 anos, ele se casou com Mandv Smith, de 18. Eles namoravam desde que ela tinha 13. WYMAN, 1990.

[61] ARNDT, 2009, pp. 6, 33, 196. Comentários similares são encontrados em praticamente todas as páginas desse livro.

[62] ARNDT, 2009; BAUMEISTER; TICE, 2001; BAUMEISTER et al, 2001.

[63] Um estudo de Michael Wiederman, 1997, baseado nos dados de 1994 da USA General Social Survey, indica que os cônjuges não eram diferenciados de outros "parceiros sexuais regulares", tornando impossível distinguir rigorosamente casamentos celibatários de casos. O mesmo problema surge na maioria das pesquisas sobre sexo

[64] WELLINGS et al, 1994, pp. 143-5 e Fig. 4.1, p. 138.

65 BOZON In: BAJOS et al, 1998, pp. 187, 212. Casais franceses relataram uma frequência mais alta de sexo nos primeiros dois anos de um relacionamento (13 vezes por mês, em média, *versus* dez vezes na Grã-Bretanha), mas as esposas ainda dizem que são os maridos que mais tomam a iniciativa e têm a libido maior.

66 KLUSMAN, 2002; LEWIN, 2000, p. 201.

67 DONNELLY, 1993.

68 VACCARO, 2003.

69 MALO DE MOLINA, 1992, p. 72.

70 MEANA, 2010, p. 118.

71 Isso não impede que os terapeutas sexuais tratem a baixa libido e o celibato das mulheres como anormal e como um indicador de outros problemas no relacionamento, alegando que a libido inevitavelmente retornará ao "normal" depois que a mulher buscar a ajuda de um terapeuta. Por exemplo, tal conselho é oferecido por STEPHENSON-CONNOLLY, 2009.

72 BAUMEISTER; CATANESE; VOHS, 2001.

73 WELLINGS et al, 1994, p. 251.

74 LAUMANN et al, 1994, p. 547.

75 BOZON In: BAJOs et al, 1998.

76 Os resultados do programa de pesquisa estão sendo analisados por diversas equipes pelo mundo, incluindo uma da universidade de Bath, na Inglaterra, liderada por Suzanne Skevington. Ver the WHOQOL Group, 1995; SAXENA et al, 2001; SKEVINGTON et al, 2004.

77 Os 25 fatores principais para uma boa qualidade de vida eram, em ordem de importância: habilidade de executar as atividades diárias; ter energia; ter saúde; felicidade e fruição da vida; habilidade de locomoção; possibilidade de conseguir tratamento de saúde adequado; não sentir dor; ser capaz de trabalhar; ter um sono tranquilo; poder se concentrar; ter um bom ambiente doméstico; sentir-se bem consigo mesmo; sentir-se em segurança; possuir recursos financeiros; bons relacionamentos com outras pessoas; não ter sentimentos negativos; ter transporte adequado; não precisar de remédios e tratamentos; ter descanso e lazer; liberdade de crenças pessoais; chance de conseguir novas informações e conhecimentos; bom ambiente; apoio dos outros; boa imagem corporal e aparência; e boa vida sexual. As mulheres colocaram a vida sexual por último, com uma boa aparência classificada um nível acima. Os homens posicionaram a vida sexual mais alto que a boa aparência, que vinha por último para eles.

78 SAXENA et al, 2001, p. 714. Outro estudo global explorou a importância do sexo entre as pessoas mais velhas em países com diferentes culturas sociais. Em todos os casos, os homens deram mais importância ao sexo que as mulheres. Às vezes, as mulheres tinham três vezes mais propensão que os homens, depois dos 40, de considerar o sexo como algo sem importância. MEANA, 2010, p. 115.

79 SAXENA et al, 2001, Tabela 2. É notável que, nesse estudo, as pessoas dos países mais abastados, com altos níveis de desenvolvimento socioeconômico, deem menos importância à aparência e à vida sexual do que as pessoas de regiões menos desenvolvidas. Isso parece contradizer minha teoria de que o valor da sexualidade e de uma aparência atraente aumentou nas sociedades mais ricas. Há duas explicações

para esse resultado. Primeiramente, as amostras usadas não foram pensadas para ser rigorosamente representativas de nacionalidade. Mais importante: a estrutura etária de países em desenvolvimento é extremamente inclinada para a faixa abaixo dos 30 anos, formada por pessoas que são mais interessadas em aparência e sexualidade. A estrutura etária na Europa, no Japão e na maioria das sociedades desenvolvidas é bastante inclinada para a faixa acima dos 45 anos, formada por pessoas menos interessadas por sexualidade e aparência. Assim, é essencial comparar grupos etários similares.

[80] BLANCHFLOWER; OSWALD, 2004.

[81] LAUMANN et al, 1994, p. 141.

[82] SILVERSTEIN; SAYRE, 2009, pp. 23, 217, 220, 250.

[83] Um exemplo: a coabitação e o sexo antes do casamento, que são muito mais aceitos e comuns nos países nórdicos do que na área do Mediterrâneo.

[84] HUBERT; BAJOS; SANDFORT, 1998, pp. 121-5.

[85] DRUCKERMAN, 2007, p. 197.

[86] JANKOWIAK, 2008, pp. 46-50.

[87] LUCE, 2003.

[88] O teórico francês Georges Bataille argumentou que o erotismo é sempre associado à transgressão, e é excitante exatamente porque é insurgente e desordeiro, quebrando todas as regras. Consequentemente, o sexo dentro do casamento deixa de ser excitante, pois não é mais ilícito.

[89] Em seu mais recente romance, *Paranoia*, Victor Martinovich retrata a capital da Bielorrússia, Minsk, dos dias de hoje, como uma ditadura na qual alguém está sempre observando e o sexo é uma fuga.

[90] KON, 1995; DRUCKERMAN, 2007, pp. 145-68.

[91] HUNTER, 2011.

[92] DRUCKERMAN, 2007.

[93] LEWIN, 2000, p. 17.

[94] LEWIN, 2000, pp. 17-18. Citando um estudo de Mauricio Rojas, um sueco com ascendência chilena.

[95] PISCITELLI, 2007.

[96] LIU et al, 1997.

[97] LAFAYETTE DE MENTE, 2006. O Japão parece ser um dos poucos países modernos que ainda não realizou uma pesquisa nacional sobre sexo.

[98] Anúncios pessoais publicados por lésbicas são os que menos mencionam boa aparência e os que mais enfatizam sinceridade. Homens gays, por outro lado, concentram-se intensamente na boa aparência, tanto quanto os homens heterossexuais. ETCOFF, 1999, p. 62.

[99] Essa nova tolerância é muito relativa. Mesmo na Europa, onde existem leis nacionais e da UE proibindo a discriminação contra homossexuais no mercado de trabalho e na vida pública em geral, a maioria das pessoas diz que não está disposta a tolerar homens gays como vizinhos e sente que a homossexualidade não se justifica na vida pessoal. Normalmente, as atitudes mais tolerantes têm lugar nos Países Baixos e no norte da Europa; as menos tolerantes se encontram na Europa oriental (com exceção da República Checa), Itália e Grécia. Ver GERHARDS, 2010.

[100] As subculturas gays ocidentais incluem clone, couro, ursos e musculosos, cada grupo com um estilo específico de apresentação pessoal, um "look".

[101] As comunidades homossexuais também têm proporções mais altas de pessoas extremamente instruídas que trabalham em ocupações liberais. Isso aumenta seu poder de compra, mesmo quando têm filhos.

[102] A distinção entre relacionamentos curtos e duradouros é considerada fundamental em estudos de uniões afetivas, mesmo que frequentemente seja exagerada pelas pessoas. GEHER; MILLER, 2008.

[103] Esse estilo de vida hedonista e libertino é descrito, de maneira bastante vívida, por Sean Thomas em suas memórias sexuais de 2006, até que ele finalmente se casou aos 40 anos.

[104] HUNTER, 2011.

[105] Esses cenários criam um "mercado spot" para o capital sexual.

[106] WOODS; BINSON, 2003; GREEN, 2008a, b.

[107] MARTIN; GEORGE, 2006; GREEN, 2008a. Adam Green usa o termo "capital erótico" em seus estudos de ficadas em comunidades gays, mas acho que "capital sexual" ou apenas *sex appeal* é mais apropriado. Ele se interessa por um tipo de encontro que praticamente não tem equivalência na comunidade heterossexual e é focado apenas em sexo e sexualidade. Parceiros gays são selecionados exclusivamente com base em sua atratividade sexual. Em muitos pontos de encontro gays, como saunas, não há socialização ou conversa, e as relações sexuais podem ocorrer em total silêncio. O anonimato completo é lugar-comum, em parte devido ao fato de que a homossexualidade foi ilegal durante muitas décadas, deixando os homens expostos à chantagem. Tudo isso é muito diferente da socialização em pontos de encontro, namoros e relações sexuais de heterossexuais. Habilidades de conversa são essenciais, e a conversa é normal até em visitas a prostitutas. Na verdade, as trabalhadoras do sexo relatam que a "experiência de namorada", complementada com flerte e conversa é um dos pedidos mais populares. Green ressalta que a discriminação contra homens com baixo *sex appeal* pode ser facilmente percebida como racismo por homens negros e asiáticos que não são suficientemente atraentes como parceiros sexuais para se sair bem em uma cultura na qual pênis grandes são tão valorizados quanto belos corpos atléticos.

[108] Um indicador-chave é que o mercado do sexo comercial para gays é muito menor e mais seletivo que o mercado da atividade heterossexual. No geral, é restrito a jovens bonitos e em forma que fornecem serviços sexuais para homens ricos mais velhos que não querem investir tempo em relacionamentos ou não querem ser vistos publicamente como gays. Há muito menos diferenciação e diversidade do que na indústria do sexo comercial heterossexual.

[109] MARTIN; GEORGE, 2006; GREEN, 2008a.

[110] O compêndio de David Leddick, de 2005, de 576 fotografias de nus masculinos exibe esse padrão muito claramente. Quase nenhuma das fotos foi tirada por mulheres ou é direcionada a um público feminino, e estas normalmente possuem um caráter muito diferente daquelas direcionadas aos consumidores gays, como demonstram os nus masculinos de Charlotte March.

[111] Na Grã-Bretanha, em 1993, havia cinco revistas eróticas para mulheres: *Ludus, Playgirl, Women Only, For Women* e *Women On Top*. A maioria acabou em um ou

dois anos. Dizem que uma das razões para o fracasso das revistas eróticas direcionadas a mulheres é que elas não estavam dispostas a publicar fotos de homens com ereções, devido a confusas leis sobre decência pública, de forma que o interesse esmoreceu. MACKINNON, 1997.

[112] MULVEY, 1984, 1989.

[113] A Grécia Antiga seria a exceção, pois tinha muito mais representações de atletas homens nus que de mulheres nuas. Ver GUTTMAN, 1996.

[114] SWIM, 1994; EAGLY, 1995; HYDE, 1996, p. 114, 2005; CAMPBELL, 2002; PINKER, 2002.

[115] LEVITT; DUBNER, 2009, e HUNTER, 2011, ressaltam que oferta e demanda variam ao longo do tempo, mas mulheres sexualmente ativas estão sempre em falta, mesmo após a revolução sexual.

[116] Há algumas evidências de que mulheres atraentes têm mais filhos que mulheres feias, e mais meninas, produzindo uma tendência evolutiva (ao longo de muito tempo) de mulheres mais atraentes, ao passo que os homens não melhoraram muito com o passar do tempo. Ver LEAKE, 2009a; MILLER; KANAZAWA, 2007.

[117] DRUCKERMAN, 2007, pp. 91-110; PEREL, 2007.

3. Negação: a supressão do capital erótico

[1] BOURDIEU, 1998.

[2] Por exemplo, a economia clássica do trabalho e a teoria sociológica tratam as mulheres como uma leve variação dos padrões de comportamento masculinos no mercado de trabalho e, de maneira mais geral, na sociedade. A teoria da preferência foi a primeira a focar especificamente as escolhas e nos objetivos de vida femininos. HAKIM, 2000a.

[3] Parece que os homens continuam a ter uma vantagem geral no capital humano. Embora as diferenças sexuais em aptidão tenham praticamente desaparecido depois que as mulheres ganharam acesso total à educação e ao mercado de trabalho, isso se aplica apenas à *média* de capacidade de homens e mulheres. Homens têm uma gama de habilidades mais ampla que mulheres. Há mais homens geniais e mais homens idiotas, enquanto as mulheres tendem a se concentrar na média. Além disso, os homens costumam escolher cursos técnicos (como engenharia e administração), enquanto as mulheres normalmente escolhem cursos com valor de mercado mais baixo (como história e línguas). Quando deixam o sistema educacional, eles são mais motivados a progredir, mais impetuosos e focados na busca dos melhores empregos, patentes, sucesso e dinheiro, mesmo nos mais altos níveis da habilidade intelectual. DEARY et al, 2003; STRAND; DEARY; SMITH, 2006; HAKIM, 2004; PINKER; 2008; ARDEN; PLOMIN, 2006; LUBINSKI; BENBOW, 2006; FERRIMAN; LUBINSKI; BENBOW, 2009.

[4] TAYLOR, 1991, pp. 97-114.

[5] Por exemplo, MALO DE MOLINA, 1992, pp. 198-9, 203, ressalta que homens que vendem sexo na Espanha não são vistos como vítimas fracas, mas considerados um enigma. MACKINNON, 1997, verificou que homens jovens têm dificuldade de lidar

com fotos eróticas masculinas. TAYLOR, 1991, p. 109, e JEFFREYS, 1997, p. 107, observam que homens que se prostituem não se sentem estigmatizados como as mulheres.

6 Por exemplo, na Suécia, a pesquisa sobre sexo de 1996 demonstrou que as mulheres fazem duas vezes mais objeção à prostituição que os homens: dois quintos das mulheres *versus* um quinto dos homens achavam que tanto consumidores quanto vendedores deveriam ser tratados como criminosos. Homens que já tinham pagado por serviços sexuais eram quase que universalmente tolerantes ao comércio do sexo, com apenas um em cada vinte (5%) concordando com a criminalização. Ver LEWIN, 2000, pp. 249-50. Já a maioria dos australianos é a favor da descriminalização da indústria do sexo: dois terços foram a favor da legalização em 2007, e três quartos apoiaram a legalização dos bordéis em 2000 — como observado por WEITZER, 2009. Na França, um artigo no *Le Point* em março de 2010 relatou que a grande maioria dos franceses era a favor de reabrir os bordéis no país, de acordo com a prática na Holanda, na Alemanha, na Espanha e na Suíça. Mesmo assim, as objeções feministas à indústria do sexo são constantemente ecoadas por jornalistas como WALTER, 2010.

7 NELSON, 1987, pp. 221, 232-7; WHITE, 1990; SHRAGE, 1994.

8 Apenas um argumento foi oferecido para justificar a oposição feminina ao comércio sexual independentemente dos interesses masculinos. É a ideia de que as mulheres tentam criar um sindicato do tipo "oficina fechada" para o fornecimento de favores sexuais, que insiste que o preço dos serviços sexuais é o casamento e o sustento de qualquer filho resultante desses atos. Nesse caso, mulheres que vendem favores sexuais por dinheiro são vistas como uma quebra no monopólio de fornecimento. A falha desse argumento é que, obviamente, relacionamentos conjugais não podem ser comparados a relacionamentos casuais.

9 LERNER, 1986. STONEHOUSE, 1994, também argumenta que o papel reprodutivo feminino tem sido fundamental para a compreensão das relações de poder entre homens e mulheres e da determinação masculina em controlar as mulheres através da religião e da lei. A história das bases políticas das leis sexuais de Hirschman e Larson, 1998, concorda com Lerner, citando o código de Hamurabi, que prescrevia a pena de morte para esposas infiéis na antiga Mesopotâmia.

10 CRAWFORD; POPP, 2003; GLENN; MARQUARDT, 2001.

11 HUNT, 1996.

12 LERNER, 1986; POSNER ,1992, p. 180.

13 A vênus de Tanabatake, um dos tesouros nacionais oficiais do Japão, é uma estatueta dogu de uma deusa da fertilidade, algumas das quais têm 13 mil anos.

14 STONEHOUSE, 1994.

15 Os homens assumem o papel social de pais. Há uma forte crença de que os adultos podem moldar o caráter e a personalidade das crianças, e, assim, torná-las suas — exatamente como fazem os pais de crianças adotadas.

16 STONEHOUSE, 1994, pp. 181-8. Por diferentes razões, a monogamia em série é um traço também de outras culturas, como a de Java.

17 Uma das reclamações dos homens sobre prostitutas é que elas são mercenárias e emocionalmente frias com os fregueses. Clientes mais jovens esperam não ter que pagar se a garota gostar deles. MCLEOD, 1982; THORBEK; PATTANAIK, 2002; EARLE; SHARP, 2007.

[18] ZELIZER, 2005.

[19] Um exemplo é o livro de Natasha Walter *Living Dolls: The Return of Sexism*. A autora equipara a sexualidade ao sexismo, ridiculariza as mulheres que exploram a própria sexualidade, insiste que ela deve estar sempre ligada a um compromisso emocional duradouro e lamenta a liberdade sexual e a promiscuidade das jovens na Grã-Bretanha. Sua apaixonada polêmica tem todos os traços do antagonismo puritano anglo-saxão à sexualidade e à expressão sexual, mesmo no século XXI.

[20] As roupas habituais de dança do ventre expõem muita pele, e as dançarinas normalmente ficam descalças. Desde os anos 1950, é ilegal no Egito que as dançarinas do ventre se apresentem publicamente com a barriga descoberta ou que exponham muito o corpo. Tornou-se mais comum usar um vestido longo e justo de lycra, às vezes com aberturas estrategicamente posicionadas forradas com tecido cor de pele. Ao longo do tempo, as restrições foram gradualmente ampliadas.

[21] INCE, 2005.

[22] Apoiando-se na teoria de Wilhelm Reich, John Ince argumenta que a cultura cristã puritana ocidental demonstra antissexualismo e erotofobia. Ele alega que pessoas que têm personalidades rígidas e autoritárias temem a nudez e a sexualidade, e que sociedades altamente hierárquicas e impositoras normalmente são antissexo. Entretanto, ele observa que o puritanismo controla a aparência e o comportamento femininos mais que os masculinos. Novas leis europeias para controlar o uso do véu islâmico (incluindo o véu que cobre o rosto), de 2010 em diante, apresentam uma tendência contrária, forçando as mulheres a revelar em vez de esconder. Entretanto, novamente, é a aparência das *mulheres* o foco de debate e controle público. O traje dos homens árabes nunca foi atacado, ainda que seja fechado e nitidamente diferente.

[23] Controlar as ideias sobre o que é bom, correto, verdadeiro, justo, razoável e apropriado é sempre uma forma melhor de exercer controle do que o uso da força. As prisões da mente são mais efetivas (porque as pessoas obedecem de boa vontade, até mesmo com entusiasmo) do que as prisões do corpo.

[24] AGUSTÍN, 2007; WALKOWITZ, 1980, 1982.

[25] ETCOFF, 1999, pp. 18-19; ZETTERBERG, 2002, pp. 109-11; INCE, 2005.

[26] O foco cristão no celibato é curioso. Praticamente todos os líderes religiosos se casaram e tiveram filhos. Aparentemente, apenas Jesus permaneceu celibatário durante toda a vida, e pediu o mesmo aos discípulos. Isso influencia a cultura ocidental até hoje. HIRSHMAN; LARSON, 1998, pp. 41-2.

[27] BLACKBURN, 2004; EIGEN 2006.

[28] BLACKBURN, 2004, p. 60.

[29] BLACKBURN, 2004, p. 68.

[30] MASSON, 1975; REDDY, 2005; BROWN, 2007.

[31] Por exemplo, ela não figura nas culturas africanas nem na chinesa. NELSON, 1987, p. 235; JEFFREYS, 2006.

[32] A tese clássica de Max Weber, *A ética protestante e o espírito do capitalismo*. Ver também MARSHALL, 1982.

[33] HENRICH; HEINE; NORENZAYAN, 2010. Richard Nisbett explorou detalhadamente as diferenças entre as perspectivas e os estilos de pensar de americanos, chineses, japoneses e coreanos. NISBETT, 2003.

[34] DRUCKERMAN, 2007.

[35] PATEMAN, 1988, pp. 194, 205.

[36] SOBLE, 2002.

[37] SOBLE, 2002, p. 14. Alan Soble também explica o uso masculino da prostituição especialmente como um fornecedor de variedade — diferentes corpos, raças e culturas.

[38] SOBLE, 2002.

[39] Durante seu período como diretor da London School of Economics, o professor Giddens garantiu que mais mulheres fossem indicadas a postos de professoras do que em todo o período do pós-guerra. Apesar de ser especializada em ciências sociais, a LSE sempre teve uma das proporções mais baixas de mulheres em níveis superiores na Grã-Bretanha.

[40] GIDDENS, 1991, p. 229; GIDDENS, 1992.

[41] GIDDENS ,1992, p. 60.

[42] GIDDENS, 1992; BECK; BECK-GERNSHEIM, 1995; LAYDER, 2009. A ideia de relacionamento "puro" tem sido mais atraente para os homens e é discutida principalmente por eles. Algumas discussões ressaltam que relacionamentos escolhidos por "amor", que oferecem benefícios psicológicos, substituem casamentos estruturados por classe social, religião etc. Contudo, Giddens enfatiza o caráter não instrumental do relacionamento puro, sugerindo que, além do apoio psicológico e emocional mútuo, nenhuma troca ou permuta deve acontecer.

[43] HAKIM, 2000, 2004, 2011.

[44] GIDDENS, 1992, pp. 149-53.

[45] JUKES, 1993. Por causa de sua profissão, as conclusões de Jukes são influenciadas por versões extremas de atitudes patriarcais. Algumas das outras conclusões de seu livro também são simplesmente equivocadas, antiquadas ou desinformadas. Entretanto, seu profundo entendimento sobre maridos violentos pode identificar corretamente ideias e sentimentos difundidos de maneira muito mais fraca e articulados com menos clareza entre outros homens. Muitos homens desejam controlar a mulher de suas vidas; poucos se tornam violentos quando sua falta de controle se torna óbvia.

[46] JUKES, 1993.

[47] Homens ingleses fazem exigências ainda mais absurdas para mulheres completamente desconhecidas. Por exemplo, mulheres que estão em bares e boates podem receber de rapazes o pedido para mostrar os seios porque eles estão celebrando um aniversário. BELLE DE JOUR, 2005, pp. 283-4.

[48] Esses resultados são de países anglo-saxões. É possível que sejam diferentes em outras culturas, especialmente nas latinas. A questão ainda necessita ser examinada em futuras pesquisas.

[49] Esse é o famoso enigma de Joseph Heller em seu livro *Ardil-22*, cujo resultado, ao se jogar uma moeda, é cara você ganha, coroa você ganha.

[50] BEAUVOIR, 1976, pp. 568-87.

[51] ENGLAND; FOLBRE, 1999, p. 46; ver também ZELIZER, 2005, p. 302.

[52] HAKIM, 2011.

[53] Os fracos resultados da Grã-Bretanha em alfabetização e conhecimentos matemáticos básicos no ensino médio provêm de diversas fontes: as habituais International

Adult Literacy Surveys (IALS), o Programme for International Student Assessment (PISA) e as estatísticas nacionais de resultados de provas. Países com altos níveis de resultados tendem a ser a China (Xangai) e a Finlândia. Na Grã-Bretanha, de 20% a 25% da força de trabalho tem qualificações educacionais superiores de algum tipo. Os graduados continuam sendo uma minoria da população e da força de trabalho.

[54] Apenas uma minoria das mulheres prefere se focar em uma carreira vitalícia entre 10% a 30%, dependendo do país em que vivem. Uma pesquisa de opinião nacional do YouGov, encomendada pelo *Sunday Times* em janeiro de 2011 descobriu que dois terços das mulheres prefeririam se casar com um homem que ganhasse mais do que elas, e o marido, de fato, ganhava mais em dois terços dos casos. A pesquisa também descobriu que mais da metade das mulheres preferia *não* trabalhar enquanto tivessem crianças em casa, e mais da metade pensava que hoje existe muita pressão social sobre as mães para voltar a trabalhar. HAKIM, 2000a, 2008; SPICER, 2011.

[55] Katie Price, que usou o nome profissional de Jordan por algum tempo, é uma jovem bonita, com seios fartos, porém magra e dinâmica, que primeiro fez fama como *pin-up*, e depois explorou essa imagem para desenvolver um império de negócios, vendendo livros, roupas infantis e muito mais. Na Grã-Bretanha, alguns jornalistas expressam espanto por ver Jordan e mulheres de jogadores de futebol serem consideradas exemplos por muitas adolescentes. Uma pesquisa de 2006 descobriu que um terço das adolescentes desejava imitar a carreira de Jordan, e mais da metade consideraria fazer fotos eróticas. Ver WALTER, 2010, p. 25. Uma pesquisa de 2009 com 3 mil adolescentes britânicas descobriu que um quarto delas acreditava que era mais importante ser bonita do que inteligente. BANYARD, 2010, p. 26. Provavelmente, essas são garotas que também esperam deixar a escola com pouca, ou nenhuma, qualificação.

[56] Um exemplo de por que o essencialismo é antiquado diz respeito à chamada "necessidade" das mulheres pela maternidade. Esse é um mito patriarcal. Ele alega que a vida das mulheres é inevitavelmente estruturada pela maternidade, enquanto a paternidade tem menos importância. Na verdade, desde a revolução contraceptiva, cerca de 20% das mulheres escolhem não ter filhos, e, em vez disso, focam sua energia na carreira e em outros objetivos, exatamente como os homens. A maternidade não é mais um destino inevitável ou uma necessidade biológica. É uma escolha que a maioria das mulheres faz — e isso é extremamente conveniente para os homens. HAKIM, 2000a, pp. 50-56.

[57] Um recente exemplo dessa reação é *Delusions of Gender*, de Cordelia Fine. Ela rotula todos os que fazem pesquisas que demonstram diferenças sexuais como essencialistas que acreditam em explicações evolucionárias biológicas (na verdade, heréticas). Fine também alega (incorretamente) que as pesquisas demonstram que todas as diferenças são artificiais e irreais, ou que são consequências do tratamento diferenciado dado pelos pais e por outros. Na verdade, ela argumenta que apenas um tipo de resultado de pesquisa pode ser intelectualmente legítimo.

[58] CAMPBELL, 2002. Essa abordagem também é exibida em debates feministas sobre sexo/gênero, demonstrando que essas discussões agora são ideológicas, tão distintas das pesquisas empíricas, que se tornaram debates tecnológicos. Ver BROWNE, 2007.

[59] O feminismo ocidental é frequentemente visto como imperialista em sua arrogância, assim como mal-informado e essencialista. Ver GHODSEE, 2004.

[60] Isso é demonstrado pelos ásperos comentários de Paglia sobre estupros em encontros entre estudantes universitários nos Estados Unidos. PAGLIA, 1992.

[61] WALBY, 1990, p. 110; WHELEHAN, 1995, pp. 148, 154-5; COPPOCK; HAYDON; RICHTER, 1995, pp. 29, 32; EVANS, 2003, p. 99; BANYARD, 2010. Por exemplo, Kat Banyard retrata a sexualidade exclusivamente em termos de assédio sexual, prostituição, exploração, violência doméstica, estupro e violência sexual. Ela alega que os baixos salários obrigam as mulheres a se tornarem escravas sexuais de um jeito ou de outro no século XXI, e torna a abolição do comércio sexual sua prioridade máxima.

[62] LIPMAN-BLUMEN, 1984, pp. 89-90.

[63] WALBY, 1990, p. 79.

[64] HAKIM, 2000a, pp. 153, 201.

[65] PATEMAN, 1988, pp. 194, 205.

[66] PATEMAN, 1988, p. 230.

[67] WALBY, 1990, p. 128.

[68] JEFFREYS, 1997 e 2005, reitera e atualiza esses argumentos.

[69] Baseando-se em Kinsey, há muito tempo a comunidade gay alega que mais de 10% dos homens e das mulheres têm inclinações homossexuais. Demonstrou-se que esse é um grande exagero, e que 2% é o número correto. A pesquisa britânica sobre estatísticas criminosas, com uma amostra nacional de 23 mil pessoas, define o número com 2%. Em 2010, a nova Integrated Household Survey, com uma amostra nacionalmente representativa de 250 mil adultos na Grã-Bretanha, determinou que apenas 1,5% das pessoas identificam a si mesmas como gays, lésbicas ou bissexuais. Mesmo com um forte elemento de omissão, o número não seria maior que 2%. Esse também é o número que aparece em todas as recentes pesquisas que perguntaram sobre orientação sexual, ainda que tivessem amostragens muito menores.

[70] HAKIM, 2004, p. 51. Estudos demonstram que, nos países escandinavos, os homens têm mais horas de trabalho produtivo que as mulheres. Apenas em países pobres de terceiro mundo as mulheres trabalham mais horas que os homens. Assim, outro mito feminista é derrubado.

[71] WITTIG, 1992. Como de costume, Witting negligencia o fato de que mães normalmente são o principal agente de socialização nos papéis sexuais e em atitudes e valores correspondentes.

[72] CAPLAN, 1987; FINE, 2010.

[73] JEFFREYS, 2005.

[74] Tentando o impossível, Monique Wittig alega que lésbicas não são mulheres nem homens. Isso faria sentido se os homens gays também não fossem considerados nem um nem outro, mas a maioria é visivelmente homem e tem orgulho disso — ao menos nas culturas ocidentais. Na prática, a maioria das lésbicas é predominantemente feminina. Entretanto, algumas culturas tornam possível uma categoria intermediária. Historiadores e antropólogos sociais estão constantemente encontrando antecedentes históricos para as modernas subculturas gays. Por exemplo, existe uma tradição de travestis e prostituição masculinos na Turquia e em Salvador, no Brasil, e uma

tradição de amantes e prostituição homossexual tanto de homens quanto de mulheres em Mombasa. SHEPHERD 1987; CORNWALL; LINDISFARNE 1993. Na Índia, existe uma longa tradição de eunucos travestis que se apresentam em casamentos e também oferecem serviços sexuais. REDDY, 2005.

[75] JEFFREYS, 2005, p. 135; PATEMAN, 1988, p. 206.

[76] FROST, 1999.

[77] Sandra Bartsky reclama que as mulheres heterossexuais que se recusam a participar de rituais de beleza são punidas pelo fato de os homens não as considerarem atraentes e as ignorarem, como se elas tivessem direitos sexuais sobre os homens. BARTSKY, 1990, p. 76; JEFFREYS, 2005, pp. 174-5.

[78] É claro que algumas mulheres escolhem o celibato ou o lesbianismo voluntariamente, e não como uma resposta política à dominação masculina nos relacionamentos.

[79] CHANCER, 1998, pp. 82-172; RHODE, 2010.

[80] Seria possível produzir um ensaio inteiro sobre os escritores, quase sempre homens, que discutem as negociações de poder em casais, mas mesmo assim deixam de lado as questões cruciais de atração erótica, sexualidade e o déficit sexual masculino. Por exemplo, o livro de John Scanzoni *Sexual Bargaining* é focado na tomada de decisões dentro de casais sobre empregos, moradia e divisão doméstica do trabalho, e conclui que o poder conjugal é determinado exclusivamente pelo dinheiro. Ele menciona a sexualidade apenas de passagem nas páginas 122-3, para dizer que os homens norte-americanos aceitaram a nova liberdade sexual das mulheres, mas não ofereceram nada em troca. A análise de Derek Layder, *Intimacy and Power*, também determina que a sexualidade não é relevante, e concentra-se em exposição pessoal e estilos de conversação. A terapeuta e jornalista australiana Bettina Arndt faz uma mudança animadora com seu livro *Diários do sexo*, que dá destaque às barganhas dos casais por atividades sexuais e demonstra como isso permeia todo o relacionamento.

[81] É claro que alguns já estavam escrevendo antes que os resultados da pesquisa fossem publicados.

[82] A cultura nem sempre é bem-sucedida. Dessa forma, existem pequenas minorias que buscam fetiches e estilos sexuais excêntricos, como descrito por BRAME, 2001; BERGNER, 2009.

[83] SPRECHER; MCKINNEY, 1993, pp. 72-9. Eles citam um estudo norte-americano que demonstrava que a porcentagem de casais que fazem sexo três ou mais vezes por semana nos primeiros dois anos do relacionamento era mais alta em casais gays (67%), mais baixa para casais de lésbicas (33%) e uma média para heterossexuais casados (45%). A atividade sexual geralmente diminui depois dos dois primeiros anos do relacionamento.

[84] BAUMEISTER; CATANESE; VOHS, 2001; BAUMEISTER; TWENGE, 2002.

[85] WEITZER, 2009.

[86] WEITZER, 2009.

[87] Em algumas sociedades, o sexo marital é tão dominado pelo princípio da procriação, que o prazer só pode existir verdadeiramente nos casos extraconjugais. Esse parece ser o fundamento racional para homens casados na África ocidental, por

exemplo, se tornarem "padrinhos" de belas jovens solteiras, muitas das quais são estudantes sem recursos — caso possam arcar com os custos de uma namorada em uma sociedade na qual as jovens insistem que "sem dinheiro não tem romance". Ver JANKOWIAK, 2008; SMITH, 2008.

[88] Isso é ilustrado pela tribo semai na Malásia e nas ilhas Trobriand. Ver STONEHOUSE, 1994, p. 187.

[89] A cultura da Europa ocidental também apresenta o amor como fundamento para o sexo, e essa é a ideologia sexual dominante nos Estados Unidos, segundo LAUMANN et al, 1994, pp. 509-40. Na prática, o amor como condição para o sexo é apenas uma formulação moderna das regras morais centradas na procriação, que exige um relacionamento sério e duradouro para relações sexuais, de forma a salvaguardar a criação de qualquer criança que resulte. O significado ambíguo do amor também permite que ele seja uma justificativa para relações sexuais puramente por prazer e gratificação pessoal, incluindo os casos.

[90] ZETTERBERG, 2002. Na França, Elisabeth Badinter ressalta que o cristianismo demonizou tanto o sexo quanto o dinheiro, de forma que a prostituição tornou-se duplamente vítima da moral. "Na dupla linhagem do cristianismo e do marxismo, o dinheiro é a expressão da corrupção e o meio para a dominação brutal de uma pessoal pela outra." — BADINTER, 2003, p. 66. Diferentemente, as culturas africanas não difamam a sexualidade nem a venda de serviços sexuais, que pode até ser feita por mulheres casadas. Ver NELSON, 1987.

[91] A mais óbvia é a teórica lésbica Monique Wittig.

[92] BADINTER, 2003; SICHTERMANN, 1986.

[93] SICHTERMANN, 1986, pp. 53-4.

[94] THOMPSON; CAFRI, 2007.

[95] NYE, 1999, p. 105.

[96] GIOVANNI, 2009.

[97] NYE, 1999, p. 104; SPIRA; BAJOS, 1993, pp. 157-8; KONTULA; HAAVIO-MANNILA, 1995, pp. 106-7, 171.

[98] O primeiro é de Pauline Réage, um pseudônimo, e foi escrito para seu amante. Marguerite Duras escreveu O amante, sobre uma estudante e seu rico amante chinês. Aparentemente, a história é baseada em partes de sua própria vida. O último é de Catherine Millet, uma conhecida crítica de arte e fundadora de uma bem-sucedida revista sobre o assunto, que diz que sua posição profissional foi essencial para que seu livro de memórias sexuais fosse levado a sério. Não consigo identificar memórias equivalentes que tenham quebrado tabus escritas por inglesas ou norte-americanas.

[99] BARBER, 2009.

[100] A cultura francesa valoriza o capital erótico, e as mulheres francesas investem em sua aparência. Isso não significa que elas obtenham menos igualdade na força de trabalho do que as mulheres de outros países europeus. Na verdade, os acadêmicos franceses (e a própria Christine Lagarde) normalmente alegam o contrário, assim como os suecos. O fato é que a diferença salarial e a segregação sexual de ocupações são as mesmas na França (e na Suécia) do que em qualquer outro lugar da Europa, e a taxa de emprego das francesas é próxima à média da União Europeia. Ver GIOVANNI, 2011; HAKIM, 2011; HAKIM, 2004, pp. 61, 172.

4. Os benefícios vitalícios do capital erótico

[1] As histórias deste livro são composições inspiradas por muitas pessoas e eventos reais. Nomes e detalhes de identificação foram inventados.

[2] CASEY; RITTER, 1996.

[3] ZEBROWITZ, 1990; LANGLOIS et al, 2000, p. 400.

[4] BERSCHEID; WALSTER, 1974, pp. 187-95; ZEBROWITZ, 1990; RHODES; ZEBROWITZ, 2002, pp. 3-5, 27-8.

[5] JACKSON et al 1995, p. 115. Encontra um coeficiente de correlação de 0,20 e um tamanho do efeito de 0,41. LANGLOIS et al 2000, pp. 402-3, encontra um tamanho do efeito médio de 0,39, demonstrando que 60% das crianças atraentes, comparadas a 40% das não atraentes estavam acima da média de inteligência e competência. KANAZAWA, 2011, descobriu que crianças atraentes na Grã-Bretanha têm 12,14 pontos a mais de Q.I. (r =.381), com uma associação mais baixa (r =.126) nos Estados Unidos trinta anos depois. Por alguma razão, a associação é mais forte entre o sexo masculino em ambos os países.

[6] DENNY, 2008. Essa análise foi baseada em dados do estudo de grupo NCDS de 1958, descrito no Apêndice A e na Tabela 2.

[7] ZEBROWITZ, 1990; COHEN, 2009; KANAZAWA, 2011.

[8] A profecia autorrealizável aplica-se principalmente a adultos (como os pais) que convivem com uma criança durante muitos anos e cujas expectativas positivas do sucesso futuro da criança se tornam uma influência diária constante em seu desenvolvimento e suas realizações, através de encorajamento, elogios e ajuda. Atualmente, os pais estão ocupados demais com os próprios empregos para oferecer aos filhos um apoio tão intenso.

[9] FEINGOLD,1992, p. 318.

[10] Outro fator é que algumas culturas e famílias desvalorizam explicitamente a beleza, classificando-a como algo trivial, especialmente se comparada ao caráter, ao comportamento e à personalidade. Assim, uma beldade polonesa pode crescer sem ter ideia de que é linda.

[11] WISEMAN, 2003, 2004.

[12] HATFIELD; SPRECHER, 1986; ZEBROWITZ; OLSON; HOFFMAN, 1993.

[13] FEINGOLD, 1992; LANGLOIS et al, 2000; DOLLINGER, 2002.

[14] HATFIELD; SPRECHER, 1986, pp. 82-95.

[15] HATFIELD; SPRECHER, 1986, p. 95.

[16] HATFIELD; SPRECHER, 1986, pp. 96-103.

[17] HATFIELD; SPRECHER, 1986, pp. 65-6, 124-5.

[18] REINHARD; MESSNER; SPORER, 2006. Presume-se que o simples fato de declarar uma intenção persuasiva aumenta a atenção em relação à mensagem.

[19] DOLLINGER, 2002, demonstra que pessoas atraentes e não atraentes têm a mesma probabilidade de se tornarem individualistas.

[20] BERSCHEID; WALSTER, 1974, p. 168.

[21] BERSCHEID; WALSTER, 1974, p. 189; HATFIELD; SPRECHER, 1986, p. 45. Esses resultados de pesquisa sobre respostas instintivas podem ser considerados antiquados nos dias de hoje, mas não em minha experiência. Mulheres extremamente cultas são melhores em apresentar o desagrado como algo racional e bem fundamentado.

[22] A maioria das evidências provém de estudos experimentais com o jogo do "dilema do prisioneiro". Ele é amplamente utilizado por cientistas sociais para testar teorias sobre comportamento humano em experimentos de laboratório, especialmente a escolha entre egoísmo e altruísmo ou cooperação. O dilema do prisioneiro (livremente baseado no enredo de um romance) normalmente é jogado em computadores, de forma que os dois parceiros nunca se encontram. A história clássica original é a seguinte: dois suspeitos foram presos pela polícia e estão sendo interrogados separadamente por suposição de serem parceiros em um crime. A dúvida é se algum deles vai acusar o outro do crime (falha) para ficar livre ou se ambos permanecerão em silêncio (cooperação), tornando a condenação difícil ou impossível para os dois. A ação que cada suspeito escolhe tomar é afetada pelo que acha que o parceiro fará. Entretanto, se ambos se acusarem mutuamente, os dois recebem longas sentenças de prisão. O jogo é pensado para testar com que frequência as pessoas escolhem a cooperação mutuamente benéfica em vez da traição egoísta. Variações infinitas nos detalhes têm sido criadas pelos pesquisadores para testar diferentes teorias. As recompensas e penas para cada escolha muitas vezes são em dinheiro vivo em vez de penas de prisão hipotéticas, de forma que os jogadores podem ganhar ou perder dinheiro de verdade através de suas escolhas, tornando o jogo mais realita. Para testar reações a estranhos, o jogo é realizado apenas uma vez com outra pessoa. Para testar reações em relacionamentos longos, o jogo é realizado diversas vezes pela mesma dupla de jogadores. Robert Axelrod fez um concurso internacional desse jogo nos anos 1980 para demonstrar que altruísmo e cooperação podem se desenvolver em relacionamentos duradouros.

[23] MULFORD,et al 1998.

[24] MULFORD,et al 1998.

[25] BERSCHEID; WALSTER,1974, p. 209.

[26] BERSCHEID; WALSTER, 1974, pp. 203-4.

[27] FEINGOLD, 1992.

[28] FEINGOLD, 1992; LANGLOIS et al, 2000.

[29] DOLLINGER, 2002.

[30] ZEBROWITZ; COLLINS; DUTTA, 1993.

[31] Aqui estou me baseando na teoria de Webster e Driskell, de 1983, que diz que a beleza confere status e é, portanto, valorizada. Ver COHEN, 2009, para sólida evidência de que a altura também é uma característica que confere status e é valorizada, resultando em diversos privilégios em diferentes contextos.

[32] JACKSON et al, 1995. Relata a correlação de coeficientes entre a atratividade e a inteligência percebida de 0,33 para mulheres adultas e 0,42 para homens adultos. A meta-análise mais recente realizada por LANGLOIS et al, 2000, não percebeu diferenças sexuais dos efeitos da atratividade sobre a inteligência percebida. Mais recentemente, ZEBROWITZ et al, 2002, determinou correlações através da vida de 0,51 a 0,64 entre atratividade e inteligência percebida, e de 0,11 a 0,26 entre pontos de Q.I. e atratividade. Então, existe uma conexão, ainda que a ligação percebida seja mais intensa. Ver também KANAZAWA, 2011.

[33] JACKSON et al, 1995, relata coeficientes de correlação de 0,28 em situações nas quais informações relevantes estão disponíveis e de 0,34 quando nenhuma informação é oferecida.

[34] LANGLOIS et al, 2000, p. 400.

[35] LANGLOIS et al, 2000, p. 401.

[36] LANGLOIS et al, 2000, p. 402; JACKSON et al, 1995, p. 115; ZEBROWITZ et al, 2002; KANAZAWA, 2011.

[37] ZEBROWITZ; COLLINS; DUTTA, 1993. Um estudo com uma intenção relativamente incerta, realizado por Felson e Bohrnstedt, em 1979, também sugere que crianças percebem "estrelas" (aqueles que são inteligentes ou se destacam em provas ou nos esportes) como mais atraentes.

[38] TRUSS, 2005; BLAIKIE, 2005; FANSHAWE, 2005.

[39] O livro de Arlie Hochschild, *The Managed Heart*, tem sido muito influente nos Estados Unidos, mas foi mal recebido na Europa. WOUTERS, 1989, p. 95.

[40] HOCHSCHILD, 1983/2003.

[41] A tese de Hochschild impulsionou muitas pesquisas, especialmente nos Estados Unidos. As pesquisas europeias normalmente demonstram que a tese dela está em desacordo com os fatos. Ver, por exemplo, WOUTERS, 1989; BOLTON; BOYD, 2003; BOLTON, 2005; RAZ, 2002.

[42] ELIAS, 1937/1994; SMITH, 2000; LOYAL; QUILLEY, 2004. Uma das razões para o trabalho de Norbert Elias ser menos conhecido é porque foi publicado na Alemanha dos anos 1930 e não foi traduzido para o inglês até 1978. Outro fator pode ser seu status nômade, que o deixou sem uma base, embora esse fato tenha enriquecido muito seu trabalho como cientista social.

[43] Norbert Elias exerceu uma grande influência sobre os estudiosos da Europa e da América do Norte, incluindo Richard Sennet e Anthony Giddens.

[44] Os chineses (em Taiwan) têm cerca de 750 palavras para descrever estados emocionais, enquanto que sociedades simples mal chegam a usar dez. O conceito de depressão é ausente na maioria das culturas e línguas não ocidentais, e amor e culpa nunca têm a mesma importância. O conceito de *lek* (Bali) ou *lajja* (Índia hindu) tem sido traduzido de maneira variada como "vergonha", "medo do palco" e "recato". Essas palavras referem-se aos sentimentos e ao comportamento de uma persona pública cortês, controlada e equilibrada, com respeito pelas sutilezas sociais, que podem exigir silêncio, deferência ou até mesmo afastamento. HEELAS, 1986; ZEBROWITZ, 1990, pp. 89-138; SIMON; NATH, 2004; LEWIS; HAVILAND-JONES; BARRETT, 2008.

[45] WOUTERS, 1989, 2004, 2007.

[46] ZEBROWITZ, 1990.

[47] A inclusão da noção de direitos humanos nas leis antidiscriminação europeias cria ainda mais problemas, pois incita minorias étnicas a exigir dispensa de boas maneiras, costumes e cultura locais. Por exemplo, na Holanda, mulheres de minorias étnicas exigiram ficar isentas da convenção do aperto de mãos ao encontrar pessoas no ambiente de trabalho e levaram a questão ao tribunal. Esse pedido em especial foi considerado desmedido; no entanto, outros problemas se provam ainda mais impertinentes. Ver BRIBOSIA; RORIVE, 2010.

[48] KAVANAGH; AND COWLEY, 2010.

[49] BRYMAN, 1992; BAEHR, 2008.

[50] GUTTMAN, 1996.

[51] LEWIS, 2010.

[52] HAMERMESH; BIDDLE, 1994, p. 1184, citando uma pesquisa de 1977, com a avaliação de peso realizada pelos entrevistadores.

[53] BERRY, 2007, p. 8; JACK, 2010.

[54] Pessoas gordas são menos reconhecidas pela mesma performance, pois são percebidas como menos inteligentes e enérgicas. ZEBROWITZ, 1990, p. 77. KAUPPINEN; ANTTILA, 2005, determinaram que elas ganham 20% a menos em ocupações de maior status.

[55] BRAZIEL; LEBESCO, 2001; BROWNELL, 2005; COOPER, 1998; BERRY, 2007, 2008; KIRKLAND, 2008.

[56] ROTHBLUM; SOLVAY, 2009.

[57] RHODE, 2010.

[58] CHANCER, 1998; COOPER, 1998; BROWNELL, 2005; BERRY, 2007, 2008; KIRKLAND, 2008; RHODE, 2010. O apoio feminista à obesidade não se repete com as mulheres altas, outro grupo que experimenta sérios problemas em assentos de avião, por exemplo. COHEN, 2009, relata que ações legais de profissionais altos nos Estados Unidos para receber alguma prioridade na localização de assentos em aviões foram consideradas inadequadas pelo governo norte-americano, que ressaltou que muitas pessoas poderiam exigir o direito a prioridade em locais públicos. Em outras palavras, uma discriminação positiva não poderia ser justificada.

[59] ORBACH, 1978/1988.

[60] JACK, 2010.

[61] Estudos demonstram que apenas andar energicamente todos os dias pode levar a uma diminuição de peso. A vida urbana levou a um declínio nos níveis normais de atividade.

[62] Em algumas culturas, nas quais a pobreza e a fome ainda são memórias presentes, ser gordo é sinal de riqueza, de forma que causa admiração. Por exemplo, na África do Sul, os políticos (e seus cônjuges) podem estar muito acima do peso e mesmo assim ganhar as eleições. O risco da Aids reforçou atitudes tradicionais, pois os doentes são normalmente magros. Entretanto, habitantes de países pobres (incluindo a África do Sul) não diferem muito de habitantes de países ricos, como a Grã-Bretanha na percepção do formato corporal ideal. SWAMI; FURNHAM, 2007, pp. 76-7, 114-17.

[63] MERRYMAN, 1962.

[64] RHODES; ZEBROWITZ, 2002, p. 209; ZEBROWITZ; OLSON; HOFFMAN, 1993, p. 464.

[65] HOCHSCHILD, 2003. WOUTERS, 1989, diz que a história é bastante conhecida entre todas as equipes de bordo de companhias aéreas.

[66] RAZ, 2002.

[67] Declarado no filme de Erik Gandini, de 2009, *Videocracy*, sobre Berlusconi.

5. *Romance moderno*

[1] HAKIM, 2004. Novos estudos de orçamento de tempo demonstram que é apenas nos países pobres de Terceiro Mundo que as mulheres trabalham mais horas produtivas que os homens (somando horas pagas e o trabalho doméstico não remunerado).

Na América do Norte e na Europa ocidental, homens e mulheres trabalham o mesmo número de horas.

[2] HAKIM, 2011. Taxas de emprego *headcount* são enganosas, porque muitas mulheres trabalham apenas meio período. Taxas de emprego equivalente de tempo integral revelam que, em média, as mulheres ainda trabalham dois terços das horas que os homens acumulam.

[3] GLENN; MARQUARDT, 2001, afirmam que dois terços das universitárias norte-americanas esperam encontrar o futuro marido na faculdade.

[4] HAKIM, 2004.

[5] BUSS, 1989; KENRICK et al, 1993; FLETCHER et al, 1999; GEHER; MILLER, 2008, pp. 37-101.

[6] BUSTON; EMLEN, 2003.

[7] TODD et al, 2007.

[8] FEINGOLD, 1988; GEHER; MILLER, 2008.

[9] TODD et al, 2007; GEHER; MILLER, 2008, pp. 37-101. O estudo foi realizado em Munique, na Alemanha, mas os resultados foram aplicados a toda a Europa de forma generalizada.

[10] GEHER; MILLER, 2008, p. 58.

[11] TOWNSEND; WASSERMAN, 1997, relatam três estudos que pediram às pessoas para julgar a aceitabilidade de alguém como parceiro sexual ou seu potencial conjugal.

[12] Os detalhes do estudo clássico de James Coleman, *The Adolescent Society*, em escolas de ensino médio norte-americanas podem ser antiquados, mas seu sentido geral, aparentemente, não é.

[13] UDRY, 1984.

[14] Ver ELDER, 1969; GLENN; ROSS; TULLY, 1974; TAYLOR; GLENN, 1976; UDRY, 1977, 1984; TOWNSEND, 1987; STEVENS; OWENS; SCHAEFER, 1990. Ver também WHYTE, 1990, p. 169; JAMES, 1997, pp. 222-37; MULLAN, 1984 e HAKIM, 2000a, pp. 193-222.

[15] BUSS, 1989, 1994. KURZBAN; WEEDEN, 2005 e HUNTER, 2011, relatam menos sucesso em encontros para mulheres obesas.

[16] GERSON, 1985; HAKIM, 2000a, pp. 153, 155, 197, 216.

[17] MCRAE, 1986.

[18] Uma pesquisa de janeiro de 2011 descobriu que dois terços das mulheres britânicas esperavam e pretendiam se casar com um homem com um alto salário, e a maioria dos homens tinha consciência disso. SPICER, 2011.

[19] PAPANEK ,1973; WAJCMAN, 1998, pp. 140-43, 156, 163-5.

[20] Estudos sobre homens que chegaram a cargos superiores de gestão determinam, de forma consistente, que a maioria deles tem esposas que não trabalham fora, enquanto que mulheres na mesma posição profissional normalmente têm maridos ambiciosos. Metade dessas mulheres não têm filhos, e muitas das que escolhem tê-los possuem a família nominal com um filho, evitando assim o conflito trabalho *versus* família. Ver HAKIM, 2000a, pp. 50-56, 2011.

[21] THELOT, 1982; ERIKSON; GOLDTHORPE, 1993, pp. 231-77; HAKIM, 2000a; pp. 160-63.

[22] Resultados do estudo de 2008 da Superdrug e da pesquisa de 2009 da Girlguiding UK relatados na revista *Sunday Telegraph Style*, em 10 de janeiro de 2010, p. 23. Da

mesma forma, Kat Banyard relatou, em 2010, que uma pesquisa de 2009 do Young-Poll.com, com 3 mil garotas adolescentes, descobriu que um quarto acreditava que é mais importante ser bonita do que inteligente. Caso já tenham descoberto na escola que não são classificadas como inteligentes, e que têm probabilidade de ficar entre os 25% dos jovens que deixam as escolas inglesas de ensino médio sem praticamente nenhuma qualificação, faria sentido ver aonde a beleza poderia levá-las.

[23] AVERETT; KORENMAN, 1996.

[24] HARPER, 2000, p. 795.

[25] HARPER, 2000. KURZBAN; WEEDEN, 2005 e HUNTER, 2011, relatam menor sucesso nos encontros de mulheres obesas.

[26] HARPER, 2000; COHEN, 2009.

[27] Aqui concentro-me no acesso sexual, porque existem fortes evidências sobre isso. Há muitos casos de maridos que se sentem infelizes diante do fracasso das esposas em manter uma aparência e um estilo de vestir atraentes, e o contrário também é verdadeiro para as mulheres, mas não existem informações consistentes sobre atritos conjugais motivados pela falha de um dos integrantes do casal em manter seu capital erótico ou em explorá-lo com fins de barganha.

[28] BAUMEISTER; VOHS, 2004.

[29] BAUMEISTER; VOHS, 2004, p. 359; ver também ZELIZER, 2005.

[30] HAKIM, 2000a, pp. 110-17; 2004, pp. 71-3. Atualmente, as pesquisas concentram-se nos ganhos relativos dos parceiros ou na contribuição relativa dos cônjuges para a renda familiar, avaliando, assim, a igualdade e as relações de poder dentro dos casais. Por toda a Europa, as mulheres normalmente permanecem como provedoras secundárias, contribuindo com cerca de um terço da renda familiar, em média; de forma que os maridos ganham aproximadamente duas vezes mais que a esposa, e, às vezes, toda a renda. Embora as esposas ganhem algo em torno de metade da renda familiar quando ambos os cônjuges têm empregos de tempo integral e não têm filhos, e as mulheres, às vezes, ganhem mais que os maridos em períodos específicos (como quando eles estão desempregados), o quadro geral não sofre mudanças significativas há décadas, em parte porque as crescentes taxas de emprego feminino simplesmente substituíram empregos de meio período por trabalhos de período integral. Em 2004, as esposas britânicas que estavam empregadas ainda ganhavam, em média, um terço de sua renda familiar. Se as esposas que não têm emprego forem incluídas, sua contribuição média cai para bem menos de um terço, obviamente. Ver HARKNESS, 2008, p. 251.

[31] Por exemplo, uma análise do estudo de 1984 sobre a região de Detroit descobriu que os ganhos relativos dos cônjuges, independentemente de a esposa ter emprego, *não* estavam relacionados com o poder conjugal e *não* eram importantes para o sucesso conjugal. A atratividade física em si também não se relacionava ao poder conjugal (WHYTE, 1990, pp. 153-4, 161, 169). Meu conceito mais amplo de poder erótico, incluindo o acesso sexual, pode resolver esse enigma.

[32] DALLOS; DALLOS, 1997; ARNDT, 2009.

[33] Terapeutas e conselheiros normalmente se recusam a ver isso como um simples desequilíbrio no interesse sexual, e consideram-no um sintoma de outros problemas no relacionamento (PRAVER, 2006).

[34] Ver nota 80 do Capítulo 3

[35] CONSTABLE, 2003.

[36] Surpreendentemente, Constable não fornece informações sistemáticas sobre o capital erótico das esposas. Nas raras ocasiões em que ela o faz, as mulheres são descritas como lindas e atraentes, como, por exemplo, a bela filipina de 22 anos casada com um homem americano de pouco mais de 50 anos, que a sustentava completamente. CONSTABLE, 2003, pp. 102, 142, 169.

[37] MCNULTY et al, 2008.

[38] GEHER; MILLER, 2008, pp. 105-57.

[39] HUNTER, 2011.

[40] Uma das reclamações mais comuns sobre sites de encontros para solteiros (e anúncios pessoais ou qualquer coisa parecida) é que uma grande proporção dos homens assinantes (até um terço, em alguns cálculos) é, na verdade, de homens casados que querem enganar jovens solteiras e atraentes para obter favores sexuais. A literatura e a realidade estão repletas de histórias de homens casados que se aproveitam de jovens atraentes para ter casos, geralmente prometendo que vão, algum dia, se divorciar da esposa e se casar com a amante.

[41] HUNTER, 2011.

[42] JANKOWIAK, 2008.

[43] Aventuras e casos são comuns entre esportistas profissionais e astros pop, porque torneios e turnês fornecem oportunidades. Um exemplo clássico é o astro do golfe Tiger Woods que, segundo dizem, admitiu ter tido cerca de 120 casos e aventuras durante seu casamento com a linda Elin Nordegren. Como confessou em seu pedido de desculpas público na televisão, ele simplesmente precisava tê-los. Sentia que trabalhara duro a vida toda e merecia se beneficiar de todas as tentações que o cercavam. Sendo um homem rico e bem-sucedido, ele se sentia no direito de se divertir. Todas as amantes que se apresentaram à imprensa eram excepcionalmente atraentes — um exemplo clássico da troca de capital econômico por capital erótico.

[44] MOSSUZ-LAVAU, 2002.

[45] MOSSUZ-LAVAU, 2002.

[46] BOZON In: BAJOS et al, 1998.

[47] WELLINGS et al, 1994; BOZON In: BAJOS et al, 1998; KONTULA, 2009, pp. 149-60. KLUSMAN, 2002, estudou alemães na faixa dos 20 anos, e descobriu que os casos começavam no segundo ano de coabitação e casamento.

[48] HUNTER, 2011. Casos entre homens mais velhos e ricos e garotas jovens atraentes não parecem ser a exceção. CROYDON, 2011.

[49] BAUMEISTER; CATANESE; VOHS, 2001, p. 264.

[50] HATFIELD; SPRECHER, 1986.

[51] HATFIELD; SPRECHER, 1986, p. 187. Apenas mulheres de aparência comum e feias tiveram uma iniciação sexual tardia.

[52] LANGLOIS, et al 2000, pp. 402-3.

[53] HATFIELD; SPRECHER, 1986, pp. 185-90; FEINGOLD, 1992, pp. 318-19; LANGLOIS et al, 2000, pp. 402-3.

[54] HATFIELD; SPRECHER, 1986, p. 192.

[55] HATFIELD; TRAUPMANN; WALSTER, 1979.

[56] VAILLIANT, 2009.

[57] De acordo com a terminologia de Bourdieu, culturas e cenários sexuais são rotulados de "campos" por MARTIN e GEORGE, 2006, e GREEN, 2008a. O termo "cultura sexual" parecer ser autoexplicativo.

[58] SOLLIS, 2010. Mais de 40% das crianças das escolas londrinas falam inglês como segunda, ou até mesmo terceira, língua. De forma geral, os estudantes de Londres falam trezentas línguas diferentes em casa.

[59] Outra voz inconfundível é a da comunidade BDSM, que permeia as culturas homossexuais e heterossexuais. BDSM refere-se a Bondage, Dominação, Sadismo e Masoquismo, ou a qualquer combinação deles. Essa é a base para uma variedade de jogos sexuais em clubes de BDSM. Ver BRAME, 2001; BERGNER, 2009.

[60] Por exemplo GREEN, 2008a, p. 45 (n. 23), admite que sua análise teria de ser modificada para abranger relações heterossexuais. De forma similar, MARTIN e GEORGE, 2006, concentram-se exclusivamente na estratificação e no desejo *sexuais*. A acadêmica feminista Lynn Chancer também utiliza o termo "capital sexual", mas o aplica exclusivamente às mulheres, para se referir a seu *sex appeal* e sua fertilidade. Chancer alega que o corpo das mulheres constitui capital sexual, que é usado pelos homens, parcialmente como símbolo de status e parcialmente com propósitos de procriação. Entretanto, ela também alega (p. 119) que aparência e beleza são parte de um sistema de capital cultural (que, é claro, abrange também os homens), de forma que sua análise é confusa. Outros também usaram os termos "capital sexual" e "capital erótico" de passagem, sem definição e desenvolvimento teóricos adequados — como em BROOKS, 2010.

[61] WEBSTER; DRISKELL, 1983.

[62] O que ADAM GREEN, 2008a chama de "capital erótico" em sua análise da sexualidade gay na América do Norte é, portanto, capital sexual, como definido por mim e por MARTIN e GEORGE, 2006.

[63] WOODS; BINSON, 2003.

[64] Uma das razões dadas para o silencioso anonimato de grande parte do sexo gay é o medo de chantagem associado a práticas sexuais ilegais ou estigmatizadas. Entretanto, essas práticas se mantiveram muito depois que as ameaças de chantagem foram eliminadas, de forma que a ausência de socialização parece ser intrínseca à sexualidade gay.

[65] Minha descrição do papel da gueixa é amplamente baseada nas memórias de MASUDA, 2003, mas outras são disponibilizadas por DALBY, 1983; DOWNER, 2000; UNDERWOOD, 1999. Masuda comenta que em estâncias termais, a sexualidade era uma parte maior do papel do que em Kyoto e outras cidades. Ver também ALLISON, 1994 para o equivalente moderno nos bares de hostesses em Tóquio, que vendem capital erótico apenas com a fantasia de acesso sexual.

[66] BAUMEISTER; VOHS, 2004.

[67] HAKIM, 2000a, p. 193.

[68] HAKIM, 2000a, p. 162.

6. *Sem dinheiro, nada feito: vendendo entretenimento erótico*

[1] LEVITT; DUBNER, 2009, pp. 54-5, reconhecem que a prostituição não é para qualquer mulher, porque é preciso gostar de sexo. Isso automaticamente restringe a profissão principalmente a mulheres mais jovens.

[2] Por exemplo, os psicólogos Roy Baumeister e Kathleen Vohs desenvolveram uma teoria de economia sexual em 2004, mas escolheram não tratar de sua óbvia aplicação à indústria do sexo comercial. Quando Tom Reichert estava pesquisando e escrevendo seu livro sobre capital erótico na indústria da propaganda, descobriu que colegas e conhecidos questionavam o tópico escolhido e sugeriam que ele revelava falhas em sua personalidade e em seu caráter.

[3] REICHERT, 2003, pp. 203-13. De forma geral, essa parte se baseia na excelente história de Reichert sobre o apelo erótico na propaganda. GRAZIA; FURLOUGH, 1996 e ROSEWARNE, 2007, analisam o uso do capital erótico feminino em anúncios e na indústria de bens de consumo a partir de uma perspectiva feminista.

[4] REICHERT, 2003, p. 174.

[5] Dois exemplos são WALTER, 2010; ROSEWARNE, 2007.

[6] REICHERT, 2003; REICHERT; LAMBIASE, 2003.

[7] REICHERT; LAMBIASE, 2003, p. 273.

[8] REICHERT, 2003, pp. 233-50.

[9] Comentários amargos sobre tais anúncios normalmente são feitos por pessoas mais velhas. Isso é demonstrado pela diatribe de DWIGHT MCBRIDE, 2005, contra a cadeia de lojas Abercrombie & Fitch e sua aparente predileção por empregar funcionários que tenham aparência similar à dos modelos em seus anúncios. Sendo um homem mais velho, negro e gay, ele se sentiu socialmente excluído pela política de aparência da empresa, mesmo que não tivesse nenhum interesse em comprar suas roupas.

[10] REICHERT, 2003, p. 250.

[11] KRAMER, 2004.

[12] KRAMER, 2004. Em Londres, uma aclamada peça de teatro de 2009 foi mais fiel à história original de Capote.

[13] LEWIN, 2000, p. 243.

[14] AGUSTÍN, 2007; PISCITELLI, 2007. Os escritos de Laura Agustín sobre a indústria do sexo sublinham o papel das mulheres imigrantes e a natureza transitória desse trabalho. Seus principais exemplos dizem respeito à Espanha, ao Caribe e à América Latina de forma mais generalizada.

[15] LEVER; DOLNICK, 2000.

[16] LEVER; DOLNICK, 2000.

[17] ALLISON, 1994; LEVER; DOLNICK, 2000; BELLE DE JOUR, 2005, 2006; HOANG, 2010.

[18] FLOWERS, 1998.

[19] FLOWERS, 1998; RICH; GUIDROZ, 2000.

[20] Alguns clientes sentem que podem pedir para encenar fantasias que nunca fariam na realidade, como sexo com a própria filha ou com animais. Entretanto, todas as atendentes de sexo por telefone têm o direito de recusar pedidos que considerem desagradáveis. FLOWERS, 1998; RICH; GUIDROZ, 2000.

[21] ALLISON, 1994; FRANK, 2002.

[22] DRUCKERMAN, 2007, p. 72; JOLIVET, 1997. Diz-se que essa é uma das razões para a baixa taxa de fertilidade no Japão.

[23] ALLISON, 1994; FRANK, 2002, pp. 106-66; DRUCKERMAN, 2007, pp. 170-90; PRICE-GLYNN, 2010.

[24] FRANK, 2002.

[25] SHAY; SELLERS-YOUNG, 2005.

[26] ALLISON, 1994.

[27] Notícia do *Guardian G2*, 1° de setembro de 2010, p. 9; DAVIS, 2011.

[28] FRENCH, 1990. TAYLOR, 1991, pp. 20-26 relata uma entrevista com ela.

[29] ROUNDING, 2004.

[30] ROUNDING, 2004; CRUICKSHANK, 2009.

[31] FRANK, 2002; BANYARD, 2010, pp. 135-77; WALTER, 2010, pp. 39-62.

[32] FLOWERS, 1998. Relacionamentos primários (e grupos primários) são basicamente cara a cara com pessoas que conhecemos bem, como amigos e família. Relacionamentos secundários (ou grupos) raramente envolvem contato direto. As ligações são limitadas e parciais, como, por exemplo, em sindicatos e partidos políticos. Flowers sugere que relacionamentos baseados totalmente em e-mail, telefone ou internet (como o Facebook) são uma nova categoria de relacionamentos terciários.

[33] ALLISON, 1994.

[34] PISCITELLI, 2007. É interessante que no muito diverso ambiente cultural e político de Cuba, o *jineterismo* em meio período permitisse que mulheres cultas se beneficiassem financeiramente, com dinheiro e presentes, de relacionamentos com turistas estrangeiros, apesar da estrita ilegalidade da prostituição durante o regime socialista. Ver CABEZAS, 2009; GARCIA, 2010.

[35] DRUCKERMAN, 2007, pp. 203-16.

[36] JACOBSEN, 2002; MANSSON, 2010.

[37] TAYLOR, 1991.

[38] JACOBSEN, 2002; MANSSON, 2010. Mansson pinta todos os clientes como os piores homens na trilogia *Millenium*, de Stieg Larsson.

[39] JACOBSEN, 2002; MANSSON, 2010.

[40] DRUCKERMAN, 2007, pp. 252-8.

[41] JEFFREYS, 2005.

[42] TAYLOR, 1991, p. 97, relata que existem, aproximadamente, tantos homens vendendo sexo quanto prostitutas de rua na Grã-Bretanha, baseando-se em uma pesquisa com 4 mil profissionais do sexo, sejam homens ou mulheres. Entretanto, a maioria da clientela dos homens era formada por homens gays, e não por mulheres heterossexuais.

[43] Isso é ilustrado por EARLE; SHARP, 2007.

[44] HAKIM, 2000b, pp. 8-9. Pesquisa *advocacy* é usada por defensores de uma causa para coletar evidências que apoiem suas propostas.

[45] TAYLOR, 1991; FLOWERS, 1998; LEVER; DOLNICK, 2000; MONTO, 2000; FRANK, 2002; AGUSTÍN, 2007; EARLE; SHARP 2007. Ainda que os estudos sempre se concentrem na clientela masculina, imagino que razões semelhantes se aplicariam à diminuta clientela feminina de gigolôs e serviços sexuais.

[46] HUNTER, 2011 relata que esses homens também entram em sites de encontros para pessoas casadas, pela mesma razão.

[47] No mundo ocidental, essa é a maneira como os conselheiros matrimoniais definem os casamentos sem sexo. Como observado no Capítulo 2, isso é significativo, segundo os economistas BLANCHFLOWER; OSWALD, 2004. Eles descobriram que, em

termos de felicidade, não existia diferença entre um casamento totalmente celibatário e aqueles em que o sexo acontecia menos de uma vez por mês.

[48] MONTO, 2000. Esse estudo americano coletou informações de setecentos homens que foram presos por fazer uma proposta a uma prostituta de rua (na verdade, uma armadilha da polícia). Então, o estudo abrange o ponto mais baixo da indústria do sexo, e não é totalmente representativo do ponto mais alto. BERGNER, 2009, demonstra que as pessoas com gosto por BDSM têm particular dificuldade em encontrar parceiros não profissionais.

[49] MONTO, 2000.

[50] VACCARO, 2003.

[51] ALLISON, 1994. As chamadas *soapland* no Japão vendem de tudo, desde massagem nas mãos até sexo completo, incluindo massagem ensaboada.

[52] LEVER; DOLNICK, 2000, p. 91.

[53] MONTO, 2000.

[54] Ambos os grupos incluem uma pequena minoria de pessoas desequilibradas, assassinos etc.

[55] Um filme de 2009 sobre uma jovem garota de programa de alta classe que trabalhava em Nova York foi intitulado *The Girlfriend Experience* [A experiência de namorada, em tradução livre], porque esse tipo de pedido era muito comum, indistinguível em muitos aspectos de um encontro normal.

[56] LEVER; DOLNICK, 2000.

[57] FRANK, 2002.

[58] EARLE; SHARP, 2007.

[59] O cliente típico está na casa dos 40 ou 50 anos, enquanto quase todas as mulheres do sexo profissional que são julgadas no site estão na casa dos 20. Esse padrão também é encontrado entre frequentadores de boates de *striptease* nos Estados Unidos, de acordo com FRANK, 2002.

[60] LEVER; DOLNICK, 2000, p. 95.

[61] EARLE; SHARP, 2007, pp. 39-41, 69, 73-80.

[62] Alguns homens expressam descontentamento, sobretudo em sites que permitem que eles postem comentários sobre suas experiências de turismo sexual. Muitos comentários revelam uma obsessão com preços — como ilustrado em THORBEK; PATTANAIK, 2002. Parece que o maior problema é a relutância dos homens ocidentais em pagar por sexo e serviços, esperando sempre que, se a garota gostar deles, favores e serviços sejam gratuitos, como são com namoradas e ficadas nos países de origem na Europa ou América do Norte. Quanto mais uma mulher se esforça para inflar o ego de um cliente e fazê-lo se sentir feliz e relaxado, mais os homens se permitem acreditar na fantasia de que os serviços não são profissionais ou comercias, e podem ser fornecidos de graça. O problema parece ser especialmente grande com novatos e homens jovens, e é em parte devido ao estilo informal das *bar girls*. Já garotas de programa cobram seu pagamento antes do começo do encontro, de forma que não haja nenhum mal-entendido. Entretanto, FRANK, 2002, pp. 173-228, descreve alguns clientes habituais de boates de *striptease* (que são majoritariamente de meia-idade) como desconfortáveis e inconformados em pagar por danças eróticas, e pela atenção das *strippers*; eles procuravam serviços gratuitos como prova de sua própria atratividade sexual e da "sinceridade" das garotas.

[63] LEVER AND DOLNICK 2000; LEVITT AND DUBNER 2009, p. 36; WALTER 2010, pp. 57-8.

[64] LEVER; DOLNICK, 2000; BELLE DE JOUR, 2005, 2006.

[65] WEITZER, 2009.

[66] HOME OFFICE, 2008.

[67] LEVITT; DUBNER, 2009, pp. 37-47.

[68] BELLE DE JOUR, 2005, 2006.

[69] O sistema escolar inglês é rigidamente seletivo e não permite que os alunos repitam de ano. Por décadas, reprovou um quinto dos alunos, que deixam a escola como analfabetos funcionais e sem conhecimentos matemáticos. Muitos outros deixam a escola sem as qualificações que garantiriam sua possibilidade de ter um emprego.

[70] AGUSTÍN, 2007.

[71] O *Oxford Dictionary of Sociology* apresenta essa descoberta para explicar a prostituição. Ver MARSHALL, 1998, p. 534. Sinceramente, existem diversos relatórios de ciências sociais que "descobrem" que o pagamento é a motivação principal para o emprego em geral.

[72] Embora tenha trabalhado em boates por seis anos e forneça um relato detalhado sobre as atividades e os relacionamentos nas boates de *striptease*, mesmo FRANK, 2002 oferece apenas informações irregulares sobre as taxas e ganhos semanais nas boates, e como estes se comparam aos salários de empregos convencionais locais.

[73] MURRAY, 1991, p. 121.

[74] BROOKS, 2010. Ela enfatiza que apenas mulheres brancas conseguiam os ganhos mais altos de 500 dólares ou mais por noite (em parte porque são colocadas nos pontos mais lucrativos da boate). Mulheres que não são brancas ganham muito menos, cerca de 150 a 300 dólares por noite, devido à demanda mais baixa dos clientes por seus serviços e aparência. O estudo de Price-Glynn sobre uma boate de *striptease* decadente em uma cidade pequena descobriu que as mulheres ganhavam 200 dólares por noite, tirando as despesas, muito mais que qualquer outro funcionário do estabelecimento. PRICE-GLYNN, 2010.

[75] LEVITT; DUBNER, 2009, p. 29.

[76] FRANK, 2002, pp. xv-xx; WALTER, 2010, p. 48.

[77] BANYARD, 2010, e WALTER, 2010, citam diversas mulheres que desgostavam de tudo que era relacionado ao trabalho. Deve-se levar em conta também que esses empregos podem se tornar entediantes e repetitivos — exatamente como empregos comuns.

[78] LEVITT; DUBNER, 2009, pp. 52-5. O documentário de Alex Gibney, *Client 9: The Rise and Fall of Eliot Spitzer,* lançado em 2010, demonstra que as melhores acompanhantes de Nova York podiam ganhar algo entre 200 e 2 mil dólares por hora em 2008.

[79] Não existe uma classificação simples dos países no que diz respeito à legalidade e à aceitação da prostituição. Mesmo em países onde é legal vender serviços sexuais, como a Grã-Bretanha, tudo o que é associado ao comércio ainda pode ser criminalizado — como dirigir um bordel, fazer propaganda, fazer propostas a prostitutas ou fornecer serviços auxiliares. Mulheres que trabalham juntas em um apartamento (visando aumentar a própria segurança) são incriminadas por dirigir um bordel. Na

Suécia e na Noruega, as prostitutas não infringem nenhuma lei, mas seus clientes são incriminados, em uma sutil distorção da lei. Em alguns países, como o Japão e a Espanha, a prostituição é tecnicamente proibida, mas as tradições vigentes tornam as pessoas tranquilas a esse respeito. Países e estados como Nevada, nos Estados Unidos, que aceitam a prostituição feminina, ainda podem se opor violentamente ao fornecimento de serviços sexuais por homens (seja para gays ou mulheres). No Brasil, a prostituição não é crime, mas explorar prostitutas é. Entretanto, essa atividade ainda é estigmatizada. Assim, normalmente, não existe uma linha divisória clara entre legalização, descriminalização e aceitação do comércio.

[80] LEVITT; DUBNER, 2009, pp. 23-31.

[81] GENTLEMAN, 2010, p. 27.

[82] CRUICKSHANK, 2009, pp. 36, 48, 120, 128-33.

[83] FREDMAN, 1997, p. 108.

[84] HAUSBECK; BRENTS, 2000.

[85] FLOWERS, 1998; RICH; GUIDROZ, 2000.

[86] BELLE DE JOUR, 2005, 2006.

[87] MURRAY, 1991, pp. 121-34. Uma *bar girl* sustentava 18 membros da família na área rural de onde veio.

[88] MURRAY, 1991.

[89] ALLISON, 1994, pp. 135, 185. Estabelecimentos *soapland* fornecem diversos serviços sexuais, incluindo massagens ensaboadas.

[90] Na internet, as garotas se gabam de ganhar 50 mil ienes por um encontro, enquanto que o valor da hora de uma vendedora de loja é de 800 ienes.

[91] SMITH, 2008, CABEZAS, 2009, descreve relacionamentos semelhantes em Cuba e na República Dominicana.

[92] Por causa da altíssima taxa de rotação, e do significativo elemento de trabalho em meio período, bicos e trabalhos casuais, é impossível medir de forma exata o tamanho total da indústria. Dessa forma, todos os números são estimativas.

[93] FLOWERS, 1998; BELLE DE JOUR, 2005, 2006; MILLET, 2002; FRANK, 2002, pp. 276-7. Frank, a princípio, observa o estereótipo masculino de que as *strippers* são sexualmente liberadas, e, mais tarde, admite que este tem validade.

[94] WALKOWITZ, 1980, pp. 16-24, 194.

[95] O filme de 1971 de Robert Altman, *Jogos e trapaças — Quando os homens são homens*, teve Julie Christie no papel de caftina e prostituta, e o *spaghetti western* de Sergio Leone, de 1968, *Era uma vez no Oeste*, trazia Claudia Cardinale como uma ex-prostituta de Nova Orleans.

[96] Todos esses fatores parecem ser aplicáveis à Inglaterra Vitoriana, à Europa moderna e à indústria das gueixas. Entretanto, havia pouca autosseleção para ser uma gueixa no passado. Pais miseráveis geralmente vendiam os serviços das filhas jovens por um período determinado para casas de gueixas, como no caso de Sayo Masuda. Ela é um caso típico de muitas mulheres na indústria, que não foram criadas pela mãe. Algumas são órfãs.

[97] ALLISON, 1994; FRENCH, 1990; BELLE DE JOUR, 2005, 2006; FRANK, 2002; MILLET, 2002.

98 HAKIM, 1995, 2004, 2011.
99 LEVITT; DUBNER, 2006, p. 96; 2009, p. 54.

7. O *vencedor leva tudo: o valor profissional do capital erótico*

1 DIPBOYE; ARVEY; TERPSTRA, 1977; HEILMAN; SARUWATARI, 1979; RAZA; CARPENTER, 1987; FRIEZE; OLSON; RUSSELL,1991.

2 FRIEZE; OLSON; RUSSELL, 1991.

3 BIDDLE; HAMERMESH, 1998.

4 BIDDLE; HAMERMESH, 1998.

5 BIDDLE; HAMERMESH, 1998.

6 BIDDLE; HAMERMESH, 1998, p. 188.

7 BIDDLE; HAMERMESH, 1998. O site Dollar Times compara valores em dólar por vários anos — como aqui, para preços de 1983 e 2010.

8 HAMERMESH; BIDDLE, 1994.

9 Comparado aos ganhos de pessoas de aparência comum, o adicional por beleza vai de mais 1% até mais 13% (para mulheres), enquanto a penalidade por feiura vai de menos 5% a menos 15% (para homens).

10 HAMERMESH; BIDDLE, 1994.

11 Uma das duas pesquisas norte-americanas mostrou uma penalidade nos ganhos de homens baixos (menos 10%) e uma penalidade similar para mulheres obesas (menos 12%). A outra pesquisa demonstrou um adicional de salário tanto para mulheres altas como para baixas (mais 25% e mais 23%, respectivamente). Entretanto, esses fatores não afetam o impacto da atratividade julgada pelos entrevistadores.

12 HARPER, 2000, analisou os dados do estudo de grupo NCDS, descritos no Apêndice A. Em alguns aspectos, esse estudo britânico oferece evidências mais frágeis do que as três pesquisas norte-americanas, pois a atratividade foi avaliada pelos professores, quando as pessoas analisadas pela pesquisa ainda estavam na escola, com idades de 7 e 11 anos. Essas podem ser idades precoces demais para fornecer uma avaliação correta de sua aparência adulta. Por outro lado, os professores, que conheciam bem seus alunos, poderiam fornecer uma avaliação do capital erótico de forma mais completa do que um entrevistador que viu o indivíduo apenas uma vez. Os professores levaram em consideração habilidades sociais e sociabilidade, assim como aparência física, e os resultados do estudo demonstram que esses elementos são profundamente interligados na prática. Então, na verdade, o estudo de Harper pode oferecer a melhor avaliação do impacto do capital erótico. Contudo, ele confessa que a fraqueza de seu estudo significa que o verdadeiro impacto da atratividade provavelmente é maior do que ele conseguiu identificar.

13 Como o estudo longitudinal NCDS coleta uma enorme quantidade de informações sobre as histórias profissionais das pessoas, Harper pôde verificar muito mais fatores do que foi possível nos estudos norte-americanos, como: estado de saúde, classe social, raça, tempo de experiência profissional, estabilidade no emprego atual, competência, qualificações educacionais, ligação a um sindicato e muitos outros fatores.

Lançando todas as variáveis disponíveis na análise regressiva, Harper conseguiu reduzir o efeito final da atratividade a um nível insignificante na idade de 33 anos. Entretanto, não ser atraente ainda faz diferença, reduzindo os ganhos dos homens em 15%, e das mulheres em 11%.

[14] HARPER, 2000, p. 785. Para pessoas que não possuem nada além das qualificações do ensino médio, o impacto da aparência excede o retorno das qualificações educacionais.

[15] JUDGE; HURST; SIMON 2009.

[16] O estudo de Judge, Hurst e Simon, de 2009, analisa a renda doméstica total e não os ganhos pessoais. Na verdade, eles avaliam o efeito da atratividade e da inteligência para a renda, seja ela obtida através do mercado de trabalho ou do mercado de casamento. Mulheres atraentes podem conseguir alta renda familiar casando-se com homens com altos salários, assim como (ou em vez de) através de seus próprios empregos.

[17] JUDGE; HURST; SIMON, 2009.

[18] MOBIUS; ROSENBLAT, 2006.

[19] A tarefa produziu uma diferença sexual considerável em performance e desempenho, que foi levada em consideração na análise.

[20] MOBIUS AND ROSENBLAT, 2006.

[21] Filme *Videocracy* de Erik Gandini, 2009.

[22] Seu livro *The Managed Heart: Commercialization of Human Feeling* tornou-se imediatamente popular em seu lançamento em 1983. O livro inspirou toda uma indústria de pesquisa sobre gerenciamento emocional no ambiente de trabalho e na vida pessoal, apesar do fato de estudos realizados fora dos Estados Unidos contradizerem a tese de Hochschild. Ver KEMPER, 1990; RAZ, 2002; BOLTON; BOYD, 2003; BOLTON, 2005.

[23] HOCHSCHILD, 2003; EHRENREICH; HOCHSCHILD, 2004.

[24] Isso é compatível com seu outro trabalho, que foi escrito sob uma forte influência da perspectiva anglo-saxã feminista-vítima: ela se concentra na desvalorização do trabalho feminino, remunerado ou não, nas dificuldades das mulheres em conciliar emprego remunerado com trabalho doméstico, na falta de apoio do governo nos Estados Unido, nas características distintas das ocupações femininas e na contribuição das mulheres para a vida familiar. Ver HOCHSCHILD, 1990a, b, 1997.

[25] HOCHSCHILD, 1983, pp. 138-47.

[26] ELIAS, 1937/1994; MENNELL, 1989; MENNELL; GOUDSBLOM, 1998; LOYAL; QUILLEY, 2004.

[27] Hochschild reconheceu que o gerenciamento emocional acontece com mais intensidade em famílias e empregos da classe alta do que nos das classes baixas. Entretanto, ela nunca alinha essa conclusão com a ideia de que as mulheres desempenham mais trabalho emocional que os homens, apesar do fato de que a maioria dos empregos superiores de gestão e ocupações liberais é ocupada por homens. Ver HOCHSCHILD, 1983, p. 162.

[28] WOUTERS, 1989, p. 100.

[29] BOLTON; BOYD, 2003, analisaram uma pesquisa de 1998 sobre equipes de bordo de três companhias aéreas do Reino Unido, com quase mil pessoas entrevistadas (um quinto delas formada por homens), complementada por entrevistas pessoais

com informantes versados na indústria. BOLTON, 2005, oferece uma crítica mais ampla sobre a tese de Hochschild e examina outros estudos que contradizem as conclusões dela. WOUTERS, 1989, também criticou a tese de Hochschild e apresentou evidências contrárias sobre as habilidades sociais da equipe de bordo da KLM.

[30] WOUTERS, 1989.

[31] RAZ, 2002.

[32] RAZ, 2002, pp. 204-20, 242-9.

[33] WAJCMAN, 1996, 1998; RAZ, 2002; BOLTON, 2005.

[34] Psicólogos sociais tentaram — até agora sem sucesso — desenvolver medidas de inteligência e habilidades sociais interpessoais à parte das medidas de inteligência geral. Eles tiveram maior sucesso em medir a inteligência emocional, que se sobrepõe à inteligência social. GEHER; MILLER, 2008, pp. 18-19, 263-82.

[35] WOUTERS, 1989, 2007.

[36] SOAMES, 2010.

[37] WITZ; WARHURST; NICKSON, 2003, p. 50.

[38] WARHURST; NICKSON, 2001, 2007a, b, 2009; NICKSON; WARHURST; CULLEN; WATT, 2003; NICKSON; WARHURST; WATT, 2000; NICKSON; WARHURST; DUTTON, 2005. Eles nunca revelam se os cursos tiveram sucesso em ajudar as pessoas a arranjar o emprego. O conceito de "trabalho estético" não chega a ser definido adequadamente e parece ser uma tautologia, já que todas as pessoas usam roupas, com mensagens implícitas, de forma que todos o fazem o tempo todo. Em alguns artigos, os autores afirmam que ter "a atitude certa" era o fator crucial no recrutamento profissional — indicando, assim, personalidade e habilidades sociais, e não um elemento distinto de trabalho estético.

[39] Algumas pessoas opuseram-se a essa inovação pois ela as obrigava a investir em outro conjunto de roupas para o trabalho, além dos trajes habituais escuros.

[40] HUNT, 1996. Ele afirma que as leis suntuárias sempre foram impingidas de forma mais rigorosa às mulheres, que a aparência delas é objeto de maior controle social.

[41] MACK e RAINEY, 1990.

[42] MACK e RAINEY, 1990. As candidatas nesse estudo eram todas mulheres, mas os resultados se aplicariam ainda mais intensamente aos homens, como outra pesquisa demonstra.

[43] MACK e RAINEY, 1990, p. 399, cita muitos outros estudos, assim como seus próprios resultados.

[44] Em uma escala de 1 = extrema improbabilidade de ser contratado a 7 = extrema probabilidade de ser contratado, os candidatos qualificados, mas mal-arrumados fizeram em media 4,03 pontos, enquanto que os mal qualificados, mas bem-arrumados, tiveram uma pontuação levemente mais alta, de 4,16, em média, em comparação a 3,36 para os candidatos tanto mal qualificados quanto mal arrumados e 5,68 para os bem qualificados e bem-arrumados. MACK; RAINEY, 1990.

[45] No original, a citação é uma amálgama de diversas traduções, por R.M. Adams, L.J. Walker e B. Crick, e L.M. Ludlow.

[46] HOPFL, 1999.

[47] MCBRIDE, 2005.

[48] Industrial Relations Services, 2000; Income Data Services, 2001.

[49] WARHURST; NICKSON, 2007a, p. 102.

[50] Entretanto, no Japão, jovens com uniforme escolar se tornaram uma preferência erótica especializada.

[51] NENCEL, 2010; HALL, 2010.

[52] Debrahlee Lorenzana alegou ter sido demitida do Citibank, em 2010, porque suas roupas justas revelavam demais sua silhueta curvilínea, de forma que ela distraía seus colegas. No processo de contestar sua demissão como sexista e exigir uma compensação, ela atraiu uma cobertura significativa da mídia, com diversas fotos suas em roupas apertadas.

[53] JUDGE; HURST; SIMON, 2009, p. 752.

[54] HENRICH; HEINE; NORENZAYAN, 2010.

[55] HAKIM, 2010a.

[56] BIDDLE; AND HAMERMESH, 1998, p. 191; FRIEZE; OLSON; RUSSELL, 1991, p. 1052; HAMERMESH; BIDDLE, 1994, pp. 1190-92. Harper não encontra evidência alguma de seleção ocupacional em profissões direcionadas a clientes e de vendas, mas determina que homens atraentes recebem um acréscimo de pagamento de 9% em empregos com contato com clientes, enquanto mulheres atraentes têm uma penalidade de 10% nesse tipo de emprego — possivelmente por causa da aglomeração que causam. HARPER, 2000, p. 794. É possível que grande parte da diferença sexual no tamanho do adicional por beleza pudesse ser explicada pelo fato de que as mulheres se concentram em empregos com menor remuneração do setor público.

[57] BIDDLE; HAMERMESH, 1998.

[58] Hitler e Napoleão tinham carisma, ainda que não fossem atraentes e estivessem apenas na média de altura. No século XX, a aparência física dos políticos é constantemente exposta por fotos e aparições na TV. A exposição na mídia é normalmente muito mais baixa para magnatas dos negócios, mesmo hoje em dia, a não ser que se descubra que cometeram crimes de colarinho-branco.

[59] COHEN, 2009.

[60] HARPER, 2000; COHEN, 2009.

[61] COHEN, 2009.

[62] HARPER, 2000.

[63] LOH, 1993, p. 428.

[64] SCHICK; STECKEL, 2010, determinam que cerca de 5 cm adicionados à altura estão associados a um ganho de níveis de alfabetização e conhecimento matemático (10% de um desvio padrão) e 2% em habilidades sociais (em média). Esses efeitos são tão significativos quanto crescer em uma família de classe média *versus* em uma família de classe baixa.

[65] JEFFREYS, 2005; RHODE, 2010.

[66] Provavelmente, é correto dizer que a princesa Diana tinha o mesmo tipo de celebridade no final do século XX, adquirida através do casamento com Charles, príncipe da Grã-Bretanha.

[67] CASHMORE, 2006.

[68] Livremente traduzido como "vedetes", *velinas* são as jovens belas e sexy que decoram programas de quiz, de entrevistas e outros eventos de "infotenimento" na TV

italiana. Elas precisam saber dançar de forma atraente, vestir-se bem e serem extremamente bonitas. São sempre jovens. Muitos italianos acreditam que se tornar uma *velina* é um atalho para a fama e fortuna, de forma que as competições realizadas por todo o país por novas garotas têm grande comparecimento.

[69] FRANK; COOK, 1996. Argumentos contrários à desigualdade econômica na sociedade também foram desenvolvidos por muitos outros escritores, incluindo WILKINSON; PICKETT, 2009.

[70] FRIEZE; OLSON; RUSSELL, 1991; BIDDLE; HAMERMESH, 1998.

8. O *poder do capital erótico*

[1] O estudo de dez anos realizado por Richard Wiseman sobre a natureza do fator sorte demonstrou que as pessoas que se consideram "sortudas" tendem a ter personalidades e estilos diferentes daquelas que se consideram "azaradas". Na verdade, a sorte é autogerada pela perspectiva da pessoa sobre a vida. Pessoas sortudas são mais extrovertidas, confiantes, observadoras e otimistas — portanto, têm muito mais "encontros casuais" que podem acabar sendo úteis. Elas criam profecias autorrealizáveis positivas através de expectativas boas, e adotam uma atitude alegre que transforma o azar em boa sorte. Parece existir alguma sobreposição com as personalidades e estilos das pessoas bonitas, e também das altas. Ver SCHICK; STECKEL, 2010.

[2] A terceira são os filhos, se existirem, e a forma como educá-los.

[3] Esse comentário é atribuído à estrela de cinema e dançarina Ginger Rogers, que fez par com Fred Astaire em muitos filmes. Ela ganhava menos do que ele, mesmo que executasse as mesmas coreografias, mas "de costas e usando salto alto".

[4] *Ardil-22*, do romance de Joseph Heller, denota qualquer situação absurda na qual a pessoa não pode ganhar nunca, sendo constantemente impedida por uma cláusula ou regra que pode se modificar para bloquear qualquer mudança, ou sendo confrontada com uma variedade de linhas de conduta, todas as quais têm consequências indesejáveis. Em seu livro, qualquer soldado que conseguisse perceber a loucura de estar em uma guerra seria classificado como são o bastante para continuar lutando.

[5] INCE, 2005 explora a hostilidade ocidental contra a sexualidade e demonstra como ela influencia e arruína as atividades mais inocentes. HIRSHMANN; LARSON, 1998, demonstram como isso molda todas as opiniões e legislação relativas à atividade sexual.

[6] ZELIZER, 2005; ver também ZELIZER, 1985.

[7] BADINTER, 2006.

[8] Os três regimes conjugais padrão são *communauté universelle*, *communauté de biens réduite aux acquêts* e *séparation de biens*. Os bens de cada uma das partes que forem anteriores ao casamento podem ser tratados como propriedade pessoal, privada e independente, ou podem ser mesclados, tornando-se coletivos. Os bens adquiridos depois do casamento normalmente são tratados como bens conjuntos, mas o contrato nupcial também pode especificar que tudo é individual. Os contratos nupciais padrão podem ser revistos para se adequar a circunstâncias individuais e também podem ser alterados depois do casamento, com a concordância de ambas as

partes. Entretanto, deve existir um contrato definindo o acordo financeiro do casal. Não é permitido evitar a questão, como na Grã-Bretanha e em muitos outros países.

[9] Eu devo o termo "economia sexual" a ROY BAUMEISTER; KATHLEEN VOHS, 2004, e me baseio em seu pioneiro esboço de uma teoria da interação sexual, mas meu desenvolvimento do conceito deles de mercados sexuais chega a conclusões muito díspares, baseadas em diferentes evidências de pesquisa de todo o mundo, assim como em evidências históricas. Em particular, rejeito a ideia de que casais casados e homens gays estão fora do mercado, de forma que a barganha sexual é restrita à fase de namoro antes do casamento. Minha teoria de "sexonomia" se aplica a todas as fases da vida e a todos os relacionamentos.

[10] WALLER, 1938; HATFIELD; SPRECHER, 1986; BAUMEISTER; VOHS, 2004, p. 342.

[11] As raras exceções demonstram o alto valor do capital erótico das mulheres. Os homens têm poucas chances de possuir a vantagem em negociações, a não ser que demonstrem riqueza e/ou status social e fama excepcionais, estando os dois geralmente ligados. Portanto, cantores populares mundialmente famosos e multimilionários generosos sempre acham fácil seduzir jovens atraentes.

[12] GUTTENTAG; SECORD, 1983.

[13] BRANIGAN, 2009.

[14] GLENN; MARQUARDT, 2001.

[15] Existe um acentuado contraste com as experiências de mulheres que frequentaram as universidades britânicas nos anos 1960, quando o número de homens excedia em muito o de mulheres, de forma que mulheres atraentes eram muito requisitadas, como demonstram as memórias de Lynn Barber, *An Education*.

[16] Esse é o fator-chave que torna os estudos sobre o impacto da proporção sexual tão difíceis. O cristianismo puritano nega que existam vários mercados sexuais, e insiste que há apenas um, que é essencialmente confinado ao casamento. Mesmo advogados e cientistas políticos modernos ainda persistem nesse ponto de vista, que leva à abolição da prostituição. Ver HIRSHMANN; LARSON, 1998. Entretanto, os psicólogos têm certeza de que existem importantes diferenças entre relacionamentos sexuais longos e passageiros. Ver GEHER; MILLER, 2008.

[17] O juiz e estudioso da lei Richard Posner também usa o termo "mercado *spot*" para se referir ao comércio sexual, que ele não distingue do casamento, exceto pela curta duração das ligações. Essa ideia foi debatida anteriormente por Karl Marx e Frederich Engels e depois retomada por feministas radicais.

[18] Alguns sociólogos negam que o termo "mercado" seja apropriado para relacionamentos, porque não existem preços explícitos ou visíveis. MARTIN; GEORGE, 2006, e GREEN, 2008a, consideram inadequada a abordagem de mercado da sexualidade, e preferem "campo", que se concentra nas subculturas sexuais da sociedade norte-americana. Essa, entretanto, é uma perspectiva muito etnocêntrica. Um mercado é qualquer cenário no qual mercadorias (bens e serviços) são permutadas, negociadas ou trocadas. Pode ser um bar de solteiros, uma sauna gay, um site de encontros ou uma boate, qualquer coisa que constitua um mercado de encontro com competição (ainda que elegantemente disfarçada) entre os participantes. Como toda pessoa leva uma porção de talentos e bens únicos para os mercados de uniões afetivas, e

prioridades variadas em relação ao que procuram em um parceiro, não existem preços fixos. Mas ainda existe negociação e troca, e competição aberta entre homens e mulheres, sejam homossexuais ou heterossexuais. A questão de quão explícitos são os preços é totalmente determinada pelo cenário cultural. Em sociedades que possuem sistemas formais e informais de dotes e preços de noivas, os preços são bastante explícitos. Por exemplo, em algumas tribos africanas, o preço de uma jovem noiva solteira é declarado abertamente através das contas, acessórios e joias de seus trajes cotidianos.

[19] Por exemplo, esse erro é cometido por POSNER, 1992, p. 132; e por BAUMEISTER; VOHS, 2004, p. 359. E também é habitualmente cometido por conselheiros matrimoniais.

[20] Noel Biderman, o fundador do Ashley Madison, um site de encontros para pessoas casadas, diz que criou o site, que facilita casos, quando descobriu que um terço dos homens em sites comuns de namoro era casado. Ele reconheceu uma necessidade não atendida, um nicho de mercado, que é preenchido por seu site e por muitos outros que surgiram no século XXI.

[21] HUNTER, 2011.

[22] As objeções femininas à prostituição são, em parte, baseadas na presunção incorreta de que existe pouca diferença da sexualidade conjugal. As objeções das esposas aos casos dos maridos provavelmente são mais razoáveis, já que relacionamentos efêmeros, às vezes, se transformam em relacionamentos duradouros, ainda que isso pareça ser extremamente raro. HUNTER, 2011. Psicólogos evolucionistas argumentam que dentro da comunidade heterossexual, os homens têm uma forte preferência por ligações curtas e variedade sexual, enquanto as mulheres têm uma forte preferência por relacionamentos duradouros e dão muito menos valor à variedade sexual. Ver GEHER; MILLER, 2008.

[23] PISCITELLI, 2007. Programas são um acordo explícito, mas *ad hoc*, para a remuneração de companhia e sexualidade. O velho que ajuda é um "padrinho" que auxilia financeiramente uma jovem.

[24] CABEZAS, 2009; GARCIA, 2010. O *jineterismo* (literalmente, ginetário) e, mais recentemente, a *luchadora* (literalmente, lutadora) referem-se a homens e mulheres que podem incluir favores sexuais a outros serviços a turistas estrangeiros.

[25] SMITH, 2008.

[26] MURRAY, 1991.

[27] HOANG, 2010. Como muitos estudiosos descobriram, não há uma linha divisória clara entre homens que oferecem presentes e outros benefícios às namoradas e o comércio sexual. DRUCKERMAN, 2007, pp. 208, 216; CABEZAS, 2009.

[28] TURNER, 2010.

[29] BAUMEISTER; VOHS, 2004, p. 360, observam que há uma relutância bastante difundida entre acadêmicos de sequer admitir que existe um processo de troca.

[30] BAUMEISTER; VOHS, 2004, p. 264.

[31] GREEN, 2008b.

[32] O conceito de "duplipensamento" deriva do romance de George Orwell, *1984*. É a habilidade de manter duas crenças contraditórias simultaneamente e aceitar ambas.

[33] HEELAS, 1986.

[34] Em países como o Japão, onde o acesso a pílulas anticoncepcionais é habitualmente impedido por médicos patriarcais, o aborto continua sendo um importante mecanismo de controle de natalidade. Ver JOLIVET, 1997.

[35] HAKIM, 2004, p. 168.

[36] GOLDIN, 1990, p. 60; PADAVIC; RESKIN, 2002, p. 122; HAKIM, 2004, p. 169.

[37] HAKIM, 2004, p. 169.

[38] HAKIM, 2004. A diferença salarial na Grã-Bretanha é citada como 10% quando é usado o salário *médio* de homens e mulheres em empregos de período integral, mas é de 16% quando a *média* é utilizada, como é comum em comparações internacionais. Nos Estados Unidos, a diferença salarial caiu de 40% em 1960, para entre 25% e 30% depois de 2000. Ver BLAU; BRINTON; GRUSKY, 2006, pp. 41, 69; HAKIM, 2011.

[39] HAKIM, 2000a, 2004, 2011. Um fator-chave aqui é que não existe diferença salarial entre homens e mulheres solteiros, nem entre homens e mulheres sem filhos. Ela aparece apenas entre os que são pais. Então a "disparidade da maternidade" substituiu a disparidade sexual geral na remuneração. Além do mais, na Grã-Bretanha, a partir de 2010, não existe diferença salarial entre homens e mulheres com menos de 40 anos. A diferença salarial acontece apenas entre pessoas com 40 anos ou mais.

[40] BLAU; BRINTON; GRUSKY, 2006.

[41] BABCOCK; LASCHEVER, 2003; HAKIM, 2004.

[42] WILLSHER, 2010. Algumas matérias na imprensa sugeriram que o astuto Sr. Banier tinha seduzido emocionalmente a Sra. Bettencourt. Na verdade, o Sr. Banier era abertamente gay, e amigo de longa data e hóspede de Liliane Bettencourt e seu marido até a morte deste, em 2007. O Sr. Banier sempre ressaltou que o casal apoiara suas atividades artísticas como patronos das artes, assim como amigos, e que outros casais da sociedade também lhe tinham oferecido apoio. A ação legal foi eventualmente resolvida fora do tribunal.

[43] Esse é o "direito sexual masculino", como coloca a teórica política feminista Carole Pateman. PATEMAN, 1988, p. 205.

[44] Mulher citada em FREEDMAN, 1986, p. 115.

[45] Um exemplo vem das páginas de aconselhamento de uma revista masculina. Um jovem escrevera pedindo um conselho sobre como lidar com a namorada. Ele queria fazer sexo anal, e ela se recusava a aceitar. Como podia persuadi-la? A linha geral de sugestões de outros leitores era algo como "Ela tem de ceder! Se ela se recusar terminantemente, você deveria trocar de namorada." Essa atitude hipócrita parece surgir muito cedo entre os homens. Colegas me contam que garotas de 12 e 13 anos estão fazendo sexo oral em outros alunos nos fundos do ônibus escolar na volta para casa. Não apenas uma vez, como uma travessura, mas regularmente.

[46] A referência é a sátira política de George Orwell *A revolução dos bichos*. O livro retrata um estado socialista no qual todos são iguais, mas o grupo que assume as funções de chefia decide que eles são "mais iguais" que o resto e deveriam ter poderes e privilégios especiais.

[47] Essa tendência tem sido evitada apenas por salários mínimos, que criam um piso salarial artificial.

48 WALTER, 2010, p. 25, relata uma pesquisa de 2006 que descobriu que metade das garotas adolescentes considera a opção de ser modelo erótica e posar nua, e um terço considerava pin-ups, como Rachel Hunter e Jordan, um exemplo.

49 GAGNON; SIMON, 2005; Weis 1998, pp. 107-10.

50 WEIS, 1998, p. 106.

51 Essas aplicações práticas dos termos capital social e capital cultural estão muito distantes do interesse de Bourdieu por classe social e por como a estratificação social é mantida. Entretanto, teorias e conceitos têm vida própria, não limitada por seus criadores.

52 CHANCER, 1998, pp. 82-166; RHODE, 2010.

53 Discordo dos teóricos leigos (como HIRSHMAN; LARSON, 1998 e PHILLIPS, 2012) que insistem que a indústria do sexo comercial não pode ser justificada moralmente e que ninguém jamais pode fazer uma escolha sincera de participar dela. Esses argumentos normalmente se baseiam em uma compreensão muito parcial da indústria, repleta de estereótipos.

54 WALKOWITZ, 1980. O exemplo da prostituição na Tailândia também é pertinente.

55 POSNER, 1992, pp. 420-29.

56 Os custos razoáveis são interpretados livremente como qualquer valor entre 5 a 25 mil libras por uma barriga de aluguel no Reino Unido. Nos Estados Unidos, as mulheres podem cobrar quanto quiserem, ou o que quer que o mercado comporte.

57 Na Índia, as mulheres que fazem barriga de aluguel podem ganhar cerca de 5 mil libras, o equivalente à renda de dez anos de um trabalhador rural no país. O custo total de uma gravidez de aluguel é de cerca de 15 mil libras, incluindo todas as outras despesas e taxas. SMITH, 2010.

Apêndice A

1 Para um exame geral dos projetos de pesquisa e das características de levantamentos, estudos de caso, estudos de painel e estudos experimentais, ver HAKIM, 2000b.

2 UDRY, 1984.

3 BIDDLE; HAMERMESH, 1998, pp. 180-81.

4 HATFIELD; SPRECHER, 1986, pp. 282-3.

5 RHODES; ZEBROWITZ, 2002.

6 HAMERMESH; BIDDLE, 1994.

7 HARPER, 2000.

8 HARPER, 2000, p. 782.

9 RHODES; ZEBROWITZ, 2002.

10 HATFIELD; SPRECHER, 1986, pp. 109-12.

11 ZETTERBERG, 1966.

12 ZETTERBERG, 2002, p. 275.

13 HAAVIO-MANNILA; KONTULA, 2003.

14 HAAVIO-MANNILA; KONTULA, 2003.

15 KONTULA; HAAVIO-MANNILA, 1995, pp. 179-83; ver também HAAVIO-MANNILA; KONTULA, 2003.

[16] KONTULA; HAAVIO-MANNILA, 1995, pp. 179-82.
[17] COHEN, WILK; STOELTJE, 1996.
[18] COHEN, WILK; STOELTJE, 1996.
[19] COHEN, WILK; STOELTJE, 1996.
[20] LANGLOIS et al, 2000, p. 397.
[21] FEINGOLD, 1992, p. 312.
[22] Estudos causais, não de apresentar descrições representativas. Ver HAKIM, 2000b.
[23] HOLMES, 1995.
[24] GEHER; MILLER, 2008, p. 127.
[25] KIHLSTROM; CANTOR, 2000; MAYER, SALOVEY; CARUSO, 2000; BRA-CKETT et al, 2006; GEHER e MILLER 2008, pp. 16-19, 263-82.
[26] Detalhes de todos os estudos de grupo estão disponíveis no site: www.cls.ioe.ac.uk
[27] HILPERN, 2010.
[28] LEWIS, 2010.
[29] LANGLOIS et al, 2000, p. 402.

Apêndice B

[1] JANUS; JANUS, 1993; LAUMANN et al, 1994; LAUMANN; MICHAEL, 2001.
[2] LINDAU et al 2007.
[3] ZETTERBERG, 2002; LEWIN, 2000. O último relatório sueco inclui algumas comparações com uma pesquisa norueguesa sobre sexo.
[4] KONTULA; HAAVIO-MANNILA, 1995; HAAVIO-MANNILA; ROTKIRCH, 1997, 2000; HAAVIO-MANNILA et al, 2001, 2002; KONTULA, 2009.
[5] KONTULA, 2009.
[6] JOHNSON et al, 1994; WELLINGS et al, 1994. Apenas a primeira pesquisa resultou em um relatório com a extensão de livro. Os resultados subsequentes estão descritos em jornais médicos.
[7] SIMON et al, 1972; SPIRA; BAJOS, 1993; GROUPE ACSF, 1998; BAJOS et al, 1998; HUBERT, BAJOS; SANDFORT, 1998; MOSSUZ-LAVAU, 2002.
[8] As pesquisas variam em tamanho, amostra e foco. Para a Itália, ver VACCARO, 2003; para a Espanha, ver MALO DE MOLINA, 1992; para a República Checa, ver RABOCH e RABOCH, 1989. Os resultados das pesquisas alemã, holandesa e norueguesa estão resumidos em HUBERT, BAJOS; SANDFORT, 1998. O Japão foi abrangido por LAFAYETTE DE MENTE, 2006, ainda que pareça não ter havido nenhuma pesquisa verdadeiramente nacional no Japão. As pesquisas e estudos russos são relatados por KON, 1995.
[9] LIU et al, 1997.
[10] RICHTERS; RISSEL, 2005.
[11] HUBERT; BAJOS; SANDFORT, 1998.
[12] THOMPSON, 1983; HUBERT; BAJOS; SANDFORT, 1998; colaboradores para EDER, HALL; HEKMA, 1999; FENNEL in: ZETTERBERG, 2002, pp. 1-79; e HUNTER, 2011.
[13] LAUMANN et al, 2006.

[14] DENNERSTEIN et al, 2006; LEIBLUM et al, 2006.

[15] MULHALL et al, 2008.

[16] HUBERT, BAJOS; SANDFORT, 1998, fornecem e exame e a síntese mais importantes dos resultados das pesquisas em 11 países europeus, mas excluem a pesquisa sueca de 1996 e, é claro, as não europeias.

Bibliografia

AGUSTÍN, L. M. *Sex at the Margins: Migration, Labour Markets and the Rescue Industry*. Londres: Zed Books, 2007.

ALI, L.; MILLER, L. "The secret lives of wives". *Newsweek*, 12 de julho, 2004.

ALLISON, A. *Nightwork: Sexuality, Pleasure, and Corporate Masculinity in a Tokyo Hostess Club*. Chicago: University of Chicago Press, 1994.

ALMOND, G.; VERBA, S. *The Civic Culture: Political Attitudes and Democracy in Five Nations*. Princeton: Princeton University Press, 1963.

ALWIS, A. P. *Three Tales of Celibate Marriage*. Cambridge: CUP, 2007.

ANDERSEN, R.; GRABB, E.; CURTIS, J. "Trends in civic association activity in four democracies: the special case of women in the United States". *American Sociological Review*, 71: 376-400, 2006.

ANONYMOUS. *A Woman in Berlin*. Londres: Virago, 2006.

ARDEN, R.; PLOMIN, R. "Sex differences in variance of intelligence across childhood". *Personality and Individual Differences*, 41: 39-48, 2006.

ARNDT, B. *The Sex Diaries: Why Women Go Off Sex and Other Bedroom Battles*. Londres: Hamlyn, 2009.

ATKINS, D. C.; BAUCOM D. H.; JACOBSON, N. S. "Understanding infidelity: correlates in a national random sample". *Journal of Family Psychology*, 15: 735-49, 2001.

ATTWOOD, F. "Sexed up: theorising the sexualisation of culture". *Sexualities*, 9: 77-94, 2006.

AVERETT, S.; KORENMAN, S. "The economic reality of *The Beauty Myth*". *Journal of Human Resources*, 31: 304-30, 1996.

AXELROD, R. *The Evolution of Cooperation*. Nova York: Basic Books, 1984.

BABCOCK, L.; LASCHEVER, S. *Women Don't Ask: Negotiation and the Gender Divide*. Princeton: Princeton University Press, 2003.

BADINTER, E. *Dead-End Feminism (Fausse Route)*. Cambridge: Polity Press, 2003/2006.

BAEHR, P. *Caesarism, Charisma and Fate*. New Brunswick: Transaction Publishers, 2008.

BAJOS, N.; BOZON, M.; FERRAND, A.; GIAMI, A.; ASPIRA, A. *La Sexualité aux Temps du SIDA*. Paris: Presses Universitaires de France, 1998.

BAJOS, H. M.; SANDFORD, T. *Sexual Behaviour and HIV/AIDS in Europe*. Londres: Routledge, 1998.

BANYARD, K. *The Equality Illusion*. Londres: Faber and Faber, 2010.

BARBER, L. *An Education*. Londres: Penguin, 2009.

BARNES, H. C. *Affair! How to Have Your Cake and Eat It*. Londres: Metro, 2005.

BARRY, K. L. *Female Sexual Slavery*. New York: Nova York University Press, 1984.

BARRY, K. L. *Prostitution of Sexuality*. Nova York: New York University Press, 1995.

BARTSKY, S. "Narcissism, femininity, and alienation". In: *Femininity and Domination*. Nova York: Routledge, 1990.

BATAILLE, G. *Eroticism*. Tradução: M. Dalwood. São Francisco, CA: City Lights Books, 1986. Publicado anteriormente na França como *Erotisme*. Paris: Editions de Minuit, 1957.

BAUMEISTER, R. F.; CATANESE, K. R.; VOHS, K. D. "Is there a gender difference in strength of sex drive? Theoretical views, conceptual distinctions, and a review of relevant evidence". *Personality and Social Psychology Review*, 5: 242-73, 2001.

BAUMEISTER, R. F.; TICE, D. M. *The Social Dimension of Sex*. Boston e Londres: Allyn and Bacon, 2001.

BAUMEISTER, R. F.; TWENGE, J. M "Cultural suppression of female sexuality". *Review of General Psychology*, 6: 166-203, 2002.

BAUMEISTER, R. F.; VOHS, K. D. "Sexual economics". *Personality and Social Psychology Review*, 8: 339-63, 2004.

BEAUVOIR, S. de. *The Second Sex*. Tradução e edição: H. M. Parshley. Harmondsworth: Penguin, 1949/1976.

BECK, U.; BECK-GERNSHEIM, E. *The Normal Chaos of Love*. Tradução: M. Ritter e J. Weibel. Cambridge: Polity Press, 1995.

BECKER, G. S. *Human Capital*. 3ª ed. Londres: University of Chicago Press, 1993.

BECKWITH, C.; FISHER, A. *Faces of Africa: Thirty Years of Photography*. Washington, DC: National Geographic, 2010.

BELLE DE JOUR. *The Intimate Adventures of a London Call Girl* e *The Further Adventures of a London Call Girl*. Londres: Phoenix, 2005/2006.

BENGIS, I. *Combat in the Erogenous Zone: Writings on Love, Hate and Sex*. Londres: Wildwood Press, 1973.

BEN-ZE'EV, A. *Love Online: Emotions on the Internet*. Cambridge: Cambridge University Press, 2004.

BERGNER, D. *The Other Side of Desire: Four Journeys into the Far Realms of Lust and Longing*. Londres: Allen Lane, 2009.

BERGSTROM-WALAN, M. B.; NIELSEN, H. H. "Sexual expression among 60-80-year-old men and women: a sample from Stockholm, Sweden", *Journal of Sex Research*, 27: 289-95, 1990.

BERRY, B. *Beauty Bias: Discrimination and Social Power*. Westport: Praeger, 2007.

BERRY, B. *The Power of Looks: Sexual Stratification of Physical Appearance*. Aldershot: Ashgate, 2008.

BERSCHEID, E.; HATFIELD, E. *Interpersonal Attraction*. 2ª ed. Reading, MA: Addison-Wesley, 1978.

BERSCHEID, E.; WALSTER, E. "Physical attractiveness", pp. 157-215. In: *Advances in Experimental Social Psychology*, vol. 7, ed. L. Berkowitz. Nova York: Academic Press, 1974.

BIDDLE, J. E.; HAMERMESH, D. S. "Beauty, productivity, and discrimination: lawyers' looks and lucre". *Journal of Labor Economics*, 16: 172-201, 1998.

BISCHOF, G.; PELINKA, A.; HERZOG, D. (eds.). *Sexuality in Austria*, Contemporary Austrian Studies, vol. 15, New Brunswick e Londres: Transaction Publishers, 2007.

BLACK, P. *The Beauty Industry: Gender, Culture, Pleasure*. Londres: Routledge, 2004.

BLACKBURN, S. *Lust*. Oxford: Oxford University Press, 2004.

BLAIKIE, T. *Blaikie's Guide to Modern Manners*. Londres: Fourth Estate, 2005.

BLANCHFLOWER, D.; OSWALD, A. "Money, sex and happiness". *Scandinavian Journal of Economics*, 106(3): 393-415, 2004.

BLAU, F. D.; BRINTON, M. C.; GRUSKY, D. B. (org.) *The Declining Significance of Gender?*. Nova York: Russell Sage Foundation, 2006.

BLOOM, A. *The Closing of the American Mind*. New York: Simon & Schuster, 1987.

BOLTON, S. *Emotion Management in the Workplace*. Basingstoke: Palgrave-Macmillan, 2005.

BOLTON, S.; BOYD C. "Trolley dolly or skilled emotion manager? Moving on from Hochschild's Managed Heart". *Work, Employment and Society*, 17: 289-308, 2003.

BOURDIEU, P. "The forms of capital", pp. 241-58 In: *Handbook of Theory and Research for the Sociology of Education*, ed. J. G. Richardson. Nova York: Greenwood Press, 1986. Reimpresso, pp. 46-58. In: HALSEY A. H.; LAUDER H.; BROWN P.; WELLS A. S. (org.). *Education: Culture, Economy and Society*. Oxford: Oxford University Press, 1997.

BOURDIEU, P. *La Domination Masculine*. Paris: Seuil, 1998.

BOURDIEU, P.; WACQUANT, L. J. D. *An Invitation to Reflexive Sociology*. Cambridge: Polity Press, 1992.

BRACKETT, M. A.; RIVERS, S. E.; SHIFFMAN, S., Lerner, N.; SALOVEY, P. "Relating emotional abilities to social functioning: a comparison of performance and self-report measures of emotional intelligence". *Journal of Personality and Social Psychology*, 91: 780-95, 2006.

BRAME, G. *Come Hither! A Commonsense Guide to Kinky Sex*. Londres: Fusion Press, 2001.

BRAND, P. Z. (org.). *Beauty Matters*. Bloomington: Indiana University Press, 2000.

BRANDON, M. *Swinging: Games Your Neighbours Play*. Londres: HarperCollins Friday Books, 2008.

BRANIGAN T. "New freedoms, new problems in the nation of lonely hearts". *Guardian*, 20 de maio. 2009.

BRAZIEL, J. E.; Lebesco, K. *Bodies Out of Bounds: Fatness and Transgression*, Berkeley: University of California Press, 2001.

BRIBOSIA, E.; RORIVE, I. In: *Search of a Balance Between the Right to Equality and Other Fundamental Rights*. European Network of Legal Experts in the Non-Discrimination Field. Luxemburgo: Publication Office of the European Union, 2010.

BRINKGREVE, C. "Elias on gender relations: the changing balance of power between the sexes", pp. 142-54. In: Loyal, S.; Quilley, S. (org.). *The Sociology of Norbert Elias*. Cambridge: Cambridge University Press, 2004.

BROOKS, S. *Unequal Desires; Race and Erotic Capital in the Stripping Industry.* Nova York: SUNY Press, 2010.

BROWN, L. *The Dancing Girls of Lucknow.* Nova York: Fourth Estate, 2005.

BROWN, L. "Performance, status and hybridity in a Pakistani red-light district: the cultural production of the courtesan". *Sexualities,* 10: 409-23, 2007.

BROWNE, J. (org.). *The Future of Gender.* Cambridge: Cambridge University Press, 2007.

BROWNELL, K. D. (org.). *Weight Bias.* Nova York: Guilford Press, 2005.

BROWNMILLER, S. *Against Our Will: Men, Women and Rape.* Harmondsworth: Penguin, 1977.

BRYMAN, A. *Charisma: Leadership in Organisations.* Londres: Sage, 1992.

BRYSON, V. *Feminist Political Theory.* Londres: Macmillan, 1992.

BUSS, D. M. "Sex differences in human mate preferences: evolutionary hypotheses tested in 37 cultures". *Behavioural and Brain Sciences,* 12: 1-49, 1989.

BUSS, D. M. *The Evolution of Desire: Strategies of Human Mating.* Nova York: Basic Books, 1994.

BUSTON, P. M.; Emlen, S. T. "Cognitive processes underlying human mate choice: the relation between self-perception and mate preference in Western society". *Proceedings of the National Academy of Science USA,* 100: 8805-10, 2003.

BUTLER, J. *Gender Trouble: Feminism and the Subversion of Identity.* Nova York: Routledge, 1990.

BUTLER, J. *Bodies That Matter.* Nova York: Routledge, 1993.

BUUNK, B. "Extramarital sex in the Netherlands: motivation in social and marital context". *Alternative Lifestyles,* 3: 11-39, 1980.

CABEZAS, A. L. *Economies of Desire: Sex and Tourism in Cuba and the Dominican Republic.* Filadélphia: Temple University Press, 2009.

CALLAGHAN, K. A. (org.). *Ideals of Feminine Beauty: Philosophical, Social and Cultural Dimensions.* Westport: Greenwood Press, 1994.

CAMERON, S. "The economics of partner out-trading in sexual markets". *Journal of Bioeconomics,* 4: 195-222, 2002.

CAMPBELL, A. *A Mind of Her Own.* Oxford: Oxford University Press, 2002.

CAMPBELL, R. T. "The relationship between children's perceptions of ability and perceptions of physical attractiveness: comment on Felson and Bohrnstedt's Are the good beautiful or the beautiful good?". *Social Psychology Quarterly,* 42: 393-8, 1979.

CAPLAN, P. (org.). *The Cultural Construction of Sexuality.* Londres: Routledge, 1987.

CASEY, R. J.; RITTER, J. M. "How infant appearance informs: child care providers' responses to babies varying in appearance of age and attractiveness". *Journal of Applied Developmental Psychology,* 17: 495-518, 1996.

CASHMORE, E. *Celebrity Culture.* Abingdon: Routledge, 2006.

CHADWICK, B. A.; HEATON, T. B. (org.). *Statistical Handbook on the American Family,* 2ª ed. Phoenix, AZ: Oryx Press, 1999.

CHANCER, L. S. *Reconcilable Differences: Confronting Beauty, Pornography and the Future of Feminism.* Berkeley: University of California Press, 1998.

CHAPLIN, S. *Japanese Love Hotels: A Cultural History.* Abingdon: Routledge, 2007.

CLARK, R. D.; HATFIELD, E. "Gender differences in receptivity to sexual offers". *Journal of Psychology and Human Sexuality*, 2: 39-55, 1989.

COHEN, A. *The Tall Book: A Celebration of Life on High*. Nova York: Bloomsbury and Barnes & Noble, 2009.

COHEN, C. B.; WILK, R.; STOELTJE, B. (org.). *Beauty Queens on the Global Stage: Gender, Contests and Power*. Nova York e Londres: Routledge, 1996.

COLE, J. *After the Affair: How to Build Trust and Love Again*. Londres: Vermilion, 1999.

COLEMAN, J. C. "Social capital in the creation of human capital". *American Journal of Sociology*, 94: S95-S120, 1988.

COLEMAN, J. S. *The Adolescent Society*. Nova York: Free Press, 1961.

CONNOLLY, P. S. "Sexual healing". *Guardian*, 2 de abril. 2010.

CONSTABLE, N. *Romance on a Global Stage*. Berkeley: University of California Press, 2003.

COOPER, C. *Fat and Proud: The Politics of Size*. Londres: Women's Press, 1998.

COPAS, A. J. et al. "The accuracy of reported sensitive sexual behaviour in Britain: exploring the extent of change 1990-2000". *Sexually Transmitted Infections*, 78 (1): 26-30, 2002.

COPPOCK, V.; HAYDON, D.; RICHTER, I. *The Illusions of Post-Feminism: New Women, Old Myths*. Washington, DC: Taylor & Francis, 1995.

CORNWALL, A.; LINDISFARNE, N. (org.). *Dislocating Masculinities:Comparative Ethnographies*. Londres: Routledge, 1993.

CRAWFORD, M.; POPP, D. "Sexual double standards: a review and methodological critique of two decades of research". *Journal of Sex Research*, 40: 13-26, 2003.

CROYDON, H. *Sugar Daddy Diaries*. Londres: Mainstream Publishing Cruickshank, 2011.

CRUICKSHANK, D. *The Secret History of Georgian London*. Londres: Random House, 2009.

DALBY, L. C. *Geisha*. Berkeley: University of California Press, 1983.

DALLOS, S.; DALLOS, R. *Couples, Sex and Power: The Politics of Desire*. Buckingham: Open University Press, 1997.

DAVIES, L. *Feminism after Post-Feminism*. Nottingham: orador do European Labour Forum, 1996.

DAVIES, P. J. "When star power hits the rough". *Financial Times*, 8 de abril, 2010.

DAVIS, J. A.; Smith, T. W. *General Social Surveys 1972-1996: Cumulative Codebook*. Chicago: National Opinion Research Centre, 1996.

DAVIS, K. *Reshaping the Female Body: The Dilemma of Cosmetic Surgery*. Nova York: Routledge, 1995.

DAVIS, R. "Flexible working". *Guardian Education Supplement*, 15 de fevereiro, 2011

DEARY, I. J. et al. "Population sex differences in IQ at age 11: the Scottish mental survey of 1932". *Intelligence*, 31: 533-42, 2003.

DENNERSTEIN, L.; KOOCHAKI, P.; BARTON, I.; GRAZIOTTIN, A. "Hypoactive sexual desire disorder in menopausal women: a survey of Western European women". *Journal of Sexual Medicine*, 3: 212-22, 2006.

DENNY, K. "Beauty and intelligence may — or may not — be related". *Intelligence*, 36: 616-68, 2008.

DIPBOYE, R. L.; ARVEY, R. D.; TERPSTRA, D. E. "Sex and physical attractiveness of raters and applicants as determinants of resume evaluations". *Journal of Applied Psychology*, 62: 288-94, 1977.

DOLLINGER, S. J. "Physical attractiveness, social connectedness, and individuality: an autophotographic study". *Journal of Social Psychology*, 142(1): 25-32, 2002.

DONEGAN, L. "From $100m man to nowhere man". *Guardian*, 11 de dezembro, 2009.

DONNELLY, D. A. "Sexually inactive marriages". *The Journal of Sex Research*, 30(2): 171-9, 1993.

DOWNER, L. *Geisha: The Secret History of a Vanishing World*. Nova York: Broadway; Londres: Headline, 2000.

DRUCKERMAN, P. *Lust in Translation: The Rules of Infidelity from Tokyo to Tennessee*. Nova York: Penguin Press, 2007.

DUFFY, S. *Theodora: Actress, Empress, Whore*. Londres: Virago, 2010.

DURAS, M. *L'Amant*. Paris: Les Editions de Minuit, 1984.

DWORKIN, A. *Pornography: Men Possessing Women*. Nova York: Perigree Books, 1981.

DWORKIN, A. *Intercourse*. Londres: Secker & Warburg, 1987.

EAGLY, A. H. "The science and politics of comparing women and men". *American Psychologist*, 50: 145-58 (com comentários de Hyde e Plant, Marecek, e Buss, e resposta de Eagly, pp. 159-71), 1995.

EARLE, S.; SHARP, K. *Sex in Cyberspace: Men Who Pay for Sex*. Aldershot: Ashgate, 2007.

EDER, F. X.; HALL, L. A.; HEKMA, G. (org.). *Sexual Cultures in Europe*. Manchester: Manchester University Press, 1999.

EHRENREICH, B. *The Hearts of Men: American Dreams and the Flight from Commitment*. Garden City: Anchor Press, 1984.

EHRENREICH, B.; HOCHSCHILD, A. *Global Women: Nannies, Maids and Sex Workers in the New Economy*. Nova York: Metropolitan/Owl Books, 2004.

EIGEN, M. *Lust*. Middletown: Wesleyan University Press, 2006.

ELDER, G. H. "Appearance and education in marriage mobility". *American Sociological Review*, 34: 519-33, 2006.

ELIAS, N. *The Civilising Process: The History of Manners and State Formation and Civilization*. Oxford: Blackwell, 1937/1994.

ENGLAND, P.; FOLBRE, N. "The cost of caring". In: STEINBERG, R. J.; FIGART D. M. (org.). *Emotional Labor in the Service Economy*, edição especial dos *Annals of the American Academy of Political and Social Science*, 561: 39-51, 1999.

ERICKSEN, J. A.; STEFFEN, S. A. *Kiss and Tell: Surveying Sex in the Twentieth Century*. Cambridge, MA: Harvard University Press, 1999.

ERIKSON, R.; GOLDTHORPE, J. H. *The Constant Flux*. Oxford: Clarendon Press, 1993.

ETCOFF, N. *Survival of the Prettiest: The Science of Beauty*. Londres: Little Brown, 1999.

EVANS, M. *Gender and Social Theory*. Buckingham: Open University Press, 2003.

FAIR, R. "A theory of extramarital affairs". *Journal of Political Economy*, 86: 45-61, 1978.

FANSHAWE, S. *The Done Thing*. Londres: Century, 2005.

FARAONE, C. A.; MCCLURE, L. K. *Prostitutes and Courtesans in the Ancient World*. Madison: University of Wisconsin Press, 2006.

FARRER, J. "A foreign adventurer's paradise? Interracial sexuality and alien sexual capital in reform era Shanghai". *Sexualities*, 13:69-95, 2010.

FASSIN, E. "The rise and fall of sexual politics in the public sphere: a transatlantic contrast". *Public Culture*, 18: 79-92, 2006.

FEELEY, M.; LITTLE, D. "The vanishing female: the decline of women in the criminal process 1687-1912". *Law and Society Review*, 25: 719-57, 1991.

FEIN, E.; SCHNEIDER, S. *The Complete Book of Rules: Time-Tested Secrets for Capturing the Heart of Mr Right*. Londres: HarperCollins, 2000.

FEINGOLD, A. "Matching for attractiveness in romantic partners and same-sex friends — a meta-analysis". *Psychological Bulletin*, 104:226-35, 1988.

FEINGOLD, A. "Good-looking people are not what we think". *Psychological Bulletin*, 111: 304-41, 1992.

FELSON, R. B.; BOHRNSTEDT, G. W. "Are the good beautiful or the beautiful good? The relationship between children's perceptions of ability and perceptions of physical attractiveness". *Social Psychology Quarterly*, 42: 386-92, 1979.

FERRIMAN, K.; LUBINSKI, D.; BENBOW, C. P. "Work preferences, life values, and personal views of top math/science graduate students and the profoundly gifted: developmental changes and gender differences during emerging adulthood and parenthood". *Journal of Personality and Social Psychology*, 97: 517-32, 2009.

FINCH, J. *Married to the Job*. Londres: Allen & Unwin, 1983.

FINE, C. *Delusions of Gender: The Real Science behind Sex Differences*. Londres: Icon Books, 2010.

FISHER, H. *Anatomy of Love: The Natural History of Monogamy, Adultery and Divorce*. Nova York: Norton, 1992.

FITZPATRICK, R. "I feel a bit like the antichrist". *Guardian*, 3 de dezembro, 2010.

FLETCHER, J. G. O.; SIMPSON, J. A.; THOMAS, G.; GILES, L. "Ideals in intimate relationships". *Journal of Personality and Social Psychology*, 76: 72-89, 1999.

FLOOR, W. M. *A Social History of Sexual Relations in Iran*. Washington, DC: Mage Publications, 2008.

FLOWERS, A. *The Fantasy Factory: An Insider's View of the Phone Sex Industry*. Filadélfia: University of Pennsylvania Press, 1998.

FRANCK, M. *Voyage au Bout du Sexe: Trafics et Tourisme Sexuels en Asie et Ailleurs*. Quebec: Presses de l'Université Laval, 2006.

FRANK, K. *G-Strings and Sympathy: Strip Club Regulars and Male Desire*. Durham: Duke University Press, 2002.

FRANK, R. H.; Cook, P. J. *The Winner-Take-All Society: Why the Few at the Top Get So Much More Than the Rest of Us*. Nova York: Penguin, 1996.

FREDMAN, S. *Women and the Law*. Oxford: Clarendon Press, 1997.

FREEDMAN, R. *Beauty Bound*. Lanham, MD: Lexington Books, 1986.

FRENCH, D. *Working*. Londres: Victor Gollancz, 1990.

FRIEZE, I. H.; OLSON, J. E.; RUSSELL, J. "Attractiveness and income for men and women in management". *Journal of Applied Social Psychology*, 21, 13: 1039-57, 1990.

FROST, L. "Doing looks", pp. 117-36. In: ARTHURS. J.; GRIMSHAW J. (org.). *Women's Bodies*. Nova York: Cassell, 1999.

GAGNON, J. H.; SIMON, W. *Sexual Conduct: The Social Sources of Human Sexuality*, 2ª ed. New Brunswick: Aldine, 2005.

GAMBETTA, D. *The Sicilian Mafia*. Cambridge: Harvard University Press, 1993.

GARCIA, A. "Continuous moral economies: the state regulation of bodies and sex work in Cuba". *Sexualities*, 13: 171-96, 2010.

GARDNER, H. *Frames of Mind: The Theory of Multiple Intelligences*. Londres: Paladin, 1983.

GEHER, G.; MILLER, G. (org.). *Mating Intelligence: Sex, Relationships, and the Mind's Reproductive System*. Nova York: Lawrence Erlbaum, 2008.

GENTLEMAN, A. "Women for sale". *Guardian*, 11 de setembro, 2010.

GENZ, S. *Postfeminism: Cultural Texts and Theories*. Edimburgo: Edinburgh University Press, 2009.

GERHARDS, J. "Non-discrimination towards homosexuality: the European Union's policy and citizens' attitudes towards homosexuality in 27 European countries". *International Sociology*, 25: 5-28, 2010.

GHODSEE, K. "Feminism-by-design: emerging capitalisms, cultural feminism, and women's nongovernmental organisations in postsocialist eastern Europe". *Signs*, 29: 727-53, 2004.

GIDDENS, A. *Modernity and Self-Identity*, Cambridge: Polity Press, 1991.

GIDDENS, A. *The Transformation of Intimacy: Sexuality, Love and Eroticism in Modern Societies*. Cambridge: Polity Press, 1992.

GILFOYLE, T. *City of Eros: New York City, Prostitution and the Commercialisation of Sex 1790-1920*. Nova York: Norton, 1994.

GIOVANNI, J. de. "We will teach you to make love again". *Guardian G2*, 26 de março, 2009.

GIOVANNI, J. de. "Sleeves up, ready to work". *Guardian G2*, 14 de janeiro, 2011.

GLASS, S. P.; Wright, T. L. "Justifications for extramarital relationships: the association between attitudes, behaviors and gender". *Journal of Sex Research*, 29: 361-85, 1992.

GLENN, N.; Marquardt, E. *Hooking Up, Hanging Out and Hoping for Mr Right: College Women on Dating and Mating Today*. Nova York: Institute for American Values, 2001.

GLENN, N.; ROSS, A. A.; TULLY, J. C. "Patterns of intergenerational mobility of females through marriage". *American Sociological Review*, 39: 683-99, 1974.

GOLDIN, C. *Understanding the Gender Gap*. New York: Oxford University Press, 1990.

GOLDIN, C.; KATZ, L. F. "The power of the pill: oral contraceptives and women's career and marriage decisions". *Journal of Political Economy*, 110: 730-70, 2002.

GOLEMAN, D. *Emotional Intelligence*. Nova York: Bantam Books, 1995.

GRAZIA, V. de; Furlough, E. *The Sex of Things: Gender and Consumption in Historical Perspective*. Berkeley: University of California Press, 1996.

GREEN, A. I. "The social organisation of desire: the sexual fields approach". *Sociological Theory*, 26: 25-50, 2008a.

GREEN, A. I. "Health and sexual status in an urban gay enclave: an application of the stress process model". *Journal of Health and Social Behaviour*, 49: 436-51, 2008b.

GREEN, B. L.; LEE, R. R..; LUSTIG, N. "Conscious and unconscious factors in marital infidelity". *Medical Aspects of Human Sexuality*, pp. 87-105, 1974.

GRIFFIN, V. *The Mistress: Histories, Myths and Interpretations of the 'Other Woman'*. Londres: Bloomsbury, 1999.

GRIFFITHS, N.; Davidson, J. "The effects of concert dress and physical appearance on perceptions of female solo performance". Trabalho apresentado na 9ª Conferência Internacional de Percepção e Cognição Musical. Bolonha, agosto, 2006.

GROUPE ACSF. *Comportements Sexuels et Sida en France: Les Données de l'Enquête ACSF*. Paris: INSERM, 1998.

GURLEY-BROWN, H. *Sex and the Single Girl*. Nova York: Random House, 1962/2003.

GUTTENTAG, M.; SECORD, P. F. *Too Many Women? The Sex Ratio Question*. Beverly Hills: Sage, 1983.

GUTTMAN, A. *The Erotic in Sports*. Nova York: Columbia University Press, 1996.

HAAVIO-MANNILA, E.; KONTULA, O. *Sexual Trends in the Baltic Sea Area*. Helsinki: Population Research Institute, Family Federation of Finland, 2003.

HAAVIO-MANNILA, E.; ROTKIRCH, A. "Generational and gender differences in sexual life in St Petersburg and urban Finland", pp. 133-60. In: *Yearbook of Population Research in Finland*, n°. 34. Helsinki: Population Research Institute, 1997.

HAAVIO-MANNILA, E.; ROTKIRCH, A. "Gender liberalization and polarisation: comparing sexuality in St Petersburg, Finland and Sweden". *The Finnish Review of East European Studies*, 3-4: 4-25, 2000.

HAAVIO-MANNILA, E.; ROTKIRCH, A.; KUUSI, E. *Trends in Sexual Life Measured by National Sex Surveys in Finland in 1971, 1992 and 1999, and a Comparison Sex Survey in St Petersburg in 1996*, Working Paper E10 for the Family Federation of Finland, Helsinki: Population Research Institute, 2001.

HAAVIO-MANNILA, E.; KONTULA, O.; ROTKIRCH, A. *Sexual Lifestyles in the Twentieth Century: A Research Study*. Nova York: Palgrave Macmillan, 2002.

HAIKEN, E. *Venus Envy: A History of Cosmetic Surgery*. Baltimore: Johns Hopkins Press, 1997.

HAKIM, C. "Five feminist myths about women's employment". *British Journal of Sociology*, 46: 429-55, 1995.

HAKIM, C. *Work-Lifestyle Choices in the 21st Century*. Oxford: Oxford University Press, 2000a.

HAKIM, C. *Research Design*. Londres: Routledge, 2000b.

Hakim, C. *Key Issues in Women's Work*. Londres: Glasshouse Press, 2004.

HAKIM, C. "Women, careers, and work-life preferences". *British Journal of Guidance and Counselling*, 34: 279-94, 2006.

HAKIM, C. "Is gender equality legislation becoming counterproductive?". *Public Policy Research*, 15: 133-6, 2008.

HAKIM, C. "Attractive forces at work". *Times Higher Education*, n°. 1950, 3-9 de junho, 2010, pp. 36-41.

HAKIM, C. "Erotic capital". *European Sociological Review*, 26(5): 499-518, 2010b.

HAKIM, C. *Feminist Myths and Magic Medicine*. Londres: Centre for Policy Studies, 2011.

HALL, N. "French Assembly votes by big majority to ban fullface veil". *Financial Times*, 14 de julho, 2010.

HALPER, J. *Quiet Desperation: The Truth About Successful Men*. Nova York: Warner Books, 1988.

HAMERMESH, D. S.; BIDDLE, J. E. "Beauty and the labor market". *American Economic Review*, 84: 1174-94, 1994.

HANSEN, G. E. *The Culture of Strangers: Globalization, Localization and the Phenomenon of Exchange*. Nova York: University Press of America, 2002.

HARKNESS, S. "The household division of labour: changes in families' allocation of paid and unpaid work", pp. 234-68. In: SCOTT J.; DEX S.; JOSHI H. (org.). *Women and Employment*. Cheltenham: Edward Elgar, 2008.

HARPER, B. "Beauty, stature and the labour market: a British cohort study". *Oxford Bulletin of Economics and Statistics*, 62: 771-800, 2000.

HARRIS, J. *The Value of Life*. Londres: Routledge, 1985.

HARRIS, J. *Wonderwoman and Superman*. Oxford: Oxford University Press, 1992.

HARRIS, J. *The Future of Human Reproduction*. Oxford: Clarendon Press, 1998.

HATFIELD, E.; RAPSON, R. L. *Love and Sex: Cross-cultural Perspectives*. Lanham: University Press of America, 2005.

HATFIELD, E.; SPRECHER, S. *Mirror, Mirror... The Importance of Looks in Everyday Life*. Nova York: State University of New York Press, 1986.

HATFIELD, E.; TRAUPMANN, J.; WALSTER, G. W. "Equity and extramarital sex", pp. 309-22. In: COOK M.; WILSON G. (org.). *Love and Attraction*. Oxford: Pergamon Press, 1979.

HAUSBECK, K.; BRENTS, B. G. "Inside Nevada's brothel industry". In: WEITZER, R. (org.). *Sex for Sale*. Nova York: Routledge, 2000.

HEELAS, P. "Emotion talk across cultures", pp. 234-66. In: HARRE, R. (org.). *The Social Construction of Emotions*, Oxford: Blackwell, 1986.

HEFNER, H. *Hugh Hefner's Playboy 1953-1979*. Los Angeles: Taschen, 2010.

HEILMAN, M. E.; SARUWATARI, L. R. "When is beauty beastly: the effects of appearance and sex on evaluations of job applicants for managerial and nonmanagerial jobs". *Organizational Behaviour and Human Performance*, 23: 360-72, 1979.

HELLER, J. *Catch-22*. Londres: Corgi, 1961.

HENRICH, J.; HEINE, S. J.; NORENZAYAN, A. "The WEIRDest people in the world". *Nature*, 466 (7302): 29, 2010; *Behavioural and Brain Sciences*, 33: 61-135, 2010.

HERBENICK, D. et al. "The National Survey of Sexual Health and Behaviour" *Journal of Sexual Medicine*, special issue, 5: 788-95, 2010.

HESS, H. *Mafia and Mafiosi.* Tradução: Ewald Osers. Londres: C. Hurst & Co., 1998.

HILPERN, K. "Most likely to be hip and hilarious". *Guardian*, 18 de maio, 2010.

HIMMELWEIT, S. "Caring labor". *The Annals of the American Academy of Political and Social Science*, 561: 27-38, 1999.

HIRSHMAN, L. R.; LARSON, J. E. *Hard Bargains: The Politics of Sex.* Nova York: Oxford University Press, 1998.

HOANG, K. K. "Economies of emotion, familiarity, fantasy and desire: emotional labour in Ho Chi Minh City's sex industry". *Sexualities*, 13: 255-72, 2010.

HOCHSCHILD, A. R. "The sociology of feelings and emotions", pp. 280-307. In: MILLMAN M.; KANTER R. M. (org.). *Another Voice.* Garden City: Doubleday, 1975.

HOCHSCHILD, A. R. *The Managed Heart: Commercialization of Human Feeling.* Berkeley: University of California Press, 1983/2003.

HOCHSCHILD, A. R. *The Second Shift: Working Parents and the Revolution at Home.* Londres: Piatkus, 1990a.

HOCHSCHILD, A. R. "Ideology and emotion management: a perspective and a path for future research", pp. 117-42. In: KEMPER T. D. (org.). *Research Agendas in the Sociology of Emotions.* Albany: State University of New York Press, 1990b.

HOCHSCHILD, A. R. *The Time Bind.* Nova York: Metropolitan Books, 1997.

HOLMES, J. *Women Men and Politeness.* Harlow: Longman, 1995.

HOLZMAN, H. R.; PINES, S. "Buying sex: the phenomenology of being a john". *Deviant Behaviour*, 4: 89-116, 1982.

HOME OFFICE. *Tackling the Demand for Prostitution: A Review.* Relatório on-line, 2008.

HOPFL, H. "*Suaviter in modo, fortiter in re*: appearance, reality and the early Jesuits". In: LINSTEAD S.; HOPFL H. (org.). *Aesthetics of Organisation.* Londres: Sage, 1999.

HUBERT, M.; BAJOS, N.; SANDFORT, T. (org.). *Sexual Behaviour and HIV/AIDS in Europe.* Londres and Nova York: Routledge, 1998.

HUNT, A. *Governance of the Consuming Passions: A History of Sumptuary Law.* Basingstoke: Macmillan, 1996.

HUNTER, A. S. *The Rules of the Affair: Internet Dating, Modern Affairs and Erotic Power.* Londres: Gibson Square, 2011.

HYDE, J. S. "Where are the gender differences? Where are the gender similarities?", pp. 107-18. In: BUSS D. M.; Malamuth N. M. (org.). *Sex, Power, Conflict.* Nova York. Oxford University Press, 1996.

HYDE, J. S. "The gender similarities hypothesis". *American Psychologist*, 60: 581-92, 2005.

INCE, J. *The Politics of Lust.* Amherst: Prometheus Books, 2005.

INCOME DATA SERVICES. *Corporate Clothing and Dress Codes.* Londres: Income Data Services, 2001.

INDUSTRIAL RELATIONS SERVICES. *Dressed to Impress*, Employment Trends, 693: 4-6, 2000.

INGLEHART, R. *The Silent Revolution: Changing Values and Political Styles.* Princeton: Princeton University Press, 1977.

INGLEHART, R. *Culture Shift in Advanced Industrial Society*. Princeton: Princeton University Press, 1990.

INGLEHART, R. *Modernization and Postmodernization: Cultural, Economic, and Political Change in 43 Societies*. Princeton: Princeton University Press, 1997.

INGLEHART, R.; BASAÑEZ, M.; MORENO, A. *Human Values and Beliefs: A Cross-Cultural Sourcebook — Political, Religious, Sexual, and Economic Norms in 43 Societies: Findings from the 1990-1993 World Values Survey*. Ann Arbor: University of Michigan Press, 1998.

INGLEHART, R.; NORRIS, P. *Rising Tide: Gender Equality and Cultural Change around the World*. Nova York: Cambridge University Press, 2003.

INGLEHART, R.; NORRIS, P. *Sacred and Secular: Religion and Politics Worldwide*. Nova York: Cambridge University Press, 2004.

INGLEHART, R.; WELZEL, C. *Modernization, Cultural Change, and Democracy: The Human Development Sequence*. Nova York: Cambridge University Press, 2005.

IZUGBARA, C. O. "The socio-cultural context of adolescents' notions of sex and sexuality in rural South-Eastern Nigeria". *Sexualities*, 8: 600-617, 2005.

JACK, A. "Fat is a financial issue". *Financial Times*, 9 de setembro, 2010.

JACKSON, L. A. *Physical Appearance and Gender: Sociobiological and Sociocultural Perspectives*. Albany: State University of New York Press, 1992.

JACKSON, L. A.; HUNTER, J. E.; HODGE, C. N. "Physical attractiveness and intellectual competence: a meta-analytic review". *Social Psychology Quarterly*, 58(2): 108-22, 1995.

JACOBSEN, D. *Of Virgins and Martyrs: Women's Sexuality in Global Conflict*, Baltimore: Johns Hopkins University Press, 2012.

JACOBSEN, M. "Why do men buy sex?". *NIKK Magasin*. Artigo on-line, 2002.

JAMES, O. *Britain on the Couch*. Londres: Century, 1997.

JANKOWIAK, W. R. *Romantic Passion: A Universal Experience?*. Nova York: Columbia University Press, 1995.

JANKOWIAK, W. R. (org.). *Intimacies: Love and Sex Across Cultures*. Nova York: Columbia University Press, 2008.

JANUS, S. S.; JANUS, C. L. *The Janus Report on Sexual Behaviour*. Nova York: John Wiley & Sons, 1993.

JEFFREYS, E. "Debating the legal regulation of sex-related bribery and corruption in the People's Republic of China", pp. 159-78, 2006. In: JEFFREYS, E. (org.) *Sex and Sexuality in China*, Londres: Routledge, 2006.

JEFFREYS, E. (org.). *Sex and Sexuality in China*. Londres: Routledge, 2006.

JEFFREYS, S. *The Idea of Prostitution*. Melbourne: Spinifer Press, 1997.

JEFFREYS, S. *Beauty and Misogyny: Harmful Cultural Practices in the West*. Londres e Nova York: Routledge, 2005.

JOHNSON, A.; WELLINGS, K.; FIELD, J.; WADSWORTH, J. *Sexual Attitudes and Lifestyles*. Londres: Penguin Books, 1994.

JOHNSON, A. et al. "Sexual behaviour in Britain: partnerships, practices, and HIV risk behaviours". *Lancet*, 358: 1835-42, 2001.

JOHNSTON, W. *Geisha, Harlot, Strangler, Star: A Woman, Sex and Morality in Modern Japan*. Nova York: Columbia University Press, 2005.

JOLIVET, M. *Japan: The Childless Society?* Londres: Routledge, 1997.

JONES, S. "Where did my sex kitten go?". *Sunday Times Style Magazine*, 15 de março, 2009.

JONG, E. *Fear of Flying*. Nova York: Holt, Reinhart and Winston, 1973.

JUDGE, T. A.; HURST, C.; SIMON, L. S. Does it pay to be smart, attractive, or confident (or all three)? Relationships among general mental ability, physical attractiveness, core self-evaluations, and income". *Journal of Applied Psychology*, 94(3): 742-55, 2009.

JUKES, A. *Why Men Hate Women*. Londres: Free Association Books, 1993.

KAKABADSE, A.; KAKABADSE, N. K. *Intimacy: An International Survey of the Sex Lives of People at Work*. Basingstoke: Palgrave Macmillan, 2004.

KALICK, S. M.; ZEBROWITZ L. A.; LANGLOIS, J. H.; JOHNSON, R. M. "Does human facial attractiveness honestly advertise health? Longitudinal data on an evolutionary question". *Psychological Science*, 9: 8-13, 1998.

KANAZAWA, S. "Intelligence and physical attractiveness". *Intelligence*, 39: 7-14, 2011.

KANAZAWA, S.; KOVAR, J. L. "Why beautiful people are more intelligent". *Intelligence*, 32: 227-43, 2004.

KARCH, C. A.; DANN, G. H. S. "Close encounters of the Third World" *Human Relations*, 34: 249-68, 1981.

KAUPPINEN, K.; ANTTILA, E. "Onko painolla väliä: hoikat, lihavat ja normaalipainoiset naiset työelämän murroksessa?" [Peso importa? Como mulheres com diferentes IMC enfrentam as situações na vida profissional]. *Tyo ja Ihminen*, 2: 239-56, 2005.

KAVANAGH, D.; COWLEY, P. *The British General Election of 2010*. Basingstoke: Palgrave Macmillan, 2010.

KELLY, I. *Casanova*. Londres: Hodder & Stoughton, 2008.

KELLY, P. *Lydia's Open Door: Inside Mexico's Most Modern Brothel*. Berkeley: University of California Press, 2008.

KEMPER, T. D. (org.). *Research Agendas in the Sociology of Emotions*. Albany: State University of New York Press, 1990.

KENRICK, D. T.; GROTH, G. E.; TROST, M. R.; SADALLA, E. K. "Integrating evolutionary and social exchange perspectives on relationships: effects of gender, self-appraisal, and involvement level on mate selection criteria". *Journal of Personality and Social Psychology*, 64: 951-69, 1993.

KIHLSTROM, J. F.; CANTOR, N. "Social intelligence", pp. 359-79. In: STERNBERG, R. J. (org.). *Handbook of Intelligence*. Cambridge: Cambridge University Press, 2000.

KINSMAN, G. *The Regulation of Desire: Homo and Hetero Sexualities*. Montreal e Londres: Black Rose Books, 1996.

KIRKLAND, A. *Fat Rights: Dilemmas of Difference and Personhood*. Nova York: New York University Press, 2008.

KIRSHENBAUM, M. *When Good People Have Affairs: Inside the Hearts and Minds of People in Two Relationships*. Nova York: St Martin's Press, 2008.

KLUSMAN, D. "Sexual motivation and the duration of partnership". *Archives of Sexual Behaviour*, 31(3): 275-87, 2002.

KNIGHT, I. "Oh sister, have I misjudged beauty queens". *Sunday Times*, 26 de julho, 2009.

KNIGHT, I. "If you're half black, half white, you're totally delicious". *Sunday Times*, 18 de abril, 2010.

KOKTVEDGAARD, Z. M. *Polygamy: A Cross-Cultural Analysis*, Oxford e Nova York: Berg, 2008.

KON, I. S. *The Sexual Revolution in Russia: From the Age of the Csars to Today*. Nova York: Free Press, 1995.

KONTULA, O. *Between Sexual Desire and Reality: The Evolution of Sex in Finland*. Tradução: Maija Makinen. Helsinki: Population Research Institute, 2009.

KONTULA, O.; HAAVIO-MANNILA, E. *Sexual Pleasures: Enhancement of Sex Life in Finland, 1971-1992*. Aldershot: Dartmouth Press, 1995.

KRAMER, P. "The many faces of Holly Golightly: Truman Capote, *Breakfast at Tiffany's* and Hollywood". *Film Studies*, 5: 58-65, 2004.

KULICK, D. *Travesti: Sex, Gender and Culture among Brazilian Transgendered Prostitutes*. Chicago: University of Chicago Press, 1998.

KURZBAN, R.; WEEDEN, J. "HurryDate: mate preferences in action". *Evolution and Human Behaviour*, 26: 227-44, 2005.

LAFAYETTE DE MENTE, B. *Sex and the Japanese*. Tóquio: Tuttle Publishing, 2006.

LAMPARD, R. "Couples' places of meeting in late 20th century Britain". *European Sociological Review*, 23: 351-71, 2007.

LANGLEY, M. *Women's Infidelity: Living in Limbo and Breaking out of Limbo*. Disponível em: http://womensinfidelity.com. 2008.

LANGLOIS, J. H.; KALAKANIS, L.; RUBENSTEIN, A. J.; LARSON, A., HALLAM, M.; SMOOt, M. "Maxims or myths of beauty? A metaanalytic and theoretical review". *Psychological Bulletin*, 126(3):390-423, 2000.

LARSSON, S. *The Girl with the Dragon Tattoo, The Girl Who Played with Fire*, and *The Girl Who Kicked the Hornet's Nest*, 3 vols. Londres: MacLehose Press, 2009.

LAUMANN, E. O.; GAGNON, J. H.; MICHAEL, R. T.; MICHAELS, S. *The Social Organisation of Sexuality: Sexual Practices in the United States*. Chicago: University of Chicago Press, 1994.

LAUMANN, E. O.; Michael, R. T. (org.). *Sex, Love, and Health in America: Private Choices and Public Policies*. Chicago: University of Chicago Press, 2001.

LAUMANN, E. O.; PAIK, A.; GLASSER, D. B.; KANG, J. H.; WANG, T.; LEVIN-SON, B. et al. "A cross-national study of subjective sexual well-being among older women and men". *Archives of Sexual Behaviour*, 35: 145-61, 2006.

LAWSON, A. *Adultery: An Analysis of Love and Betrayal*. Oxford: Basil Blackwell, 1988.

LAYDER, D. *Intimacy and Power: The Dynamics of Personal Relationships in Modern Society*. Basingstoke: Palgrave Macmillan, 2009.

LEAKE, J. "Women are getting more beautiful". *Sunday Times*, 26 de julho, 2009.

LEAKE, J. "Face it, ladies — beauty is all about skin tone". *Sunday Times*, 15 de novembro, 2009.

LEDDICK, D. *The Male Nude*. Colônia: Taschen, 2005.

LEIBLUM, S. R.; KOOCHAKI, P. E.; RODENBERG, C. A.; BARTON, I. P.; ROSEN, R. C. "Hypoactive sexual desire disorder in postmenopausal women: US results from the Women's International Study of Health and Sexuality". *Menopause*, 13: 36-46, 2006.

LENTON, A. P.; FASOLO, B.; TODD, P. M. "Shopping for a mate: expected versus experienced preferences in on-line mate choice". *IEEE Transactions on Professicnal Communication*, 51: 169-82, 2008.

LERNER, G. *The Creation of Patriarchy*. Oxford: Oxford University Press, 1986.

LEVER, J.; DOLNICK, D. "Clients and call girls: seeking sex and intimacy". In WEITZER, R. (org.). *Sex for Sale*. Nova York: Routledge, 2000.

LEVITT, S. D.; DUBNER, S. J. *Freakonomics*. Londres: Allen Lane, 2006.

LEVITT, S. D.; DUBNER, S. J. *Super Freakonomics*. Londres: Allen Lane, 2009.

LEWIN, B. (org.). *Sex in Sweden 1996*. Estocolmo: National Institute of Public Health, 2000.

LEWIS, M. B. "Why are mixed-race people perceived as more attractive?". *Perception*, 39: 136-9, 2010.

LEWIS, M.; HAVILAND-JONES, J. M.; BARRETT, L. F. *Handbook of Emotions*, 3ª ed. Nova York: Guilford Press, 2008.

LEWIS, P. "Feeling bloated? Men now a stone heavier than in 1986". *Guardian*, 27 de dezembro, 2010.

LIM, L. L. (org.). *The Sex Sector: The Economic and Social Bases of Prostitution in Southeast Asia*. Genebra: International Labour Office, 1998.

LINDAU, S. T.; GAVRILOVA, N. "Sex, health, and years of sexually active life gained due to good health: evidence from two US population-based cross-sectional surveys of ageing". *British Medical Journal*, 340(92):c810, DOI: 10.1136/bmj:c810, 2010.

LINDAU, S. T.; SCHUMM, L. P.; LAUMANN, E. O.; LEVINSON, W.; O'MUIRCHEARTAIGH, C.; WAITE, L. J. "A study of sexuality and health among older adults in the United States". *The New England Journal of Medicine*, 357: 762-74, 2007.

LINSTEAD, S.; HOPFL, H. (org.). *Aesthetics of Organisation*. Londres: Sage, 1999.

LIPMAN-BLUMEN, J. *Gender Roles and Power*. Englewood Cliff s: Prentice-Hall, 1984.

LIU DALIN; NG MAN LUN; ZHOU LI PING; HAEBERLE, E. J. *Sexual Behaviour in Modern China: Report on the Nationwide Survey of 20,000 Men and Women*. Nova York: Continuum, 1997.

LIU-FARRER, G. "The absent spouses: gender, sex, race and extramarital sexuality among Chinese migrants in Japan". *Sexualities*, 13: 97-121, 2010.

LOEHLIN, J. C. "Group differences in intelligence", pp. 176-93. In: STERNBERG R. J. (org.), *Handbook of Intelligence*. Cambridge: Cambridge University Press, 2000.

LOH, Eng Seng "The economic effects of physical appearance". *Social Science Quarterly*, 74: 420-38, 1993.

LOUIS, R.; COPELAND, D. *How to Succeed with Women*. Englewood Cliffs: Prentice-Hall, 1998.

LOUIS, R.; COPELAND, D. *How to Succeed with Men*. Englewood Cliffs: Prentice-Hall, 2000.

LOYAL, S.; QUILLEY, S. *The Sociology of Norbert Elias*. Cambridge: Cambridge University Press, 2004.

LUBINSKI, D.; BENBOW, C. P. "Study of mathematically precocious youth after 35 years". *Perspectives on Psychological Sciences*, 1: 316-45, 2006.

LUCE, E. "Spate of rapes puts spotlight on attitudes to women in India". *Financial Times*, 21 de outubro, 2003.

MACK, D.; Rainey, D. "Female applicants' grooming and personnel selection". *Journal of Social Behaviour & Personality*, 5: 399-407, 1990.

MACKINNON, C. A. "Sex and violence". In: *Feminism Unmodified*. Cambridge: Harvard University Press, 1987.

MACKINNON, C. A. *Feminism Unmodified: Discourses on Life and Law*. Cambridge: Harvard University Press, 1987.

MACKINNON, C. A, *Women's Lives, Men's Laws*. Cambridge: Belknap Press, 2005.

MACKINNON, K. *Uneasy Pleasures: The Male as Erotic Object*. Londres: Cygnus Arts, 1998.

MALO DE MOLINA, C. A. *Los Españoles y la Sexualidad*. Madri: Temas de Hoy, 1992.

MAN, Eva Kit Wah. "Female body aesthetics, politics, and feminine ideals of beauty in China". In: BRAND P. Z. (org.). *Beauty Matters*, pp. 169-96. Bloomington: Indiana University Press, 2000.

MANSSON, S. A. "Men's practices in prostitution and their implications for social work". Disponível em: www.aretusa.net. 2010.

MARLOWE, H. A. "Social intelligence: evidence for multidimensionality and construct independence". *Journal of Educational Psychology*, 78: 52-8, 1986.

MARSHALL, G. *In Search of the Spirit of Capitalism*. Londres: Hutchinson, 1982.

MARSHALL, G. *A Dictionary of Sociology*. Oxford: Oxford University Press, 1998.

MARTIN, J. L.; GEORGE, M. "Theories of sexual stratification: toward an analytics of the sexual field and a theory of sexual capital". *Sociological Theory*, 24: 107-32, 2006.

MARTINOVICH, V. *Paranoia*. São Petersburgo: Astrel SPB, 2010.

MASSON, G. *Courtesans of the Italian Renaissance*. Londres: Secker & Warburg, 1975.

MASUDA, S. *Autobiography of a Geisha*. Tradução: G. G. Rowley. Nova York: Columbia University Press, 2003.

MAYER, J. D.; SALOVEY, P.; CARUSO, D. "Models of emotional intelligence", pp. 396-420. In: STERNBERG, R. J. (org.). *Handbook of Intelligence*. Cambridge: Cambridge University Press, 2000.

MAYKOVICH, M. K. "Attitudes versus behaviour in extramarital sexual relations". *Journal of Marriage and the Family*, 38: 693-9, 1976.

MCBRIDE, D. A. *Why I Hate Abercrombie & Fitch: Essays on Race and Sexuality*. Nova York: New York University Press, 2005.

MCCONNACHIE, J. *The Rough Guide to Sex*. Londres: Penguin, 2010.

MCGUINESS, R. "Mum's the word, boys". *Metro*, 6 de outubro, 2010.

MCLEOD, E. *Women Working: Prostitution Now*. Londres: Croom Helm, 1982.

MCNULTY, J. K.; NEFF , L. A.; KARNEY, B. R. "Beyond initial attraction: physical attractiveness in newlywed marriage". *Journal of Family Psychology*, 22: 135-43, 2008.

MEANA, M. "Elucidating women's (hetero)sexual desire: definitional challenges and content expansion". *Journal of Sex Research*, 47: 104-22, 2010.

MENNELL, S. *Norbert Elias: Civilisation and the Human Self-Image*. Oxford: Blackwell, 1989.

MENNELL, S.; GOUDSBLOM, J. (org.). *Norbert Elias: On Civilization, Power, and Knowledge*, Chicago e Londres: University of Chicago Press, 1998.

MERCURIO, J. *American Adulterer*. Londres: Jonathan Cape, 2008.

MERRYMAN, R. "Last talk with a lonely girl: Marilyn Monroe". *Life Magazine*, 17 de agosto, 1962.

MESTON, C. M.; BUSS, D. M. "Why humans have sex". *Archives of Sexual Behaviour*, 36: 477-507, 2007.

MESTON, C. M.; Buss, D. M. *Why Women Have Sex: Understanding Sexual Motivations, from Adventure to Revenge (and Everything in Between)*. Nova York: Times Books, 2009.

MICHAELS, S.; GIAMI, A. "Review: sexual acts and sexual relationships: asking about sex in surveys". *Public Opinion Quarterly*, 63(3): 401-20, 1999.

MILLER, A. S.; KANAZAWA, S. *Why Beautiful People Have More Daughters: From Dating, Shopping and Praying to Going to War and Becoming a Billionaire — Two Evolutionary Psychologists Explain Why We Do What We Do*. Londres: Penguin/Perigree, 2007.

MILLER, E. *Street Women*. Filadélfia: Temple University Press, 1986.

MILLET, C. *The Sexual Life of Catherine M* (*La Vie Sexuelle de Catherine M*). Tradução: A. Hunter. Londres: Serpent's Tail, 2001/2002.

MOBIUS, M. M.; ROSENBLAT, T. S. "Why beauty matters". *American Economic Review*, 96: 222-35, 2006.

MONTO, M. A. "Why men seek out prostitutes". In: WEITZER, R. (org.). *Sex for Sale*, Nova York: Routledge, 2000.

MORRIS, B. "Trophy husbands arm candy? Are you kidding? While their fast-track wives go to work, stay-at-home husbands mind the kids. They deserve a trophy for trading places". *Fortune Magazine*, 14 de outubro, 2002. Disponível em: money.cnn.com/magazines/fortune

MOSCOWITZ, M. L. "Multiple virginity and other contested realities in Taipei's foreign club culture". *Sexualities*, 11: 327-51, 2008.

MOSSUZ-LAVAU, J. *La Vie Sexuelle en France*. Paris: Editions La Martinière, 2002.

MOUZELIS, N. "Restructuring structuration theory". *Sociological Review*, 37: 613-36, 1989.

MOUZELIS, N. *Sociological Theory: What Went Wrong? Diagnosis and Remedies*. Londres: Routledge, 1995.

MULFORD, M.; ORBELL, J.; STOCKARD, J. "Physical attractiveness, opportunity, and success in everyday exchange". *American Journal of Sociology*, 103: 1565-92, 1998.

MULHALL, J.; HERBENICK, D. et al. "The National Survey of Sexual Health and Behaviour". *Journal of Sexual Medicine*, special issue, 5: 788-95, 2008.

MULLAN, B. *The Mating Trade*. Londres: Routledge, 1984.

MULLER, C. *365 Days: A Memoir of Intimacy*. Londres: John Blake, 2009.

MULVEY, L. "The image and desire". In: Lisa Appignanesi (org.). *Desire*, Londres: ICA, 1984.

MULVEY, L. *Visual and Other Pleasures*. Londres: Macmillan, 1989.

MURDOCH, G. P. *Social Structure*. Nova York: Columbia University Press, 1949.

MURRAY, A. *No Money, No Honey: A Study of Street Traders and Prostitutes in Jakarta*. Oxford: Oxford University Press, 1991.

MYERS, O. "My first time cruising". *Time Out*, 29 de abril, 2010.

NABOKOV, V. *Lolita*. Paris: Olympia, 1955.

NELSON, N. "Selling her kiosk: Kikuyu notions of sexuality and sex for sale in Mathare Valley, Kenya". In: P. Caplan (org.). *The Cultural Construction of Sexuality*, pp. 217-39. Londres: Routledge, 1987.

NENCEL, L. "Que viva la minifalda! Secretaries, miniskirts and daily practices of sexuality in the public sector in Lima". *Gender, Work and Organisation*, 17: 69-90, 2010.

NEUBECK, G. (org.). *Extramarital Relations*. Englewood Cliffs: Prentice-Hall, 1969.

NICKSON, D.; WARHURST, C.; CULLEN, A. M.; WATT, A. "Bringing in the excluded? Aesthetic labour, skills and training in the "new" economy". *Journal of Education and Work*, 16: 185-203, 2003.

NICKSON, D.; Warhurst, C.; DUTTON, E. "The importance of attitude and appearance in the service encounter in retail and hospitality". *Managing Service Quality*, 15: 195-208, 2005.

NICKSON, D.; WARHURST, C.; WATT, A. "Learning to present yourself: 'aesthetic labour' and the Glasgow example". *The Hospitality Review*, no. 38, abril. 2000, 2: 38-42.

NIN, A. *The Diary of Anais Nin* (organizado por G. Stuhlman). Nova York: Harcourt Brace, 1980.

NISBETT, R. E. *The Geography of Thought: How Asians and Westerners Think Differently... and Why*. Nova York: Free Press, 2003.

NYE, R. A. "Sex and sexuality in France since 1800". In: EDER, F. X.; Hall L. A.; HEKMA G. (org.). *Sexual Cultures in Europe*, pp. 91-113. Manchester: Manchester University Press, 1999.

OLIVER, M. B.; HYDE, J. S. "Gender differences in sexuality: a meta-analysis". *Psychological Bulletin*, 114: 29-51, 1993.

ORBACH, S. *Fat is a Feminist Issue*, Londres: Arrow, 1978/1988.

PADAVIC, I.; RESKIN, B. *Women and Men at Work*. Thousand Oaks: Pine Forge Press, 2002.

PAGLIA, C. *Sex, Art, and American Culture*. Nova York: Vintage, 1992.

PAPANEK, H. "Men, women, and work: reflections on the two-person career". *American Journal of Sociology*, 78: 852-72, 1973.

PARKER, R. G. *Bodies, Pleasures, and Passions: Sexual Culture in Contemporary Brazil*. Boston: Beacon Press, 1991.

PATEMAN, C. *The Sexual Contract*. Cambridge: Polity Press, 1988.

PAUL, E. L.; MCMANUS, B.; HAYES, A. "Hookups: characteristics and correlates of college students' spontaneous and anonymous sexual experiences". *Journal of Sex Research*, 37: 76-88, 2000.

PEPLAU, L. A. "Human sexuality: how do men and women differ?". *Current Directions in Psychological Science*, 12: 37-40, 2003.

PEREL, E. *Mating in Captivity: Reconciling the Erotic and the Domestic*. Londres: Hodder & Stoughton, 2007.

PHILLIPS, A. *Body Property: Bodies as Possessions and Objects*. Princeton: Princeton University Press, 2012.

PINKER, Steven. *The Blank Slate: The Modern Denial of Human Nature*. Londres: Allen Lane, 2002.

PINKER, Susan *The Sexual Paradox*. Random House Canada, 2008.

PISCITELLI, A. "Shifting boundaries: sex and money in the North-East of Brazil". *Sexualities*, 10: 489-500, 2007.

PLANTENGA, J.; REMERY, C.; FIGUEIREDO, H.; SMITH, M. "Towards a European Union Gender Equality Index". *Journal of European Social Policy*, 19: 19-33, 2009.

POPPER, M. *Leaders Who Transform Society: What Drives Them and Why We Are Attracted*. Westport: Praeger, 2005.

POSNER, R. A. *Sex and Reason*. Cambridge: Harvard University Press, 1992.

POTTERAT, J. J.; WOODHOUSE, D. E.; MUTH, J. B.; MUTH, S. Q. "Estimating the prevalence and career longevity of prostitute women". *Journal of Sex Research*, 27: 233-43, 1990.

PRAVER, F. C. *Daring Wives: Insights into Women's Desires for Extramarital Affairs*. Westport, CT e Londres: Praeger, 2006.

PRICE-GLYNN, K. *Strip Club: Gender, Power, and Sex Work*. Nova York: New York University Press, 2010.

PUTNAM, R. D. "Bowling alone: America's declining social capital". *Democracy*, 6: 65-78, 1995.

PUTNAM, R. D. *Bowling Alone: The Collapse and Revival of American Community*. Nova York: Simon & Schuster, 2000.

RABOCH, J.; Raboch, J. "Changes in the premarital and marital sexual life of Czechoslovak women born between 1911 and 1970". *Journal of Sex and Marital Therapy*, 15: 207-14, 1989.

RAZ, A. E. *Emotions at Work: Normative Control, Organisations, and Culture in Japan and America*. Cambridge: Harvard University Asia Centre, 2002.

RAZA, S. M.; CARPENTER, B. N. "A model of hiring decisions in real employment interviews". *Journal of Applied Psychology*, 72: 596-603, 1987.

RÉAGE, P. *Histoire d'O*. Paris: Jean-Jacques Pauvert, 1975.

REDDY, G. *With Respect to Sex: Negotiating Hijra Identity in South India*. Chicago: University of Chicago Press, 2005.

REICHERT, T. *The Erotic History of Advertising*. Amherst: Prometheus Books, 2003.

REICHERT, T.; LAMBIASE, J. (org.). *Sex in Advertising*. Amherst: Prometheus Books, 2003.

REINHARD, M.-A.; MESSNER, M.; SPORER, S. L. "Explicit persuasive intent and its impact on success at persuasion — the determining roles of attractiveness and likeableness". *Journal of Consumer Psychology*, 16(3): 249-59, 2006.

RHODE, D. L. *The Beauty Bias: The Injustice of Appearance in Life and Law*. Nova York: Oxford University Press, 2010.

RHODES, G.; ZEBROWITZ, L. A. (org.). *Facial Attractiveness: Evolutionary, Cognitive and Social Perspectives*. Westport: Ablex, 2002.

RICH, G. J.; Guidroz, K. "Smart girls who like sex: telephone sex workers". In: Weitzer, R (org.). *Sex for Sale*. Nova York: Routledge, 2000.

RICHTERS, J.; RISSEL, C. *Doing It Down Under: The Sexual Lives of Australians*. Sydney: Allen & Unwin, 2005.

ROEHLING, M. V. "Weight-based discrimination in employment: psychological and legal aspects". *Personnel Psychology*, 52:969-1016, 1999.

ROMM-LIVERMORE, C.; SETZEKOM, K. (org.). *Social Networking Communities and E-Dating Services: Concepts and Implications*. Hershey: Information Science Reference, 2009.

ROSEWARNE, L. *Sex in Public*. Newcastle: Cambridge Scholars, 2007.

ROTHBLUM, E.; SOLVAY, S. *The Fat Studies Reader*. Nova York: New York University Press, 2009.

ROUNDING, V. *Grandes Horizontales: The Lives and Legends of Four Nineteenth Century Courtesans*. Londres: Bloomsbury, 2003.

ROUSE, L. *Marital and Sexual Lifestyles in the United States: Attitudes, Behaviours, and Relationships in Social Context*. Nova York: Haworth Clinical Practice Press, 2002.

SAEED, F. *Taboo! The Hidden Culture of a Red Light Area*. Oxford: Oxford University Press, 2001.

SARLIO-LÄHTEENKORVA, S.; SILVENNOINEN, K.; LAHELMA, E. "Relative weight and income at different levels of socioeconomic status". *American Journal of Public Health*, 94(3): 468-72, 2004.

SAXENA, S.; CARLSON D.; BILLINGTON, R.; ORLEY, J. "The WHO quality of life assessment instrument (WHOQOL-Bref): the importance of its items for cross-cultural research". *Quality of Life Research*, 10: 711-21, 2001.

SCANZONI, J. H. *Sexual Bargaining*. Englewood Cliffs: Prentice-Hall, 1972.

SCHICK, A.; STECKEL R. H. *Height as a Proxy for Cognitive and Non-Cognitive Ability*. National Bureau of Economic Research Working Paper n° 16570, dez. 2010.

SCHNARCH, D. *Passionate Marriage: Keeping Love and Intimacy Alive in Committed Relationships*. Nova York: W W Norton, 1997.

SHAY, A.; SE' LERS-YOUNG, B. *Belly Dance: Orientalism, Transnationalism and Harem Fantasy*. Costa Mesa: Mazda Publishers, 2005.

SHEPHERD, G. "Rank, gender and homosexuality: Mombasa as a key to understanding sexual options". In: CAPLAN, E. (org.). *The Cultural Construction of Sexuality*, pp. 240-70. Londres: Tavistock, 1987.

SHERMAN, A. J.; TOCANTINS, N. *The Happy Hook-Up: A Single Girl's Guide to Casual Sex*. Berkeley: Ten Speed Press, 2004.

SHRAGE, L. *Moral Dilemmas of Feminism: Prostitution, Adultery and Abortion.* Nova York: Routledge, 1994.

SICHTERMANN, B. *Femininity: The Politics of the Personal.* Cambridge: Polity Press, 1986.

SILVERSTEIN, M. J.; SAYRE, K. *Women Want More: How to Capture Your Share of the World's Largest, Fastest-Growing Market.* Nova York: HarperCollins for The Boston Consulting Group, 2009.

SIMON, P.; GONDONNEAU, J.; MIRONER, L.; DOURLEN-ROLLIER, A. M. *Rapport sur le Comportement Sexuel des Français.* Paris: Julliard, 1972.

SIMON, R. W.; NATH, L. E. "Gender and emotion in the United States: do men and women differ in self-reports of feelings and expressive behaviour?". *American Journal of Sociology*, 109: 1137-76, 2004.

SINGH, D. "Adaptive significance of female physical attractiveness: role of waist-to-hip ratio". *Journal of Personality and Social Psychology*, 65: 292-307, 1993.

SKEVINGTON, S. M.; O'CONNELL, K. A.; the WHOQOL Group. "Can we identify the poorest quality of life?". *Quality of Life Research*, 13: 23-34, 2004.

SMITH, C. *One for the Girls! The Pleasures and Practices of Reading Women's Porn.* Bristol e Chicago: Intellect Press, 2007.

SMITH, D. *Norbert Elias and Modern Social Theory.* Londres: Sage, 2000.

SMITH, D. J. "Intimacy, infidelity, and masculinity in Southeastern Nigeria". In: JANKOWIAK, W. R. (org.). *Intimacies*, pp. 224-44. Nova York: Columbia University Press, 2008.

SMITH, N. "Inside the baby farm". *Sunday Times*, 9 de maio, 2010.

SOAMES, G. "Which button says I get promoted?". *Sunday Times*, 19 de dezembro, 2010.

SOBLE, A. *Pornography, Sex and Feminism.* Nova York: Prometheus, 2002.

SOLLIS, A. "Multilingual schools can still achieve impressive results". *Guardian*, 22 de setembro, 2010.

SPICER, K. Feminism? That's rich!". *Sunday Times*, 9 de janeiro, 2011.

SPIRA, A.; BAJOS, N. *Les Comportements Sexuels en France.* Paris: La Documentation Française, 1993.

SPRECHER, S.; MCKINNEY, K. *Sexuality.* Newbury Park: Sage, 1993.

STAHELI, L. *Affair-Proof Your Marriage: Understanding, Preventing and Surviving an Affair.* Nova York: HarperCollins, 2007.

STANLEY, L. *Sex Surveyed 1949-1994.* Londres: Taylor & Francis, 1995.

STEPHENSON-CONNOLLY, P. "Sexual healing"; *Guardian*, 27 de novembro, 2009.

STEVENS, G.; OWENS, D.; SCHAEFER, E. C. "Education and attractiveness in marriage choices". *Social Psychology Quarterly*, 53: 6-70, 1990.

STONEHOUSE, J. *Idols to Incubators: Reproduction Theory Through the Ages.* Londres: Scarlet Press, 1994.

STRAND, S.; DEARY, I. J.; SMITH, P. "Sex differences in cognitive abilities test scores: a UK national picture". *British Journal of Educational Psychology*, 76: 463-80, 2006.

STURDEVANT, S. P.; STOLTZFUS, B. *Let the Good Times Roll: Prostitution and the US Military in Asia*. Nova York: New Press, 1992.

SUMMERTON, C. *The Profession of Pleasure*. Londres: Robert Hale, 2008.

SWAMI, V.; FURNHAM, A. (org.). *The Body Beautiful: Evolutionary and Sociocultural Perspectives*. Nova York: Palgrave Macmillan, 2007.

SWIM, J. K. "Perceived versus meta-analytic effect sizes: an assessment of the accuracy of gender stereotypes". *Journal of Personality and Social Psychology*, 66: 21-36, 1994.

SYMONDS, S. J. *Having an Affair? A Handbook for the Other Woman*. Nova York: Red Brick Press, 2007.

SZRETER, S.; FISHER, K. *Sex Before the Sexual Revolution: Intimate Life in England 1918-1963*. Cambridge University Press, 2011.

TAYLOR, A. *Prostitution: What's Love Got to Do with It?*. Londres: Optima, 1991.

TAYLOR, P. A.; GLENN, N. D. "The utility of education and attractiveness for females' status attainment through marriage". *American Sociological Review*, 41: 484-97, 1976.

THELOT, C. *Tel Père, Tel Fils? Position Sociale et Origine Familiale*. Paris: Dunot, 1982.

THOMAS, S. *Millions of Women Are Waiting to Meet You*. Londres: Bloomsbury, 2006.

THOMPSON, A. P. "Extramarital sex: a review of the research literature". *Journal of Sex Research*, 19: 1-22, 1983.

THOMPSON, J. K.; Cafri G. (org.). *The Muscular Ideal*. Washington, DC: American Psychological Association, 2007.

THORBEK, S.; PATTANAIK, B. (org.). *Transnational Prostitution: Changing Global Patterns*. Londres: Zed Books, 2002.

TITMUSS, R. M. *The Gift Relationship: From Human Blood to Social Policy*. Londres: Allen Lane, 1970.

TODD, P. M.; PENKE, L.; FASOLO, B.; LENTON A. P. "Different cognitive processes underlie human mate choices and mate preferences". *Proceedings of the National Academy of Sciences*, 104, n° 38: 15011-16, 2007.

TOWNSEND, J. M. "Mate selection criteria: a pilot study". *Ethology and Sociobiology*, 10: 241-53, 1987.

TOWNSEND, J. M.; LEVY, G. D. "Effects of potential partners' physical attractiveness and socioeconomic status on sexuality and partner selection". *Archives of Sexual Behaviour*, 19: 149-64, 1990.

TOWNSEND, J. M.; WASSERMAN, T. "The perception of sexual attractiveness: sex differences in variability". *Archives of Sexual Behaviour*, 26: 243-68, 1997.

TRUSS, L. *Talk to the Hand*. Londres: Profile, 2005.

TSEELON, E. *The Masque of Femininity: The Presentation of Women in Everyday Life*. Londres: Sage, 1995.

TURNER, J. "Sex and the study: meet the campus concubines". *Sunday Times*, 19 de dezembro, 2010.

TWENGE, J. M. *Generation Me: Why Today's Young Americans Are More Confident, Assertive, Entitled — and More Miserable Than Ever Before*. Nova York: Free Press, 2006.

TWENGE, J. M. et al. "Egos inflating over time: a cross-temporal meta-analysis of the narcissistic personality". *Journal of Personality*, 76(4): 875-902, 2008.

UDRY, J. R. *The Social Context of Marriage*. Filadélfia: J. B. Lippincott, 1966.

UDRY, J. R. "The importance of being beautiful: a re-examination and racial comparison". *American Journal of Sociology*, 83: 154-60, 1977.

UDRY, J. R. "Benefits of being attractive: differential payoffs for men and women". *Psychological Reports*, 54: 47-56, 1984.

UNDERWOOD, E. *The Life of a Geisha*. Nova York: Smithmark, 1999.

VACCARO, C. M. (org.). *Comportamenti Sessuali degli Italiani: Falsi Miti e Nuove Normalità*. Milão: FrancoAngeli for Fondazione Pfizer, 2003.

VAILLIANT M. *Les Hommes, l'Amour, la Fidélité*. Paris: Albin Michel, 2009.

WAJCMAN, J. "Desperately seeking differences: is management style gendered?". *British Journal of Industrial Relations*, 34: 333-49, 1996.

WAJCMAN, J. *Managing Like a Man*. Filadélfia: Pennsylvania University Press, 1998.

WALBY, S. *Theorising Patriarchy*. Oxford: Blackwell, 1990.

WALKOWITZ, J. R. "The politics of prostitution". *Signs*, 6: 123-35, 1980.

WALKOWITZ, J. R. *Prostitution and Victorian Society: Women, Class and the State*. Cambridge: Cambridge University Press, 1982.

WALLER, W. *The Family*. Nova York: Dryden, 1938.

WALTER, N. *Living Dolls: The Return of Sexism*. Londres: Virago, 2010.

WARHURST, C.; NICKSON, D. *Looking Good, Sounding Right: Style Counselling in the New Economy*. Londres: The Industrial Society, 2001.

WARHURST, C.; NICKSON, D. "Employee experience of aesthetic labour in retail and hospitality". *Work, Employment and Society*, 21: 103-20, 2007a.

WARHURST, C.; NICKSON, D. "A new labour aristocracy? Aesthetic labour and routine interactive service". *Work, Employment and Society*, 21: 785-98, 2007b.

WARHURST, C.; NICKSON, D. "Who's got the look? Emotional, aesthetic and sexualized labour in interactive services". *Gender, Work, and Organization*, 16: 385-404, 2009.

WEBSTER, M.; DRISKELL, J. E. "Beauty as status". *American Journal of Sociology*, 89: 140-65, 1983.

WEINER-DAVIS, M. *The Sex-Starved Marriage*. Londres: Simon & Schuster, 2003.

WEINER-DAVIS, M. *The Sex-Starved Wife*. Londres: Simon & Schuster, 2008.

WEIS, D. L. "Conclusions: the state of sexual theory". *Journal of Sex Research*, 35: 100-114, 1998.

WEITZER, R. *Sex for Sale: Prostitution, Pornography and the Sex Industry*. Nova York e Londres: Routledge, 2000.

WEITZER, R. "Legalising prostitution". *British Journal of Criminology*, 49: 88-105, 2009.

WELLINGS, K.; FIELD, J.; JOHNSON, A.; WADSWORTH, J. *Sexual Behaviour in Britain: A National Survey of Sexual Attitudes and Lifestyles*. Londres: Penguin Books, 1994.

WEST, R. *Marriage, Sexuality, and Gender*. Boulder: Paradigm Publishers, 2007.

WHELEHAN. *Modern Feminist Thought: From the Second Wave to 'Post-Feminism'*. Edimburgo: Edinburgh University Press, 1995.

WHITE, L. *The Comforts of Home: Prostitution in Colonial Nairobi*. Chicago: University of Chicago Press, 1990.

WHITTY, M.; CARR, A. N. *Cyberspace Romance: The Psychology of Online Relationships*. Basingstoke: Palgrave Macmillan, 2006.

WHITTY, M. T.; BAKER, A. J.; INMAN, J. A. *Online Matchmaking*. Basingstoke: Palgrave Macmillan, 2007.

WHOQOL Group. "The World Health Organisation Quality of Life assessment (WHOQOL): position paper from the World Health Organisation". *Social Science and Medicine*, 41: 1403-9, 1995.

WHYTE, M. K. *Dating, Mating and Marriage*. Nova York: Aldine de Gruyter, 1990.

WIDMER, E. R.; TREAS, J.; NEWCOMB, R. "Attitudes to non-marital sex in 24 countries". *Journal of Sex Research*, 35: pp. 349-58, 1998.

WIEDERMAN, M. W. "The truth must be in here somewhere: examining the gender discrepancy in self-reported lifetime number of sex partners". *Journal of Sex Research*, 34: 375-86, 1997.

WIEDERMAN, M. W. "Extramarital sex: prevalence and correlates in a national survey". *Journal of Sex Research*, 34: 167-74, 1997.

WIEDERMAN M. W.; ALLGEIER, E. R. "Expectations and attributions regarding extramarital sex among young married individuals". *Journal of Psychology and Human Sexuality*, 8(3): 21-3, 1996.

WILKINSON, R.; PICKETT, K. *The Spirit Level*. Londres: Allen Lane, 2009.

WILLIAMS, L. *Hard Core: Power, Pleasure and the Frenzy of the Visible*. Berkeley: University of California Press, 1999.

WILLSHER, K. "L'Oréal heiress gave friend 1 billion euros because he asked for it". *Guardian*, 2 de outubro, 2010.

WISEMAN, R. "The luck factor". *Skeptical Inquirer*, 27(3): 1-5, 2003.

WISEMAN, R. *The Luck Factor*. Londres: Arrow, 2004.

WITTIG, M. *The Straight Mind and Other Essays*. Boston: Beacon Press, 1992.

WITZ, A.; WARHURST, C.; NICKSON, D. "The labour of aesthetics and the aesthetics of organization". *Organisation*, 10: 33-54, 2003.

WOLF, N. *The Beauty Myth*. Londres: Chatto & Windus, 1990.

WOLFE, L. *Playing Around: Women and Extramarital Sex*. Nova York: William Morrow, 1975.

WOODS, W. W.; BINSON, D. (org.). *Gay Bathhouses and Public Health Policy*. Nova York: Harrington Park Press, 2003.

WOUTERS, C. "The sociology of emotions and flight attendants: Hochschild's Managed Heart". *Theory, Culture and Society*, 6: 95-450, 1989.

WOUTERS, C. *Sex and Manners*. Londres: Sage, 2004.

WOUTERS, C. *Informalization: Manners and Emotions since 1890*. Londres: Sage, 2007.

WYMAN, B. *Stone Alone*. Londres: Viking, 1990.

ZEBROWITZ, L. A. *Social Perception*. Milton Keynes: Open University, 1990.

ZEBROWITZ, L. A. *Reading Faces: Window to the Soul?*. Boulder: Westview Press, 1997.

ZEBROWITZ, L. A.; COLLINS, M. A.; DUTTA, R. "The relationship between appearance and personality across the life span", *Personality and Social Psychology Bulletin*, 24: 736-49, 1998.

ZEBROWITZ, L. A.; COLLINS, M. A.; DUTTA, R. "The relationship between appearance and personality across the life span". *Personality and Social Psychology Bulletin*, 24: 736-49, 1998.

ZEBROWITZ, L. A.; HALL, J. A.; MURPHY, N. A.; RHODES, G. "Looking smart and looking good: facial clues to intelligence and their origins". *Personality and Social Psychology Bulletin*, 28: 238-49, 2002.

ZEBROWITZ, L. A.; KIKUCHI, M.; FELOUS, J. M. "Facial resemblance to emotions: group differences, impression effect and race stereotypes". *Journal of Personality and Social Psychology*, 98, 175-89, 2010.

ZEBROWITZ, L. A.; MONTPARE, J. M.; Lee, H. K. "They don't all look alike: differentiating same versus other race individuals". *Personality and Social Psychology Bulletin*, 65: 85-101, 1993.

ZEBROWITZ, L. A.; OLSON, K.; HOFFMAN, K. "Stability of babyfaceness and attractiveness across the life span". *Journal of Personality and Social Psychology*, 64(3): 453-66, 1993.

ZELIZER, V. A. *Pricing the Priceless Child: The Changing Social Value of Children.* Nova York: Basic Books, 1985.

ZELIZER, V. A. "The social meaning of money: special monies". *American Journal of Sociology*, 95: 342-77, 1989.

ZELIZER, V. A. *The Purchase of Intimacy.* Princeton: Princeton University Press, 2005.

ZETTERBERG, H. L "The secret ranking". *Journal of Marriage and the Family.* Reprinted 1997. In: R. Swedberg; E. Uddhammar (org.). *Hans L. Zetterberg, Sociological Endeavour, Selected Writings.* Estocolmo: City University RATIO Classic, 1966. Reimpresso em 2002 em K. Plummer (org.), *Sexualities: Critical Concepts in Sociology*, Londres: Routledge, vol. 2, pp. 242-57.

ZETTERBERG, H. L. *Sexual Life in Sweden.* Tradução com nova introdução: Graham Fennell. New Brunswick: Transaction Publishers, 1969/2002.

Agradecimentos e fontes de tabelas e figuras

Estou em dívida com Osmo Kontula e Elina Haavio-Mannila por permitirem a reedição das Figuras 1 à 3 de seu livro *Sexual Pleasures*, Dartmouth Press, 1995.

Com a permissão da University of Chicago Press, as Figuras 4 e 5 são reeditadas de Laumann; Gagnon; Michael; Michaels, *The Social Organisation of Sexuality*, University of Chicago Press, 1994. As figuras 4 and 5 têm copyright © Edward O. Laumann e Robert T. Michael, 1994.

Estou em dívida com a maravilhosa biblioteca da London School of Economics por manter uma coleção de primeira linha e pelo apoio positivo e habilidoso dos bibliotecários.

Agradeço a minha editora, Helen Conford, e a Jenny Fry, Sarah Hunt-Cooke, Kate Burton, Alex Elam, Richard Duguid e muitos outros da Penguin de Londres por fazer este livro acontecer, e com tanta rapidez. Um grande agradecimento a todos eles.

Fontes de tabelas e figuras

Tabela 1 Distribuição da aparência nos Estados Unidos e no Canadá, década de 1970
Fonte: Tabela 2 em D. Hamermesh e J. Biddle, "Beauty and the labor Market", *American Economic Review*, 1994, 84: 1174-94.

Tabela 2 Distribuição da aparência na Grã-Bretanha, década de 1960
Fonte: Tabela 3 em B. Harper, "Beauty, stature and the labour market", *Oxford Bulletin*, 2000, 62: 771-800. As porcentagens foram arredondadas.

Tabela 3 Casos na França
Fonte: Extraída de Bozon In: BAJOS e outros (1998), Tabela 10, p. 209.

Tabela 4 O impacto da atratividade física e social nos rendimentos na Grã-Bretanha, 1991
Fonte: Calculada das tabelas 1, 2 e 4 em HARPER (2000). O impacto geral nos ganhos dessa tabela não leva em consideração outros determinantes como inteligência e qualificações, como na Tabela 5.

Tabela 5 O impacto relativo da atratividade na renda nos Estados Unidos, 1997
Fonte: Extraída da Tabela 3 em JUDGE, HURST; SIMON, 2009, p. 750.

Figura 1 Diferenças sexuais em 10 ou mais parceiros ao longo da vida por idade
Fonte: Pesquisa nacional finlandesa de 1992 presente na p. 90 In: *Sexual Pleasures* de O. Kontula e E. Haavio-Mannila. Aldershot: Dartmouth Press, 1995

Figura 2 Diferenças sexuais em desejo não satisfeito por idade
Fonte: Pesquisa nacional finlandesa de 1992 presente na p. 105 In: *Sexual Pleasures* de O. Kontula e E. Haavio-Mannila. Aldershot: Dartmouth Press, 1995.

Figura 3 Diferenças sexuais em celibato no último mês por idade
Fonte: Pesquisa nacional finlandesa de 1992 presente na p. 75 In: *Sexual Pleasures* de O. Kontula e E. Haavio-Mannila. Aldershot: Dartmouth Press, 1995.

Figura 4 Diferenças sexuais em celibato no último ano por idade
Fonte: Pesquisa nacional dos Estados Unidos de 1992 e outras fontes relatadas na Figura 3.1, p. 91 In: *The Social Organisation of Sexuality* de E. O. Laumann e outros. Chicago: University of Chicago Press, 1994

Figura 5 Diferenças sexuais no autoerotismo

Fonte: Pesquisa nacional dos Estados Unidos de 1992 relatada na Figura 3.3, p. 136 In: *The Social Organisation of Sexuality* de E. O. Laumann e outros. Chicago: University of Chicago Press, 1994

Este livro foi composto na tipografia Sabon LT Std,
em corpo 11/15,5, impresso em papel offwhite
no Sistema Cameron da Divisão Gráfica
da Distribuidora Record.